D0243098

L'union sociale canadienne sans le Québec:

Huit études sur l'entente-cadre

Données de catalogage avant publication (Canada)

Vedette principale au titre:

L'union sociale canadienne sans le Québec: – Huit études sur l'entente-cadre

Comprend des ref. bibliogr.

ISBN 2-89035-337-0

1. Fédéralisme - Canada. 2. Relations fédérales-provinciales (Canada) - Québec (Province). 3. Controverses fédérales-provinciales (Canada). 4. Droit constitutionnel - Canada. 5. Canada - Politique et gouvernement - 1993- . 6. Québec (Province) - Politique et gouvernement - 1994- . I. Gagnon, Alain-G. (Alain-Gustave), 1954 .

JL19.U54 2000 320.471'049 C00-940245-4

Les Éditions Saint-Martin bénéficient de l'aide de la SODEC pour l'ensemble de son programme de publication et de promotion.

Les Éditions Saint-Martin sont reconnaissantes de l'aide financière qu'elles reçoivent du gouvernement du Canada qui, par l'entremise du programme d'Aide au Développement de l'industrie de l'Édition, soutient l'ensemble de ses activités d'éditions et de commercialisations.

Bibliothèque nationale du Québec
Bibliothèque nationale du Canada
1er trimestre 2000
ISBN 2-89035-337-0

Correction d'épreuves: Chantal Bujold

Infographie: Composition Monika, Québec

ÉDITIONS
SAINT-MARTIN

© 2000, Les Éditions Saint-Martin
5000, rue Iberville, bureau 203
Montréal (Québec)
H2H 2S6
Tél.: (514) 529-0920
Téléc.: (514) 529-8384
st-martin@qc.aira.com

TOUS DROITS RÉSERVÉS POUR TOUS PAYS
Aucune partie de ce livre ne peut être reproduite ou transmise sous aucune forme ou par quelque moyen électronique ou mécanique que ce soit, par photocopie, enregistrement ou par quelque forme d'entreposage d'information ou système de recouvrement, sans la permission écrite de l'éditeur.

L'union sociale canadienne sans le Québec:

Huit études sur l'entente-cadre

Sous la direction de
Alain-G. Gagnon

Remerciements

Alain-G. Gagnon

Je tiens à remercier le Secrétariat aux Affaires intergouvernementales canadiennes (SAIC) du gouvernement du Québec pour avoir autorisé la diffusion des travaux qui ont été réalisés initialement pour son propre usage au printemps 1999, à la suite de la signature de l'entente-cadre sur l'union sociale canadienne sans l'accord du Québec. Ces travaux ont l'avantage de cerner la problématique québécoise et de faire le point sur les rapports Québec-Canada dans des domaines aussi névralgiques que ceux de la mobilité des citoyens et des travailleurs, du commerce intérieur, de la transparence et de l'imputabilité des décideurs, du pouvoir fédéral de dépenser, de la prévention et des règlements de différends entre ordres de gouvernement dans des programmes à frais partagés (v.g. éducation, santé, aide sociale) tout autant que dans des programmes à être implantés.

Je tiens à remercier les sept spécialistes qui ont rédigé ces études pour le SAIC. La diffusion de leurs travaux permettra à la population de mieux connaître les dangers que l'entente fait courir aux institutions québécoises.

De plus, la situation exigeait que l'analyse éclairée de Claude Ryan soit connue par un public plus large. La position de M. Ryan a déjà été publiée en anglais dans la revue *Inroads* (n° 8, 1999, p. 25-41) et a été reprise en partie par *Le Devoir* et *La Presse*. Je tiens à remercier les rédacteurs de la revue *Inroads* pour avoir autorisé sa parution intégrale dans le présent ouvrage.

En outre, je m'en voudrais de ne pas souligner la contribution du Mouvement Desjardins aux activités du Programme d'études sur le Québec de l'Université McGill sans laquelle il nous serait impossible de travailler à mieux faire connaître la réalité québécoise et de prendre part de façon constructive aux principaux débats de l'heure. La publication du présent ouvrage répond à ces objectifs.

Enfin, je tiens à remercier Luc Turgeon, du Département de science politique de l'Université McGill pour la préparation de la bibliographie sélective que l'on retrouve à la fin de l'ouvrage.

Table des matières

Remerciements 7

Introduction:
L'opposition du Québec à l'union sociale canadienne 11
ALAIN-G. GAGNON

Étude générale sur l'entente 19
ALAIN NOËL

Principes 49
ANDRÉ BINETTE

Mobilité 91
JACQUES FRÉMONT

Imputabilité publique et transparence 115
GHISLAIN OTIS

Travailler en partenariat pour les Canadiens 157
ALAIN-G. GAGNON

Pouvoir fédéral de dépenser. 185
ANDRÉ TREMBLAY

Prévention et règlement des différends 223
GUY TREMBLAY

L'entente sur l'union sociale canadienne vue
par un fédéraliste québécois 245
CLAUDE RYAN

Annexe I 263

Bibliographie sélective portant sur l'union sociale canadienne. 271

Notes sur les auteurs 275

Introduction: L'opposition du Québec à l'union sociale canadienne

Alain-G. Gagnon

Le 4 février 1999, le gouvernement fédéral et neuf provinces canadiennes signaient l'entente-cadre sur l'union sociale canadienne. Cette entente n'a pas été endossée par le gouvernement du Québec et a été rejetée par l'opposition officielle à Québec. Souverainistes, libéraux et adéquistes y ont vu un assaut majeur contre les compétences exercées par l'Assemblée nationale. Dans le but de mesurer les répercussions pour le Québec de la conclusion de cet accord, le Secrétariat aux Affaires intergouvernementales canadiennes (SAIC) a fait appel à sept spécialistes (constitutionnalistes, juristes, politologues) pour faire le point sur l'évolution du fédéralisme canadien en tenant compte des positions traditionnelles du Québec au chapitre du partage des pouvoirs.

En ce premier anniversaire de l'entente-cadre sur l'union sociale, il importe de mesurer la nature des changements qui seront apportés au fonctionnement de la fédération canadienne et de voir jusqu'à quel point l'autonomie du Québec sera une fois de plus réduite. Les questions soulevées par ces études confirment que des transformations majeures sont en cours et que le processus de centralisation des pouvoirs à Ottawa continue de s'accentuer. Il nous a paru essentiel de diffuser le plus largement possible les analyses de ces spécialistes pour mieux juger de la valeur intrinsèque de l'entente. En complément à ces sept études, une analyse de l'entente-cadre rédigée par Claude Ryan met en lumière les risques qu'elle fait courir au fédéralisme canadien en réduisant les provinces à de simples exécutants dans leurs propres champs de compétence. On retrouve en annexe le document même de l'entente-cadre.

Depuis le rapatriement de la constitution canadienne de 1981-1982, plusieurs transformations fondamentales sont venues marquer les relations fédérales-provinciales[1]. De nombreux domaines ont été touchés, pensons entre autres, aux programmes en matière de santé, de mobilité des travailleurs, d'enseignement postsecondaire et de formation en général, de même qu'aux changements de nature fiscale, au programme de prestation pour enfants, aux frais de scolarité différenciés et au régime d'aide financière aux étudiants.

Les altercations entre le gouvernement fédéral et celui du Québec se sont faites plus fréquentes depuis 1993, année de l'arrivée au pouvoir des libéraux de Jean Chrétien à Ottawa. Le nouveau régime libéral délaissait la voie tracée par le gouvernement conservateur qui avait cherché à trouver des formules d'accommodement constitutionnelles, en négociant les ententes du lac Meech et de Charlottetown, et amorçait une démarche dont l'objectif principal était la lutte contre le déficit. Cela devait se traduire par des réductions substantielles des paiements de transfert aux provinces. Le budget du ministre fédéral des finances Paul Martin de 1995 confirmait à cet égard que les provinces verraient leurs transferts coupés de plus du tiers, soit de 6 milliards de dollars sur une période de deux ans[2], provoquant ainsi un tollé dans plusieurs capitales provinciales. L'idée première motivant le projet fédéral était simple: faire assumer par les gouvernements provinciaux le coût politique des compressions fédérales tout en se dotant d'une marge de manœuvre pour influencer la mise en place de politiques gouvernementales provinciales qui devraient respecter les objectifs déterminés par Ottawa.

La décision fédérale de réduire de façon significative les transferts aux provinces dans les champs de l'éducation postsecondaire, de la santé et de l'aide sociale a incité les provinces à en faire l'objet principal de leur rencontre annuelle du mois d'août 1995. Un comité provincial-territorial fut dès lors institué et a œuvré jusqu'à l'adoption du projet fédéral sur l'union sociale du 4 février 1999. Ce comité déposa d'ailleurs un rapport d'étape à l'automne 1995 qui ne constitue rien de moins qu'un plaidoyer en vue de contraindre le

1. Voir, Alain-G. Gagnon, «Québec's Constitutional Odyssey», in James Bickerton & Alain-G. Gagnon, dirs., *Canadian Politics*, 3rd edition, Peterborough, Broadview Press, 1999, p. 270-299.

2. Ian Robinson et Richard Simeon, «The Dynamics of Canadian Federalism» in James Bickerton & Alain-G. Gagnon, dirs., *Canadian Politics*, *op. cit.*, p. 257.

gouvernement fédéral à encadrer son pouvoir de dépenser, à mieux définir les responsabilités exclusives de chaque ordre de gouvernements et à réduire au maximum les chevauchements en vue d'une gestion plus efficace et plus responsable des programmes.

Un large consensus a ainsi pu être atteint entre les états- membres et les territoires de la fédération canadienne: un consensus réunissant les provinces riches et les provinces pauvres, les provinces dirigées par des gouvernements d'allégeances politiques différentes (conservateur, libéral et néo-démocrate), de même que par le Québec. Cet accord est maintenant connu sous l'appellation de *Consensus de Saskatoon*. C'est ainsi que le gouvernement du Québec, après une absence remarquée au moment où Jacques Parizeau occupait la fonction de premier ministre du Québec, a accepté de jouer à fond son rôle au cours de cette phase cruciale des négociations au chapitre des relations fédérales-provinciales.

Selon l'analyse que Claude Ryan a publiée dans la revue *Inroads* concernant le processus de négociations et les résultats obtenus – analyse d'ailleurs que nous reproduisons en guise de conclusion au présent ouvrage – le gouvernement Bouchard a fait preuve d'une grande solidarité interprovinciale tout au cours de ce processus. Le Québec, on le sait, exigeait le respect mutuel des ordres de gouvernement et le droit de retrait pour les provinces qui souhaiteraient assumer pleinement leurs responsabilités dans leurs champs de compétence exclusifs touchés par le projet fédéral d'union sociale. En fin de parcours, ce droit de retrait n'a pas été reconnu par le gouvernement fédéral alors que les provinces canadiennes, sans l'appui du Québec, devaient effectuer un virage à 180 degrés en se ralliant à la position fédérale sous la menace de perdre les paiements de transfert prévus par l'entente.

C'est dans ce contexte qu'il faut situer la décision du gouvernement du Québec de faire appel à sept spécialistes qui se sont penchés sur les répercussions du projet d'union sociale canadienne concernant prioritairement la mobilité des citoyens, l'imputabilité publique et la transparence, le pouvoir fédéral de dépenser ainsi que la prévention et le règlement des différends. Chaque spécialiste s'est ainsi vu confier l'examen d'une section de l'entente et charger d'en faire ressortir les conséquences pour le Québec. C'est l'intégralité de ces travaux que nous publions aujourd'hui en version française[1].

1. Une version anglaise sera publiée simultanément par le Programme d'études sur le Québec de l'Université McGill et l'Institut de recherche en politiques publiques (IRPP) sous le titre de *The Canadian Social Union Without Québec: Eight Critical Analyses*, Montréal, 2000.

Dans une première étude, le politologue Alain Noël démontre que le «cadre visant à améliorer l'union sociale canadienne» du 4 février 1999 vient à nouveau isoler le Québec. Noël évalue les résultats de l'entente par rapport au consensus interprovincial qui avait été confirmé quatre jours plus tôt à Victoria et mesure l'écart croissant entre l'entente et les demandes traditionnelles du Québec. L'auteur souligne que les autres partenaires de la fédération ont une fois de plus ignoré les attentes du gouvernement du Québec et de l'opposition officielle à l'Assemblée nationale et fait fi du caractère distinct de la société québécoise pour ne pas contrarier le gouvernement fédéral. En outre, Alain Noël discute des répercussions défavorables qu'aura la nouvelle méthode de calcul de répartition du Transfert social canadien pour le Québec, formule fixée sans préavis par le gouvernement fédéral, quelques jours seulement après l'établissement de l'entente-cadre sur l'union sociale canadienne.

Dans une deuxième étude, le juriste André Binette étudie le chapitre 1 de l'entente et soutient que le gouvernement fédéral s'approprie, sans égard au partage des compétences, de nouvelles responsabilités dans les secteurs névralgiques de la santé, de l'enseignement postsecondaire et des services sociaux. Contrairement à ce qui eut été souhaitable, le gouvernement fédéral ne fait rien pour clarifier le partage des compétences; il poursuit plutôt une politique de chevauchement et va même jusqu'à obliger les provinces à se soumettre à un cadre d'imputabilité fédéral advenant que les états-membres de la fédération choisiraient d'avoir recours à leur droit de retrait. L'auteur affirme que deux avenues demeurent encore ouvertes pour le Québec face à la position canadienne: soit une consultation publique demandant aux Québécois de se prononcer sur le rapatriement des pleins pouvoirs fiscaux à l'Assemblée nationale, soit l'accession du Québec à la souveraineté.

Le juriste Jacques Frémont traite dans une troisième étude portant sur le chapitre 2 de l'entente de la question de la mobilité ou de la liberté de mouvement au sein de l'espace canadien. Frémont relève que le gouvernement fédéral impose des contraintes importantes aux gouvernements provinciaux signataires puisque ce sont eux qui, au premier chef, assument la compétence dans les champs touchés par la mobilité. L'auteur défend la thèse que le gouvernement fédéral a substitué à la «logique libre-échangiste» une «logique sociale» pour régir les mouvements de population au Canada. Cela pourrait, d'après Frémont, conduire à la disparition des critères de résidence dans l'exercice des compétences provinciales. Enfin, l'Accord sur le commerce intérieur signé en 1994 se voit renforcé par l'entente puisque l'on fixe au 1er juillet 2001 une clause de respect intégral.

Le constitutionnaliste Ghislain Otis, dans une quatrième étude, discute des répercussions pour le Québec du troisième chapitre portant sur l'imputabilité publique et la transparence. L'auteur relève des changements majeurs à ces chapitres et conclut que c'est le pouvoir central qui affirme sa domination dans les champs provinciaux. Les provinces canadiennes, sauf le Québec, ont accepté de reconnaître à Ottawa un rôle de premier plan dans les champs exclusifs des provinces. Otis constate ainsi un revirement majeur au chapitre de l'imputabilité soulignant qu'il est maintenant possible de ne plus verser de compensation financière à une province qui souhaiterait agir pleinement dans ses champs exclusifs si Ottawa et la majorité des provinces devaient en convenir entre elles. Ottawa pourra aussi imposer, avec un simple préavis et sans consultation publique, des changements aux programmes existants, ce qui lui procure une marge de manœuvre fortement élargie.

Le politologue Alain-G. Gagnon, dans une cinquième étude, démontre jusqu'à quel point le Québec se trouve plus à l'étroit que jamais dans la fédération canadienne à la suite de la présente offensive fédérale au chapitre du partage des pouvoirs. L'auteur fait ressortir aussi que l'entente sur l'union sociale va carrément à l'encontre des efforts déployés depuis plusieurs années par les deux ordres de gouvernement pour mettre pleinement en valeur le principe de l'imputabilité. En outre Gagnon conclut que les principales assises de la position québécoise en matière constitutionnelle sont remises en question: le dualisme et l'autonomie provinciale sont rejetés; l'exercice des compétences provinciales doit de plus en plus se faire en prenant en considération le pouvoir fédéral de dépenser; les liens de cohésion sociale tissés au cours des ans peuvent dorénavant être présentés comme étant contraires à la vision homogénéisante entretenue par le gouvernement fédéral.

Dans une sixième étude, le juriste André Tremblay se concentre sur le chapitre 5 de l'entente-cadre portant sur le pouvoir fédéral de dépenser. L'auteur fait la démonstration que le fédéralisme canadien est remis en question au profit de l'unitarisme. Selon A. Tremblay, l'imposition de normes pancanadiennes uniformisantes contribue à réduire la flexibilité et les capacités d'adaptation du système et remet en question le caractère distinct du Québec. L'auteur conclut que les provinces viennent de «s'emprisonner dans le carcan des normes, priorités, conditions et objectifs pancanadiens auxquels s'ajoutera un cadre d'imputabilité et de reddition de comptes». L'auteur rappelle qu'il importe que le gouvernement du Québec explore plus à fond les voies juridique et politique dans le but d'équilibrer les ressources fiscales avec les compétences de chaque ordre de gouvernements dans le plus grand respect de la Constitution.

Le juriste Guy Tremblay, dans une septième étude, portant sur le chapitre 6 de l'entente-cadre traitant de la prévention et du règlement des différends confirme que l'entente sur l'union sociale s'inscrit dans le sens d'une plus grande centralisation des pouvoirs et rappelle qu'Ottawa a pris soin d'identifier uniquement les domaines de collaboration relevant des compétences provinciales exclusives. L'entente-cadre ne prévoit aucun mécanisme permettant de forcer Ottawa à respecter ses propres engagements. En outre, G. Tremblay constate que l'entente rend légitimes les intrusions fédérales dans les champs provinciaux et ce sans aucune contrainte réelle.

À ces études s'ajoute celle de Claude Ryan, ancien chef du Parti libéral du Québec, qui décortique l'entente-cadre sous toutes ses coutures et déplore le fait que le Québec ait été abandonné pour une troisième fois après s'être engagé dans une même démarche commune avec ses partenaires dans la fédération canadienne: 1981, lors du rapatriement de la Constitution; 1990, lors de l'échec du lac Meech; 1999, avec l'entente sur l'union sociale. Claude Ryan, qui se décrit comme un fédéraliste modéré, démontre jusqu'à quel point l'initiative fédérale va à l'encontre de plusieurs principaux fédéraux. Il déplore de plus que le caractère unique du Québec ne soit pas présenté comme un élément original de la fédération canadienne et qu'il importe que cette caractéristique fondamentale soit reflétée dans les politiques en matière d'éducation, de santé et de services sociaux. Enfin, Claude Ryan établit jusqu'à quel point il est erroné d'affirmer, comme le fait le ministre fédéral Stéphane Dion, que l'entente-cadre ait une portée plus étendue que l'entente sur le lac Meech.

En somme, et ce contrairement à ce qui est avancé par les leaders politiques à Ottawa, nous n'entrons pas dans une ère de fédéralisme de coopération. Nous sommes plutôt en présence d'un fédéralisme de façade. Le présent ouvrage démontre comment Ottawa, inspiré davantage par les régimes unitaires, s'active à instaurer un fédéralisme expansionniste sans égard pour les compétences provinciales. Les conséquences de ces bouleversements, sans doute les plus importants depuis le rapatriement de 1982 pour l'avenir de la fédération canadienne, sont restées dans l'ombre. Il faut espérer que les études rassemblées dans ce livre jetteront un nouvel éclairage sur les enjeux pour le Québec et pour tous les états-membres de la fédération canadienne.

Étude générale sur l'entente

Alain Noël

Le 4 février 1999, le gouvernement fédéral et les gouvernements de toutes les provinces et territoires sauf le Québec s'entendaient sur «Un cadre visant à améliorer l'union sociale pour les Canadiens». Cette entente rompait avec un consensus interprovincial encore en place quelques jours auparavant et mettait un terme à un processus amorcé, sans le Québec, à la fin de 1995, d'abord autour de la Prestation nationale pour enfants. Elle marquait aussi une étape cruciale dans le conflit historique opposant les provinces et le gouvernement fédéral en légitimant, en échange de contreparties minimales, le point de vue du gouvernement fédéral sur le pouvoir de dépenser. L'entente fait de ce pouvoir un instrument «essentiel» pour permettre «la poursuite d'objectifs pancanadiens» et ne l'encadre que de façon limitée, tout en demandant que les provinces et territoires «atteignent ou s'engagent à atteindre les objectifs pancanadiens convenus et conviennent de respecter le cadre d'imputabilité»[1]. Plus important encore, l'entente du 4 février isole une fois de plus le Québec, confirmant la capacité et la volonté des autres gouvernements de définir ou de redéfinir le pays sans chercher à obtenir l'accord du gouvernement, ou même de l'opposition officielle, du Québec, et sans reconnaître la société québécoise comme distincte. L'entente sur l'union sociale précédait par ailleurs de quelques jours un changement majeur dans la méthode de répartition du Transfert social canadien, changement également défavorable pour le Québec.

Au total, l'entente marque donc un recul important pour le Québec. En même temps, en mettant les choses au clair et en institutionnalisant encore un peu plus l'écart qui sépare le Québec du reste

1. «Un cadre visant à améliorer l'union sociale pour les Canadiens», Entente entre le gouvernement du Canada et les gouvernements provinciaux et territoriaux, Ottawa, 4 février 1999, p. 6-8.

du Canada, la nouvelle «union sociale» crée une situation inusitée, qui pourrait donner l'occasion au gouvernement du Québec d'affirmer ses propres priorités et de mettre en évidence les implications concrètes de l'impasse politique canadienne. L'entente du 4 février 1999 constitue donc un recul réel, mais elle ouvre aussi de nouvelles opportunités, et pourrait permettre de modifier la dynamique politique dans les prochaines années.

Cette étude traite de l'ensemble de l'entente et comporte deux grands objectifs. Elle vise d'abord à en évaluer le contenu, en relation avec le consensus encore accepté par les provinces quatre jours auparavant, et eu égard aux revendications traditionnelles du Québec. Elle propose ensuite, de façon un peu plus spéculative, une réflexion sur les stratégies adoptées dans ce cas par le gouvernement québécois, sur les leçons à retenir et sur les perspectives d'avenir pour le Québec à l'intérieur du cadre fédéral canadien. D'emblée, il convient de préciser qu'il s'agit ici d'un point de vue global, sur l'ensemble de la question, offert par un observateur attentif, mais extérieur au processus. Il ne s'agit donc pas tant de rendre compte avec précision de ce qui s'est passé que de contribuer à la réflexion en situant l'entente dans une perspective historique et théorique large.

La première partie du texte compare l'entente finale aux positions définies conjointement par les provinces lors du processus de négociation. De ce point de vue, la situation est relativement claire: les provinces n'ont à peu près rien obtenu qui n'était pas déjà offert, unilatéralement, par le gouvernement fédéral, et elles ont concédé beaucoup. Elles ont, notamment, reconnu explicitement la légitimité du pouvoir fédéral de dépenser, sans réussir à véritablement en circonscrire l'utilisation. La seconde partie refait l'exercice, cette fois-ci du point de vue du Québec, pour conclure que l'entente du 4 février marque un recul très net, en isolant le Québec et en rendant encore plus improbables des progrès allant dans le sens des revendications traditionnelles du gouvernement québécois.

La partie suivante aborde la question des objectifs et des stratégies. La question posée est simple, mais en fait incontournable: le gouvernement du Québec devait-il s'engager dans un processus qui risquait de se terminer à son désavantage? Et si oui, avait-il raison d'aller aussi loin dans la voie du renouvellement de l'union sociale, pour avaliser une logique pancanadienne en porte-à-faux avec sa propre vision du fédéralisme canadien? En rétrospective, la stratégie du front commun peut apparaître comme une erreur. Plusieurs arguments la justifient cependant. Il semble clair, notamment, que le résultat n'aurait pas été très différent si le Québec s'était abstenu. En s'engageant dans cette démarche, le Québec a au moins contribué à définir et à légitimer une approche alternative, approche qui demeurera une référence dans les débats à venir sur la question.

La dernière partie traite des options qui s'ouvrent au Québec dans le cadre de la nouvelle entente. Trois aspects, en particulier, semblent porteurs pour l'avenir. D'abord, en s'imposant sans l'accord du Québec, l'entente sur l'union sociale crée une asymétrie *de facto*, qui pourrait revenir hanter le gouvernement fédéral. Ensuite, l'entente ne crée qu'un cadre général de gestion de l'union sociale, et elle rend nécessaires des négociations sectorielles, au cours desquelles le Québec pourrait tirer son épingle du jeu. Enfin, le nouveau cadre de référence renforcera la tendance du gouvernement fédéral à faire des politiques sociales par le biais de la fiscalité, tendance que le Québec peut contrer en prenant les devants sur le plan social.

La capitulation rapide des provinces

> *We all know what we want. We want more money. We want a restoration of our health-care money from Ottawa... I think everybody agrees essentially, and if we can keep the constitutional lawyers away from Ottawa on Thursday, we'll have a deal.*
>
> Mike Harris, premier ministre de l'Ontario
>
> *I'm taking a different approach on some issues and trying to be as constructive as I can. Substantially, I'll be supporting the federal government. I'm not going there with a big shopping list of demands.*
>
> Glen Clark, premier ministre de Colombie-Britannique[1]

L'entente sur l'union sociale n'est pas un accord constitutionnel. Il s'agit plutôt d'un document administratif, non légal, qui n'est en principe valable que pour une période de trois ans. Sur le plan politique, cependant, il s'agit d'une percée majeure pour le gouvernement fédéral, qui y voit reconnus plusieurs principes qu'il a mis de l'avant. La probabilité que ces principes deviennent établis et institutionnalisés est donc très grande. D'un commun accord, les provinces et les territoires du reste du Canada créent avec le gouvernement fédéral un cadre qui régira la gestion des politiques sociales au pays. Ce nouveau cadre balisera le processus de négociations continu qui caractérise les relations fédérales-provinciales sur ces questions.

1. Les deux citations datent du 2 février 1999 et sont tirées de: Edward Greenspon et Graham Fraser, «PM Finds More Cash to Woo Provinces: On Eve of Talks with Premiers, He Prepares to Sweeten Health Offer», *Globe and Mail*, 3 février 1999, p. A1.

L'entente jouera donc rapidement un rôle majeur, en définissant d'une façon plus claire et tout à fait nouvelle le cadre de ces négociations.

La clé de voûte de l'entente est la reconnaissance explicite et presque sans restriction, par les provinces et les territoires, de la légitimité du pouvoir fédéral de dépenser dans les domaines relevant de la compétence exclusive des provinces. Cette reconnaissance prend plusieurs formes. D'abord, le texte de l'entente suggère que le gouvernement fédéral utilise son pouvoir de dépenser «conformément à la Constitution» (p. 6), ce qui du point de vue légal est éminemment contestable, puisque le statut juridique du pouvoir de dépenser demeure incertain[1]. Ensuite, l'entente enjoint les gouvernements au «respect de leurs compétences et pouvoirs constitutionnels respectifs» (p. 1), sans reconnaître explicitement que les politiques sociales sont dans la plupart des cas une responsabilité exclusive des provinces. Enfin, le document décrit l'utilisation du pouvoir fédéral de dépenser comme étant «essentielle au développement de l'union sociale canadienne» et il lui attribue les «programmes sociaux nouveaux et innovateurs» que les provinces ont mis sur pied au fil des années (p. 6). Au total, pour reprendre les mots de l'éditorialiste Michel Venne, le texte de l'accord «est une ode au pouvoir fédéral de dépenser. Presque une invitation à Ottawa de l'utiliser de plus en plus»[2].

Par le passé, les provinces s'étaient montré disposées à reconnaître ce pouvoir de dépenser, en contrepartie de mesures permettant de le circonscrire et d'en baliser l'utilisation. Deux mécanismes, en particulier, ont été évoqués, ensemble ou séparément, à différentes époques: la nécessité d'un recours à un large consensus intergouvernemental avant d'introduire un nouveau programme, et le droit de retrait avec pleine compensation pour une province qui refuserait de participer. L'entente sur l'union sociale fait écho, mais de façon minimaliste, à ces deux demandes. D'une part, le gouvernement fédéral s'engage à ne pas créer de nouveaux transferts aux provinces sans d'abord obtenir l'appui d'une majorité de celles-ci. D'autre part, il accepte qu'un gouvernement provincial qui atteindrait déjà les «objectifs pancanadiens convenus» et qui respecterait

1. Andrée Lajoie, «The Federal Spending Power and Meech Lake», dans Katherine E. Swinton et Carol J. Rogerson (eds.), *Competing Constitutional Visions: The Meech Lake Accord*, Toronto, Carswell, 1988, p. 175-78.

2. Michel Venne, «L'accord du 24 Sussex», *Le Devoir*, 6 février 1999, p. A10.

«le cadre d'imputabilité» puisse «réinvestir les fonds non requis dans le même domaine prioritaire ou dans un domaine connexe» (p. 7-8). La règle de la majorité demeure évidemment bien en deçà de la règle constitutionnelle du 7/50 (7 provinces représentant 50 % de la population), puisque l'appui de 6 provinces comptant aussi peu que 15 % de la population pourrait suffire à imposer de nouveaux objectifs pancanadiens. Quant au droit de retrait, il n'existe tout simplement pas puisque même les provinces dissidentes, incluant le Québec qui n'a pas signé l'entente, sont tenues d'atteindre les «objectifs pancanadiens convenus». Ce ne sont que les «fonds non requis» qui pourront être réinvestis dans un domaine connexe; exiger le contraire – réinvestir des fonds non requis dans le même domaine – serait évidemment absurde.

Aussi limité soit-il, cet encadrement du pouvoir de dépenser ne concerne que de nouveaux transferts aux provinces touchant les soins de santé, l'éducation postsecondaire, l'aide sociale et les services sociaux. Pour les transferts directs aux organisations et aux personnes, le gouvernement fédéral ne s'engage qu'à «donner un préavis d'au moins trois mois et à offrir de consulter» (p. 8). Or, depuis déjà plusieurs années, les transferts aux personnes et aux organisations constituent l'instrument privilégié des interventions fédérales. Si on fait abstraction des modifications budgétaires d'ensemble et des changements aux règles de répartition entre les provinces, les transferts aux provinces ne constituent plus véritablement une source d'innovations. Le gouvernement fédéral lui-même proposait d'ailleurs, dans le discours du trône de 1996, de circonscrire sa capacité de créer de nouveaux programmes cofinancés.

Finalement, l'entente sur l'union sociale énonce un certain nombre de principes, qui concourent tous à définir une perspective pancanadienne, sans égard à l'autonomie des provinces et au respect de la diversité. Sont affirmés, en particulier, l'égalité de tous les Canadiens, la mobilité partout au Canada et le refus de politiques «fondées sur des critères de résidence». La transparence et le partage de l'information sont également privilégiés. L'entente prévoit par ailleurs des mécanismes souples de règlement des différends.

Même en faisant abstraction du Québec, les termes de l'entente semblent très éloignés des demandes initiales des provinces. Avant même que le Québec ne se joigne au front commun des provinces, les premiers ministres avaient en effet mis de l'avant des demandes très articulées et relativement ambitieuses de rééquilibrage de la fédération. Dans un document de réflexion substantiel présenté en décembre 1995 par les ministres provinciaux et territoriaux responsables des services sociaux (sans le Québec), les provinces commençaient à définir une vision nouvelle de l'union sociale canadienne. Constatant le désengagement financier du gouvernement fédéral, tant en ce qui concerne des programmes comme l'assurance-chômage et les pensions que pour les transferts aux provinces, et l'approche unilatérale, imprévisible et peu cohérente de celui-ci, les ministres provinciaux proposaient de revoir toute l'architecture des programmes, en respectant mieux la division des pouvoirs et en tentant d'améliorer l'équité, l'imputabilité et l'efficacité[1]. Selon Thomas J. Courchene, dont les travaux ont contribué à donner de la crédibilité à la démarche des provinces, l'approche se démarquait des positions provinciales traditionnelles parce qu'elle donnait un rôle accru, institutionnalisé, à la Conférence annuelle des premiers ministres et, surtout, parce qu'elle amenait les provinces à définir leur propre vision pancanadienne[2]. Dénonçant l'unilatéralisme d'Ottawa, les provinces proposaient de mieux asseoir les politiques sociales canadiennes en respectant la division des pouvoirs et en instaurant divers mécanismes de décision conjointe et de règlement des différends.

En août 1998, l'entente de Saskatoon élargit cette approche, en ajoutant à la démarche des provinces un consensus «quant à la capacité d'une province ou d'un territoire de se retirer de tout nouveau programme social ou programme modifié pancanadien dans les secteurs de compétence provinciale/territoriale avec pleine compensation, entendu que la province ou le territoire offre un programme ou une initiative dans les mêmes champs d'activité prioritaires que les programmes pancanadiens[3]». Un front commun de toutes les provinces et territoires devient alors possible et ce front commun tiendra presque jusqu'à la veille de la signature de l'entente de février 1999.

Les provinces se donnent comme objectif de définir, conjointement avec le gouvernement fédéral, un cadre de référence fidèle à un certain nombre de valeurs, respectueux de la division des pouvoirs, et susceptible d'assurer la stabilité, la prévisibilité et la flexibilité des

1. «Redefining the Social Services Roles and Responsibilities of Federal and Provincial/Territorial Governments», A Discussion Paper Submitted by the Provincial/Territorial Ministers Responsible for Social Services to the Ministerial Council on Social Policy Reform and Renewal, Victoria, 12 décembre 1995.

2. Thomas J. Courchene, «In Praise of Provincial Ascendency», *Options politiques*, vol. 19, n° 9, novembre 1998, p. 30-31.

3. Secrétariat des affaires intergouvernementales canadiennes, «Entente-cadre sur l'union sociale canadienne», Saskatoon, 6 août 1998.

programmes sociaux canadiens. Le document qui, le 29 janvier 1999, établissait encore une position commune proposait, notamment:

- de favoriser l'égalité de tous les Canadiens ainsi que l'accès à des services adéquats, de promouvoir le sens des responsabilités individuelles et collectives, et d'assurer la viabilité et le maintien de programmes abordables, efficaces et imputables;
- de reconnaître qu'en vertu de la constitution, les provinces et territoires sont les principaux responsables en matière de politiques sociales;
- de s'engager à éviter les chevauchements et les dédoublements et à clarifier autant que possible les rôles et responsabilités de chacun;
- de respecter la liberté de circulation et d'éliminer les barrières déraisonnables à la mobilité, tout en préservant la capacité des gouvernements à poursuivre des objectifs légitimes en matière de politiques publiques;
- d'assurer la suffisance, la prévisibilité et la stabilité de tous les arrangements financiers fédéral/provincial/territorial importants, en restaurant le niveau des transferts à ce qu'il était avant les coupures des dernières années, en donnant une durée de vie de cinq ans aux différents arrangements, et en transmettant aux provinces un avis écrit de trois ans avant toute modification à la baisse d'un transfert majeur;
- de faciliter la collaboration entre les gouvernements, en développant notamment des indicateurs de résultats pour les programmes pancanadiens;
- de soumettre tout programme pancanadien, nouveau ou modifié, au consentement d'une majorité de provinces et de permettre un droit de retrait avec pleine compensation pour ces programmes;
- de mettre sur pied un mécanisme de résolution des différends qui pourrait impliquer, lorsque nécessaire, le recours à un tiers[1].

Certains de ces objectifs se retrouvent, plus ou moins modifiés, dans l'entente du 4 février. C'est le cas, notamment, des principes pancanadiens les plus généraux, comme l'égalité, l'accès aux services, le respect des principes de l'assurance-maladie et l'idée d'un financement suffisant, abordable et durable. Les aspects les plus

1. «Securing Canada's Social Union into the 21st Century», Draft Paper for Discussion Purposes Only, Ottawa, 29 janvier 1999.

importants, du point de vue des provinces, sont cependant laissés de côté.

Le premier écart d'importance entre les objectifs des provinces et l'entente concerne le statut des différents gouvernements. Plutôt que de reconnaître la responsabilité première des provinces en matière de politiques sociales, l'entente sur l'union sociale évoque simplement le respect des «compétences et pouvoirs respectifs» de chacun. Il ne s'agit d'ailleurs plus de clarifier les rôles et d'éviter les dédoublements et les chevauchements, mais plutôt de «reconnaître et expliquer publiquement les contributions et les rôles respectifs des gouvernements». Loin de reconnaître la primauté des provinces, l'entente vise au contraire à affirmer et à mieux faire ressortir le rôle du gouvernement fédéral. Plusieurs énoncés présentent d'ailleurs les provinces comme des gouvernements subordonnés, souvent tentés par des pratiques douteuses et qu'il faut soumettre à des règles précises. Il faudra «reconnaître et expliquer» le rôle du gouvernement fédéral, «utiliser les transferts aux fins prévues et faire bénéficier ses résidents de toute augmentation», «rendre publics les critères d'admissibilité et les engagements de service afférents aux programmes sociaux», «suivre de près ses programmes sociaux, en mesurer le rendement et publier des rapports réguliers pour informer ses commettants du rendement obtenu», «partager des informations sur les pratiques exemplaires», «mettre en place des mécanismes appropriés permettant aux citoyens d'interjeter appel en cas de pratiques administratives inéquitables», «rendre compte publiquement des appels interjetés et des plaintes déposées tout en garantissant la confidentialité de ces démarches», et bien sûr, «atteindre les objectifs pancanadiens convenus et... respecter le cadre d'imputabilité» (p. 3-8).

Le cas de la liberté de circulation illustre bien le changement de perspective. Alors que le projet des provinces visait à éliminer les barrières déraisonnables à la mobilité tout en préservant la capacité des gouvernements de poursuivre des objectifs légitimes, l'entente du 4 février présente toute barrière comme néfaste, enjoint les provinces à les éliminer complètement d'ici trois ans, et inverse le fardeau de la preuve: il ne s'agit plus de démontrer que l'utilisation d'un critère de résidence est inacceptable, mais bien de «faire la preuve que ces politiques ou pratiques sont raisonnables et qu'elles respectent les principes de l'entente-cadre sur l'union sociale» (p. 3). L'idée même d'utiliser des critères de résidence, une pratique universelle dans l'éducation postsecondaire aux États-Unis, apparaît ici inacceptable.

Soucieux de soumettre les provinces à différents critères de transparence et d'imputabilité, le gouvernement fédéral ne s'engage pas, sauf de façon très générale, à assurer un financement suffisant, prévisible et stable. Pour les provinces, il n'était probablement pas réaliste d'espérer un retour à la situation financière d'avant 1995[1]. Mais différentes mesures auraient pu les protéger contre des modifications unilatérales et soudaines aux règles du jeu. L'entente du 4 février n'impose au gouvernement fédéral qu'une obligation de consultation, avec un délai d'au moins un an, dans le cas des transferts sociaux existants, et un préavis de trois mois pour les dépenses fédérales directes. Ces contraintes, déjà très légères, ont été revues à la baisse quelques jours à peine après la signature de l'entente. Le budget fédéral présenté le 16 février 1999 introduisait en effet un changement majeur à la formule de répartition du transfert canadien en matière de santé et de programmes sociaux, changement qui n'avait été précédé d'aucun préavis ou processus de consultation formel[2]. Le ministre canadien des Affaires intergouvernementales, Stéphane Dion, a expliqué que l'idée d'évoluer dans cette direction était débattue depuis quelques années, ce qui selon lui respectait les termes de l'entente du 4 février. La nouvelle formule de répartition, écrivait-il le 23 février, a été «annoncée après un long débat qui répond tout à fait aux exigences de consultation prévues dans l'entente sur l'union sociale»[3]. L'entente acceptée par les provinces n'offre donc aucune garantie quant à la stabilité et à la prévisibilité des dépenses fédérales. Il suffit qu'une question soit débattue en public pour que l'obligation de consultation soit considérée respectée.

Une logique semblable prévaut en ce qui concerne les mécanismes de règlement des différends. Alors que les provinces proposaient la constitution de comités conjoints capables de produire des avis publics auxquels les gouvernements impliqués auraient eu à répondre, l'entente sur l'union sociale ne parle que de demander conseil à des tiers, sans instaurer une mécanique claire ou exigeante

1. John Richards, «Reducing the Muddle in the Middle: Three Propositions for Running the Welfare State», dans Harvey Lazar (ed.), *Canada: The State of the Federation 1997; Non-Constitutional Renewal*, Kingston, Institute of Intergovernmental Relations, 1998, p. 92.
2. «Notes pour un point de presse du premier ministre du Québec, M. Lucien Bouchard; réaction au budget fédéral», Cabinet du premier ministre, Québec, 17 février 1999; Communiqué de presse, «Le Québec n'a jamais reçu de préavis des modifications annoncées au transfert social canadien», Cabinet du vice-premier ministre et ministre d'État de l'Économie et des Finances, Québec, 19 février 1999.
3. Stéphane Dion, «Lettre au premier ministre du Québec, M. Lucien Bouchard, au sujet des transferts fédéraux aux provinces», Ottawa, ministère des Affaires intergouvernementales, 23 février 1999.

de résolution des conflits. Le vocabulaire de la proposition provinciale est conservé, mais l'essentiel du contenu est évacué.

Finalement, comme on l'a déjà vu, il reste peu de choses de la proposition centrale, qui concernait l'encadrement du pouvoir fédéral de dépenser. Ce sont les provinces elles-mêmes qui avaient mis de l'avant la règle de la majorité, ce qui n'était probablement pas prudent. Mais cette règle peu restrictive s'inscrivait dans un cadre qui couvrait l'ensemble des transferts et des dépenses fédérales dans les secteurs de compétences provinciales, et qui permettait le retrait avec pleine compensation. La règle de la majorité demeure, mais ne s'applique qu'aux transferts sociaux.

Rôle subordonné des provinces, obligations strictes quant à la mobilité, absence d'assurances quant à la suffisance, la stabilité et la prévisibilité du financement des programmes, mécanismes peu contraignants de résolution des différends, et encadrement presque virtuel du pouvoir fédéral de dépenser: à tous égards, l'entente sur l'union sociale se situe bien en deçà des propositions élaborées conjointement par les provinces depuis la publication du rapport de décembre 1995. L'entente, concluaient des chercheurs de l'Institut C. D. Howe, ne retient presque rien de plus d'une décennie d'efforts pour trouver un accommodement à propos du pouvoir fédéral de dépenser et permet toujours des initiatives mal avisées telles que la Fondation canadienne des bourses d'études du millénaire[1].

Comment expliquer que les gouvernements des provinces aient accepté aussi aisément et rapidement de signer une telle entente, si loin de leurs demandes collectives? Bill Robson et Daniel Schwanen, de l'Institut C. D. Howe, attribuent ce résultat à l'attrait d'un financement fédéral accru pour les soins de santé: *It is clear that the lure of money swayed the nine provinces that signed the deal away from their previous unanimous stance in favor of restraining the spending power*[2]. Les commentaires du premier ministre Mike Harris cités en ouverture de cette section, de même que les remarques un peu moins directes mais tout aussi claires de plusieurs premiers ministres et ministres, semblent confirmer cette analyse[3]. Mais l'argent n'explique pas tout. En tenant compte des surplus budgétaires fédéraux, des pressions d'une

1. William B. P. Robson et Daniel Schwanen, «The Social Union Agreement: Too Flawed to Last», *C. D. Howe Institute Backgrounder*, Toronto, Institut C. D. Howe, 8 février 1999, p. 3.
2. *Ibid.*, p. 3. Voir aussi: Jeffrey Simpson, «A Fistful of "Social Union" Dollars», *Globe and Mail*, 4 février 1999, p. A14.
3. Greenspon et Fraser, «PM Finds More Cash to Woo Provinces»; Edward Greenspon, «PM and Premiers Gather, with Little to Lose: There Are Differences, but Nobody Seems Too Worried About Them», *Globe and Mail*, 4 février 1999, p. A1.

opinion publique, qui à la veille de la signature de l'entente faisait des soins de santé la question prioritaire, et des engagements déjà pris par le gouvernement du Parti libéral, les provinces pouvaient présumer que le gouvernement fédéral réinvestirait de toute façon dans les transferts pour la santé[1].

Pour comprendre le dénouement de la négociation du point de vue des provinces, et pour en saisir les implications pour l'avenir, il convient de souligner trois éléments qui, au-delà des considérations budgétaires, ont probablement joué un rôle. Premièrement, l'alliance des provinces était une alliance de circonstances. Les provinces plus petites et plus pauvres appuient, de façon générale, une centralisation qui a tendance à les avantager. Le fait qu'elles se soient ralliées à la position fédérale n'est donc pas étonnant. Deuxièmement, la vision mise de l'avant par les provinces est, comme celle du gouvernement fédéral, une vision pancanadienne. Les mécanismes proposés sont différents, mais les objectifs ne sont finalement pas si éloignés. Le premier ministre Glen Clark, cité plus haut, n'avait pas tort de dire qu'en substance il appuyait le gouvernement fédéral. L'ambivalence des provinces explique en partie le résultat final. Troisièmement, sur ces questions, l'opinion publique canadienne-anglaise est soit indifférente, soit plutôt favorable au gouvernement fédéral. Les gouvernements provinciaux le savent et mesurent avec prudence leur capacité de négocier, face à un gouvernement central déterminé et riche. Le premier ministre Ralph Klein, de l'Alberta, résumait ainsi la situation la veille de l'entente: *The social union to the severely normal Canadian out there doesn't mean a tinker's dam*[2]. Divisés entre eux, proches des positions fédérales sur le fond, et faiblement supportés par leurs propres électeurs, les gouvernements des provinces ne sont donc guère disposés, une fois la question du financement résolue, à offrir une résistance forte au gouvernement fédéral.

Plusieurs observateurs ont parlé ces dernières années d'une dynamique fondamentalement nouvelle dans les relations fédérales-provinciales. C'est le cas, bien sûr, du chef du Parti libéral du Québec, qui mise beaucoup sur cette dynamique pour renouveler le fédéralisme[3]. Mais le point de vue est largement partagé, au Québec

1. Voir Daniel Leblanc, «Canadians Rank Health Care as Top Priority for Leaders' Attention; Polls Finds 43 % of Respondents Put Issue First on List of Concerns», et Shawn McCarthy, «Martin Rejects Manning's Calls to Cut Spending: Finance Minister Says Now is the Time to Invest in the "New Economy" Rather than Sacrifice Key Programs», *Globe and Mail*, 2 février 1999, p. A4.
2. Greenspon, «PM and Premiers Gather, with Little to Lose».
3. Jean J. Charest, «L'union sociale canadienne: la chance de progresser tous ensemble», *La Presse*, 16 février 1999, p. B3.

comme dans le reste du Canada[1]. Il est vrai, comme on l'a vu, que les provinces ont pris l'initiative de définir des positions communes et qu'elles ont institutionnalisé leurs rencontres annuelles. Mais l'entente sur l'union sociale, rédigée à Ottawa et à peine amendée par les provinces[2], ne retient presque rien de ce processus et relève plus du *statu quo* que d'un vent de changement.

Il est instructif, à cet égard, de retourner aux travaux du politologue canadien Richard Simeon qui, en 1972, publiait une analyse fouillée des relations fédérales-provinciales dans les années soixante. Contrairement au Québec, écrivait alors Simeon, les autres provinces ne remettent pas en question le rôle du gouvernement fédéral. Elles souhaitent moins transférer des responsabilités que des revenus vers les provinces, tout en étant impliquées dans les grandes décisions: *For the provinces cooperative federalism implies they should be involved in policy formation at an early stage; for Ottawa it is less a question of joint decisions than a willingness to listen to provincial views after a policy has been developed*[3]. Les provinces, notait cependant Simeon, arrivent mal à réaliser leurs objectifs quant au fédéralisme coopératif, parce que les plus petites et les plus pauvres veulent un gouvernement central fort, parce que les élus du Canada anglais sont plus ambivalents que ceux du Québec et souhaitent préserver une vision pancanadienne, et parce que leurs électeurs ne favorisent guère la décentralisation. Seul le Québec pousse avec conviction en faveur de changements plus fondamentaux[4]. L'entente sur l'union sociale, qui laisse le Québec sur ses positions et fait plus de place à la consultation *a posteriori* qu'aux mécanismes de décisions conjointes relève, semble-t-il, plus de cette dynamique classique que d'une approche véritablement nouvelle.

Un recul pour le Québec

On nage dans le symbolisme creux.

Alain Dubuc, *La Presse*[5]

Au lendemain de la signature de l'entente sur l'union sociale, plusieurs commentateurs ont suggéré que, malgré les limites discutées

1. Voir, par exemple: Alain Dubuc, «L'union sociale n'est pas une croisade», *La Presse*, 9 décembre 1998, p. B2; Courchene, «In Praise of Provincial Ascendency».
2. Norman Spector, «Same Place, Same Wallflower», *Globe and Mail*, 9 février 1999.
3. Richard Simeon, *Federal-Provincial Diplomacy: The Making of Recent Policy in Canada*, Toronto, University of Toronto Press, 1972, p. 182.
4. *Ibid.*, p. 89, 164, 175, 181-82, 207-208, 213, et 232-34.
5. Alain Dubuc, «Signer ou ne pas signer?», *La Presse*, 5 février 1999, p. B2.

plus haut, celle-ci représentait un gain pour le Québec. Pour la première fois, expliquait-on, le gouvernement fédéral acceptait d'encadrer son pouvoir de dépenser. Cet encadrement demeurait peut-être en deçà de ce que le Québec et d'autres provinces auraient souhaité, mais il constituait tout de même un pas en avant, à partir duquel on pourrait travailler dans trois ans. Après tout, jusqu'à cette entente le pouvoir fédéral de dépenser ne souffrait d'aucune restriction[1]. Au pire, écrivait Alain Dubuc dans *La Presse*, les «interventions directes, qu'Ottawa a toujours faites, pourront continuer à se faire, malgré l'opposition québécoise... le fait que Québec ne signe pas l'entente ne changera rien». Dans ce contexte, concluait Dubuc, les dénonciations de l'entente et l'idée d'un recul important relèvent du «symbolisme creux»[2].

Au départ, il faut rappeler que des reculs concrets sont inscrits dans un document qui place les provinces dans un rôle subordonné et qui les soumet à une série d'obligations nouvelles, incluant une quasi-interdiction du critère de résidence (cette obligation ne s'applique pas directement au Québec, qui n'a pas signé l'entente, mais elle n'en constituera pas moins une nouvelle norme que le gouvernement fédéral a la capacité de faire respecter). La dynamique interprovinciale si souvent vantée n'est que très partiellement reflétée dans le texte de l'entente. Plus important encore, on ne peut trop insister sur l'importance que revêt la reconnaissance explicite et très positive du pouvoir fédéral de dépenser. Il est vrai que, même avec un statut juridique et constitutionnel incertain, ce pouvoir a été abondamment utilisé, depuis plusieurs années. Il faut convenir, également, que l'entente sur l'union sociale n'est pas un document constitutionnel et que cette reconnaissance n'a pas d'implications légales immédiates. Malgré cela, la reconnaissance du pouvoir fédéral de dépenser change la donne entre le fédéral et les provinces. Ce n'est pas pour rien que les provinces avaient toujours refusé de se commettre sur cette question.

Pour comprendre la signification de la reconnaissance, même administrative, du pouvoir fédéral de dépenser, il faut saisir la logique propre à cet instrument d'intervention. En effet, les enjeux concernant celui-ci ne sont pas principalement constitutionnels ou légaux. Dans le passé, tant Ottawa que les provinces ont évité de tester directement la constitutionnalité du pouvoir fédéral de

1. Claude Castonguay, «Québec a raté une belle occasion», *Le Droit*, 11 février 1999.
2. Dubuc, «Signer ou ne pas signer?».

dépenser, préférant résoudre leurs différends par la négociation plutôt que de risquer une défaite dans un contexte juridique incertain. Aucune des parties ne souhaitait véritablement voir la Cour suprême décider de l'utilisation de cet instrument[1]. Dans la plupart des cas, l'utilisation du pouvoir de dépenser force de toute façon le gouvernement fédéral à négocier avec les provinces[2]. Le besoin de négocier et de collaborer est évident dans tous les secteurs où le gouvernement effectue des transferts, puisque ce sont alors les provinces qui définissent les programmes et offrent les services[3]. Mais la négociation est également nécessaire dans le cas des dépenses fédérales directes dans des domaines de compétence provinciale, que celles-ci prennent la forme de transferts aux organisations ou aux individus, ou de dépenses fiscales. La Fondation des bourses d'études du millénaire et la Prestation nationale pour enfants font bons cas de figure à cet égard. Dans tous les secteurs où le gouvernement fédéral a manifesté un intérêt et où des dépenses directes ou fiscales sont plausibles, qu'il s'agisse de la pauvreté des enfants, de l'emploi des jeunes, des soins à domicile, de la situation des personnes handicapées ou de celle des sans-abri, un minimum de collaboration fédérale-provinciale apparaît inévitable[4]. Dans ce contexte, marqué par la négociation plus que par les références explicites aux règles constitutionnelles, la reconnaissance provinciale du pouvoir de dépenser peut peser lourd. Keith G. Banting, un politologue canadien plutôt favorable à la centralisation, soutenait en 1988 que la reconnaissance du pouvoir fédéral de dépenser associée à l'Accord du lac Meech était plus significative pour sa portée politique que pour ses implications juridiques. L'accord unanime des provinces pour reconnaître le pouvoir fédéral de dépenser et en préciser les conditions d'utilisation, expliquait Banting, *would strengthen the spending power far more than a favourable ruling of the Supreme Court ever could.* Le gouvernement fédéral n'utiliserait sans doute pas plus un instrument qu'il utilise déjà abondamment. Mais il disposerait d'un atout de plus dans les

1. J. Stefan Dupré, «Section 106A and Federal-Provincial Fiscal Relations», dans K. E. Swinton et C. J. Rogerson (eds.), *Competing Constitutional Visions: The Meech Lake Accord*, p. 209; Keith G. Banting, «Federalism, Social Reform and the Spending Power», *Canadian Public Policy/Analyse de politiques*, vol. 14, numéro spécial, septembre 1988, p. S84.
2. Peter Hogg, «Analysis of the New Spending Provision (Section 106A)», dans K. E. Swinton et C. J. Rogerson (eds.), *Competing Constitutional Visions: The Meech Lake Accord*, p. 157-58.
3. Thomas J. Courchene, «ACCESS: A Convention on the Canadian Economic and Social Systems», reproduit dans *Assessing ACCESS: Towards a New Social Union*, Kingston, Queen's University Institute of Intergovernmental Relations, 1997, p. 81.
4. Harvey Lazar, «Non-Constitutional Renewal: Toward a New Equilibrium in the Federation», dans Lazar (ed.), *Canada: The State of the Federation 1997*, p. 33.

négociations sur les conditions nécessairement associées à toute nouvelle initiative[1]. Les provinces, par contre, ayant renoncé au droit de retrait avec compensation, n'auraient guère d'autres recours que d'accepter que leurs citoyens paient des impôts pour des services ou des avantages qu'ils ne reçoivent pas[2]. La politique des services de garde, par exemple, place déjà les citoyens québécois dans cette situation, puisque le gouvernement fédéral ne compense pas le Québec pour des crédits d'impôts dont ils ne peuvent bénéficier pleinement, compte tenu de l'établissement des places en garderie à 5 $ par jour.

Le gouvernement du Québec, évidemment, n'a pas signé l'entente sur l'union sociale. Normalement, ceci devrait réduire la portée de la reconnaissance du pouvoir de dépenser. Il n'est pas clair, cependant, que le gouvernement fédéral voit dans ce refus une limite importante. Contrairement à ce qui se passait traditionnellement, Ottawa a fait très peu d'efforts pour amener le Québec à signer, et a très rapidement insisté pour dire que l'entente s'appliquait de toute façon à toutes les provinces[3]. La position du Québec est par ailleurs affaiblie par la réaction relativement tiède de l'opposition officielle et de nombreux commentateurs et par la relative indifférence de l'opinion publique. L'attitude d'un observateur comme Claude Castonguay, un ancien ministre qui a joué un rôle clé dans la définition d'une vision autonomiste des politiques sociales québécoises et qui se félicite maintenant du fait que l'entente «s'appliquera au Québec même sans sa signature», contribue aussi à miner la légitimité d'une position qui, pour le gouvernement du Québec, n'a absolument rien de nouveau[4]. Même en s'abstenant, le Québec recule. Le pouvoir fédéral de dépenser dans les domaines de compétence provinciale et d'imposer ses priorités n'a jamais été mieux assis.

Plus généralement, le Québec n'a jamais été aussi marginalisé dans la fédération canadienne[5]. En 1981-1982, c'est avec des hésitations et un certain malaise que les provinces, les spécialistes et

1. Banting, «Federalism, Social Reform and the Spending Power», p. S84-S85.
2. Andrew Petter, «Meech a do about nothing? Federalism, Democracy and the Spending Power», dans K. E. Swinton et C. J. Rogerson (eds.), *Competing Constitutional Visions: The Meech Lake Accord*, p. 190.
3. Manon Corneiller, «Union sociale: Dion adopte un ton cassant vis-à-vis de Bouchard», *Le Devoir*, 6 février 1999, p. A6.
4. Castonguay, «Québec a raté une belle occasion».
5. Rhéal Séguin, «Behind the Fateful Decision to Leave Quebec Out», *Globe and Mail*, 5 février 1999, p. A1; Michel Venne, «Le Québec face à lui-même», *Le Devoir*, 21 février 1999, p. A10.

l'opinion publique canadienne avaient appuyé la démarche constitutionnelle fédérale. Cette fois-ci, tout s'est déroulé très rapidement, en quelques jours à peine, et sans arrière-pensée. Les inquiétudes de tous les Canadiens qui, de Meech à Charlottetown, exigeaient un processus public et ouvert, se sont tout simplement évanouies. Ottawa et les provinces, écrivent Robson et Schwanen, *have forced Quebec to stand alone in defense of its constitutional rights*[1].

Isolé et confronté à un gouvernement central riche et capable d'imposer ses prérogatives, le Québec dispose tout de même d'une carte dans son jeu. Comme l'utilisation du pouvoir de dépenser nécessite toujours un minimum de collaboration et des négociations entre le gouvernement fédéral et les provinces, le jeu demeure ouvert. Or, l'abstention du Québec pose un dilemme particulier au gouvernement fédéral: ou bien il devra accepter de donner sa part du financement au Québec, même si celui-ci ne respecte pas toutes les conditions, ou bien il devra supporter l'odieux politique de priver les citoyens québécois de ressources auxquelles ils ont droit[2]. Le problème n'est pas entièrement nouveau, mais il pourrait devenir plus significatif si la collaboration entre le fédéral et les autres provinces s'accentue.

La consolidation du pouvoir fédéral de dépenser et l'isolement du gouvernement québécois, qui défendait essentiellement des positions traditionnelles, marquent donc un recul important pour le Québec, recul qui ne relève pas simplement du «symbolisme creux». Le gouvernement fédéral est désormais en meilleure position pour définir les priorités et les règles du jeu dans plusieurs domaines de compétence provinciale exclusive.

Le détour par Saskatoon

> Cet exercice n'a de rééquilibrage que le nom lorsque l'on considère que les arrangements constitutionnels existants ne reconnaissent ni l'identité, ni les aspirations, ni les priorités, ni les besoins du peuple du Québec... ce rééquilibrage sera en fait un autre exercice de pancanadianisme que ces provinces accueillent à bras ouverts.
>
> Lucien Bouchard, premier ministre du Québec[3]

1. Robson et Schwanen, «The Social Union Agreement: Too Flawed to Last», p. 4.
2. *Ibid.*, p. 5.
3. Communiqué de presse, «Le rééquilibrage des rôles et des responsabilités d'Ottawa et des provinces: une autre avenue de centralisation», Cabinet du premier ministre, Québec, 23 août 1996.

Quelques mois à peine avant l'entente de Saskatoon, qui en août 1998 établissait un nouveau consensus entre les provinces, le gouvernement du Québec refusait d'adhérer à la démarche de celles-ci sur l'union sociale. Les provinces, expliquait en août 1996 le premier ministre Lucien Bouchard se sont engagées dans «un autre exercice de pancanadianisme» qui mènerait «à l'abandon des revendications fondamentales du Québec et à l'érosion graduelle de ces dernières par des moyens intergouvernementaux et administratifs». Le gouvernement du Québec ne pouvait «s'engager dans des processus intergouvernementaux à caractère décisionnel qui auraient pour effet de l'assujettir à des normes auxquelles le Québec n'aurait pas consenti, dans des domaines qui relèvent de sa compétence»[1]. En plus de porter «directement atteinte aux prérogatives et responsabilités actuelles du Québec quant à la définition et la gestion de ses politiques sociales», le mécanisme intergouvernemental envisagé par les provinces aurait «pour conséquence de reconnaître au gouvernement fédéral des responsabilités dans la définition des politiques sociales» et de «légitimer les prétentions fédérales de longue date en cette matière»[2].

L'annonce de la prestation fiscale canadienne pour enfants, qui imposait au Québec des normes et des mécanismes définis par les provinces et le gouvernement fédéral alors même que les négociations sur l'union sociale se poursuivaient, et la probabilité d'une répétition de ce scénario dans d'autres secteurs, amenaient toutefois, en décembre 1997, le premier ministre Lucien Bouchard à énoncer des conditions précises, dont le respect pourrait permettre au Québec de prendre part aux discussions sur l'union sociale. Ces conditions incluaient l'ouverture à un droit de retrait inconditionnel avec pleine compensation, un moratoire pour toute nouvelle initiative ou mesure fédérale, et le refus de reconnaître le pouvoir fédéral de dépenser ou «un quelconque rôle du gouvernement fédéral en matière de politique sociale»[3]. Les provinces ont d'abord rejeté toute discussion du droit de retrait, pour accepter progressivement d'en parler et arriver

1. *Ibid.*; Communiqué de presse, «Programmes sociaux: le Québec refuse la proposition des provinces de centraliser à Ottawa les pouvoirs du Québec en matière sociale», Cabinet du premier ministre, Québec, 23 août 1996.

2. «Union sociale canadienne: la position du Québec», document déposé par le premier ministre du Québec à la Conférence des premiers ministres, St. Andrews, 6-8 août 1997.

3. Communiqué de presse, «Rejetant deux propositions québécoises, la conférence des premiers ministres expose les Québécois et les Canadiens au gaspillage du fédéral», Cabinet du premier ministre, Québec, 12 décembre 1997.

éventuellement à une entente unanime, signée à Saskatoon en août 1998.

L'entente de Saskatoon établit un consensus sur un droit de retrait avec pleine compensation à condition que soit offert «un programme ou une initiative dans les mêmes champs d'activité prioritaires que les programmes pancanadiens»[1]. Pour le Québec, il s'agit alors d'une avancée importante, à peu près sans précédent. En 1981, l'accord constitutionnel des huit provinces n'offrait un droit de retrait avec «compensation raisonnable» que pour des modifications constitutionnelles qui diminueraient les pouvoirs des provinces[2]. Quant aux accords du lac Meech et de Charlottetown, ils ne concernaient que les nouveaux programmes nationaux cofinancés, et ne permettaient un retrait avec une juste compensation que si une province adoptait un programme ou une initiative compatible avec les objectifs nationaux[3]. L'entente de Saskatoon étend le droit de retrait aux programmes nouveaux et modifiés de tous les types (cofinancés ou non) et ne requiert plus la compatibilité avec des objectifs nationaux.

Cette clause de l'entente de Saskatoon constitue bel et bien une concession au Québec, car jusqu'alors les provinces n'endossaient pas l'idée d'un droit de retrait avec compensation. Cette concession ne vient toutefois pas sans une clause de sauvegarde; le texte de l'entente précise bien qu'il y a un «consensus provincial/territorial sur la position en vue des négociations» quant au droit de retrait[4]. Dans son libellé même, l'entente de Saskatoon apparaît donc éminemment négociable.

En échange de cette concession, le gouvernement du Québec franchit pour sa part un pas important, en rejoignant le processus de discussion sur l'union sociale, en acceptant en partie le vocabulaire de l'union sociale et des programmes pancanadiens, et en reconnaissant un rôle pour le gouvernement fédéral dans les politiques sociales. L'entente de Saskatoon constitue en effet un compromis par rapport aux trois conditions de décembre 1997. Le droit de retrait n'est plus entièrement «inconditionnel», il n'y a pas de moratoire sur

---

1. «Entente-cadre sur l'union sociale canadienne».
2. «Accord interprovincial du 16 avril 1981 (extraits)», dans Claude Morin, *Lendemains piégés: du référendum à la nuit des longs couteaux*, Montréal, Boréal, 1988, p. 348.
3. «Modification constitutionnelle de 1987, Loi constitutionnelle de 1867», art. 106A; «Rapport du consensus sur la constitution», Charlottetown, 28 août 1992, art. 25.
4. «Entente-cadre sur l'union sociale canadienne».

de nouvelles initiatives, et un rôle est reconnu au gouvernement fédéral dans les politiques sociales, même si ce n'est qu'implicitement. Plus fondamentalement, le gouvernement du Québec se joint à un processus qu'il a critiqué quant à ses grandes orientations, en sachant très bien que le consensus obtenu demeure précaire, n'étant pour plusieurs provinces qu'une position de négociation.

Le choix du gouvernement du Québec n'était pas sans risque, comme le montre le déroulement ultérieur des événements. Mais il s'explique assez bien si on accepte l'idée que l'abstention n'aurait pas produit de meilleurs résultats. Au moins, on ne peut pas accuser le gouvernement de ne pas avoir fait de concessions ou de ne pas avoir essayé sincèrement d'infléchir le cours des choses.

L'entente de Saskatoon présente malgré tout un paradoxe. Le gouvernement du Québec fait front commun avec des partenaires qui ne reconnaissent son objectif central quant au droit de retrait que du bout des lèvres et, ce faisant, s'inscrit dans une dynamique pancanadienne en contradiction avec un autre grand objectif politique, la reconnaissance du Québec comme peuple. En effet, les partenaires de Saskatoon, ce sont aussi les auteurs de la déclaration de Calgary, où le Québec n'est reconnu qu'incidemment, pour son «caractère unique». Cette déclaration, qui selon le premier ministre Lucien Bouchard fait passer le Québec dans «le moule réducteur de l'égalité des provinces», n'est pas remise en question à Saskatoon[1]. Au contraire, cette égalité sous-tend la logique d'un droit de retrait à la disposition de tous. C'est donc en faisant abstraction d'une question fondamentale, existentielle même, que le gouvernement du Québec a fait front commun avec les provinces.

Dans les relations intergouvernementales, le gouvernement du Québec a toujours poursuivi deux grands objectifs: le respect de ses compétences et de son autonomie, et la reconnaissance du Québec comme peuple ou comme société distincte. Lorsqu'il met de l'avant le respect de ses compétences, le gouvernement du Québec parle en tant que province, en se méfiant toutefois du discours pancanadien auquel plusieurs provinces adhèrent et en évoquant plutôt une conception classique du fédéralisme, où chaque gouvernement est souverain dans ses domaines de compétence. Lorsqu'il insiste sur la

1. «Notes pour un point de presse du premier ministre du Québec, monsieur Lucien Bouchard, à la suite de la rencontre des premiers ministres à Calgary», Cabinet du premier ministre, Québec, 16 septembre 1997.

reconnaissance, ce même gouvernement raisonne plutôt comme un État national, ou comme l'État d'une nation.

Cette double démarche remonte aux origines du fédéralisme canadien et elle est ancrée dans une vision qui fait du Canada un double pacte, pacte entre les anciennes colonies de l'Amérique du Nord britannique, d'une part, qui s'entendent pour créer une fédération, et pacte entre deux nations, d'autre part, qui reconnaissent le caractère dualiste de cette fédération. En entrant dans la Confédération, les Canadiens-français du Bas-Canada recherchaient à la fois l'autonomie et la reconnaissance. L'historien Arthur Silver écrit:

> *By 1864 French Canadians had long been accustomed to thinking of themselves as a nation and of Lower Canada as their country. [...] Consequently, what they sought in Confederation was to strengthen the French-Canadian nation by strengthening Lower Canada. They wanted to be separated as much as possible from the other provinces, to have an autonomous French-Canadian country under the control of French Canadians. [...] The greatest possible amount of provincial* sovereignty *was to be combined with a modicum of federal* association. *This meant that Confederation would be an «alliance» or «association» of autonomous provinces, with a central government dealing only with certain limited matters of common interest while the provinces took care of their respective nationalities. In this federal alliance, Quebec would be the French-Canadian country, working together with the others on common projects, but always autonomous in the promotion and embodiment of the French-Canadian nationality*[1].

Henri Bourassa résumerait plus tard la situation en parlant d'un double pacte, entre ce qui allait devenir les provinces du Canada et entre deux peuples fondateurs. Bourassa affirmait la dimension dualiste de la fédération dans un contexte ou la simple autonomie des provinces risquait de légitimer l'oppression des francophones à l'extérieur du Québec. Mais la thèse avait une portée plus générale: elle faisait du Canada un pacte comportant deux dimensions complémentaires, l'une fédérale, l'autre binationale. Ce double pacte ne se retrouve ni dans les documents historiques ni dans les lois. On peut même dire que ce n'est pas ce que les élites du Canada anglais entérinaient en adoptant une constitution qui ne reflète que très imparfaitement cette idée[2]. Il s'agit néanmoins de la conception qui dominait dès le départ au Québec, où la Confédération était perçue

1. A. I. Silver, *The French-Canadian Idea of Confederation*, Second Edition, Toronto, University of Toronto Press, 1997, p. 218-19 (souligné dans le texte).
2. Kenneth McRoberts, *Misconceiving Canada: The Struggle for National Unity*, Toronto, Oxford University Press, 1997, p. 19-23.

comme la possibilité de fonder un «partenariat entre peuples» et d'établir au Québec, à l'intérieur d'une fédération décentralisée, le cadre politique autonome d'une nation[1].

Dans la dynamique canadienne, le gouvernement du Québec agit donc parfois comme une province autonomiste, capable de faire front commun avec d'autres provinces, et parfois comme un État national, seul face aux représentants multiples d'une autre nation. À certaines occasions, les deux points de vue coexistent et s'enrichissent mutuellement. Au début des années soixante, par exemple, le Québec a obtenu un statut particulier *de facto* dans les politiques sociales en doublant ses revendications pour l'autonomie provinciale d'une affirmation de ses prérogatives comme gouvernement national[2]. De même, l'Accord du lac Meech avait, en dépit de toutes ses limites, l'immense mérite de reconnaître explicitement cette double logique, en permettant à la fois la reconnaissance d'une société distincte et une plus grande autonomie des provinces qui pourraient le souhaiter. C'est cette double dimension de Meech qui en a fait un accord aussi crucial. Jamais, a-t-on souvent répété, le gouvernement du Québec n'avait mis de l'avant des conditions aussi modestes dans le cadre de négociations constitutionnelles. Ceci est tout à fait vrai. Mais, devrait-on dire également, jamais non plus n'avait-il obtenu autant. Pour la première fois depuis 1867, le Québec obtenait à la fois l'autonomie et la reconnaissance. L'autonomie était très circonscrite et la reconnaissance extrêmement limitée, mais les deux dimensions étaient néanmoins présentes et explicites. Dans les années soixante, en comparaison, le Québec avait fait des gains substantiels beaucoup plus importants, en obtenant un statut particulier *de facto* dans la gestion de plusieurs politiques sociales. Mais en ne reconnaissant pas explicitement les fondements politiques et sociaux de ces concessions, les gouvernements de l'époque avaient laissé la porte ouverte à une banalisation de ce statut particulier, qui surviendra quelques années plus tard, lorsque le gouvernement fédéral s'efforcera de gommer toute trace institutionnelle de la différence québécoise[3].

1. Silver, *The French-Canadian Idea of Confederation*, p. 250.
2. Simeon, *Federal-Provincial Diplomacy*, p. 59 et 174-75; Yves Vaillancourt, «Le régime d'assistance publique du Canada: perspective québécoise», Thèse présentée à la Faculté des études supérieures en vue de l'obtention du grade de Ph.D. en science politique, Montréal, Université de Montréal, février 1992, p. 11-12; Claude Morin, *Les choses comme elles étaient: une autobiographie politique*, Montréal, Boréal, 1994, p. 169-70.
3. Simeon, *Federal-Provincial Diplomacy*, p. 171-72; Vaillancourt, «Le régime d'assistance publique du Canada», p. 340-44; McRoberts, *Misconceiving Canada*, p. 141-42.

En d'autres occasions, le gouvernement du Québec a dissocié l'autonomie et la reconnaissance pour se concentrer sur l'autonomie, en apparence plus facile à obtenir. C'est le cas d'un grand nombre de négociations sectorielles, où les provinces peuvent présenter une position commune sur la base d'intérêts spécifiques, souvent circonscrits à des enjeux financiers. De tels fronts communs risquent cependant d'être très fragiles, comme le soulignait déjà Claude Morin en 1973, en notant que les provinces se préoccupaient surtout des enjeux financiers, qu'elles acceptaient que le gouvernement fédéral joue un rôle prééminent et, surtout, qu'elles n'appuyaient pas les revendications autonomistes du Québec. Lorsqu'elles rompent avec un front commun, écrivait Morin, les provinces n'ont pas l'impression de trahir une entente établie parce que, dans leur optique, c'est le Québec qui ne fait pas véritablement partie du «groupe»[1].

En 1981, le gouvernement du Québec a joué la carte provinciale dans le cadre d'une négociation aux implications beaucoup plus fondamentales, pour se retrouver sur la touche, incapable de bloquer une évolution qui oblitérait son droit de veto, transformait l'ordre constitutionnel canadien et réduisait les pouvoirs de l'Assemblée nationale. En 1998, dans le cadre des discussions sur l'union sociale, le Québec a une fois de plus accepté de faire front commun avec les provinces, en mettant en plan toute la question de la reconnaissance. On connaît les résultats.

Les Québécois, disait le premier ministre Lucien Bouchard dans un point de presse faisant suite à la déclaration de Calgary, se retrouvent en grande majorité autour d'un dénominateur commun. Ils souhaitent «une plus grande maîtrise de leurs affaires, donc plus de pouvoirs pour le Québec, et ils [souhaitent] la reconnaissance de leur existence comme un peuple»[2]. L'autonomie et la reconnaissance: c'est à partir de ce dénominateur qui, on l'a vu, est profondément ancré dans l'histoire du Québec, que Lucien Bouchard évaluait, négativement, l'énoncé rédigé à Calgary par les premiers ministres des provinces. À Saskatoon, un de ces deux objectifs a été mis de côté, afin de permettre un front commun, déjà difficile à établir sur le strict plan de l'autonomie. Ce front commun, qui ne faisait du droit de retrait avec compensation qu'une «position en vue des négociations» et qui engageait le Québec dans une démarche pancanadienne, a éventuellement cédé, laissant le Québec sans la reconnaissance ni l'autonomie.

---

1. Claude Morin, *Le combat québécois*, Montréal, Boréal, 1973, p. 83-90.
2. «Notes pour un point de presse...», Cabinet du premier ministre, Québec, 16 septembre 1997.

Faut-il donc rejeter toute stratégie interprovinciale qui n'intégrerait pas au départ les deux objectifs historiques du Québec? Les expériences passées ne sont en effet pas très encourageantes à cet égard. En même temps, peut-on vraiment espérer tout négocier en même temps? Là non plus, il n'y a guère d'exemples probants. Par ailleurs, si les fronts communs ont leurs limites, l'abstention n'apparaît pas beaucoup plus prometteuse.

Historiquement, le gouvernement du Québec a oscillé, en fonction des circonstances, entre des stratégies de retrait et des stratégies d'alliances interprovinciales. Les stratégies de retrait ont pris diverses formes, allant de l'utilisation du veto (à Victoria en 1971) au refus du multilatéralisme (après l'échec de l'Accord du lac Meech), et jusqu'à l'abstention pure et simple (de 1995 à août 1998 pour les discussions sur l'union sociale). La voie des alliances a donné lieu à des fronts communs plus ou moins larges (en 1981 et en 1998, par exemple), de même qu'à des accords formels, qui ont fini par échouer (Meech et Charlottetown).

Il est difficile de ne pas conclure que les fronts communs se sont avérés précaires et, en définitive, peu efficaces. Le problème ne découle pas de la mauvaise foi des partenaires. Tel que mentionné plus haut, les autres provinces se préoccupent surtout des enjeux financiers; elles ne remettent pas véritablement en question le rôle prépondérant du gouvernement fédéral, et elles n'appuient les demandes plus fondamentales du Québec que de façon circonstancielle, lorsqu'un tel appui peut raffermir leur position de négociation. Pour le Québec, les provinces constituent donc des partenaires de circonstances sur lesquels il n'est pas possible de compter beaucoup.

Ceci étant dit, de bons arguments justifient souvent une stratégie d'alliances[1]. Une telle approche peut permettre au Québec d'éviter d'être isolé face aux autres gouvernements, de faire connaître ses positions et, surtout, de contribuer à définir une alternative aux positions fédérales. Même si une telle alternative finit par être défaite, elle n'en légitime pas moins les positions du Québec, en démontrant la possibilité d'une approche différente. Plus généralement, les alliances permettent au gouvernement du Québec de jouer un rôle positif et constructif, et d'établir que le Québec n'est pas simplement un frein à tout changement.

1. Yves Vaillancourt (avec la collaboration de Luc Thériault), «Transfert canadien en matière de santé et de programmes sociaux: enjeux pour le Québec», *Cahiers du LAREPPS*, n° 97-07, Laboratoire de recherche sur les pratiques et les politiques sociales, Université du Québec à Montréal, Montréal, octobre 1997, p. 91-92.

Le fait que les alliances finissent par céder, pour produire des résultats qui demeurent bien en deçà des visées initiales, n'est pas en soi dramatique. L'abstention aurait pu engendrer à peu près les mêmes résultats. La prestation nationale pour enfants, par exemple, a été négociée sans le Québec, avec des conséquences assez semblables à celles de l'entente plus générale sur l'union sociale. Dans cette optique, l'échec d'une alliance apparaît sans conséquences. Si, par contre, le gouvernement du Québec fait des compromis dans le but de maintenir une alliance et que ces compromis sont incorporés, sans la contrepartie qui les justifiait, dans l'entente finale, le front commun peut s'avérer plus coûteux que l'abstention. L'alliance des huit de 1981 constitue, à cet égard, un cas de figure.

Dans le cas de l'entente sur l'union sociale, le gouvernement du Québec a peut-être trop rapidement accepté une perspective pancanadienne, sans obtenir la moindre concession en qui concerne la reconnaissance et sans s'assurer de la solidité des convictions de ses partenaires quant à l'autonomie des provinces et au droit de retrait. Mais encore une fois, l'abstention aurait produit des résultats semblables, sans permettre de dégager une alternative crédible au projet fédéral.

Inévitablement, il faudra revenir sur la question, puisque l'entente sur l'union sociale annonce une série de négociations sectorielles. Le gouvernement du Québec a tout intérêt à énoncer clairement ses positions fondamentales concernant la reconnaissance et l'autonomie. En même temps, et en dépit des difficultés inhérentes à cette approche, il devra reconstruire des liens avec les provinces, pour tirer son épingle du jeu dans chaque dossier. Même lorsque les parties divergent quand aux options fondamentales, comme le suggèrent les études sur la négociation, elles ont toujours la possibilité de s'allier autour d'enjeux plus spécifiques[1].

Les options du Québec

> Si nous sommes en face de difficultés d'ordre constitutionnel, c'est parce que la législature n'a pas utilisé les pouvoirs que lui conféraient sa souveraineté et son autonomie pour réaliser elle-même une politique d'allocations familiales.
>
> André Laurendeau, *Le Devoir*[2]

1. Simeon, *Federal-Provincial Diplomacy*, p. 155.
2. André Laurendeau, dans *Le Devoir*, 17 février 1945; cité dans Keith G. Banting, *The Welfare State and Canadian Federalism*, Second Edition, Montréal et Kingston, McGill-Queen's University Press, 1987, p. 141.

The most important determinants of wealth and job creation in the next century will be education and training, quality of life, health, and our ability to attract public and private investment. We will not look to Ottawa for solutions in these areas.

Bob Rae, Premier ministre de l'Ontario de 1990 à 1995[1]

Les limites des alliances interprovinciales ressortent clairement de l'analyse qui précède. De telles alliances ont leur utilité pour faire connaître les positions du Québec et contribuer à développer des alternatives aux politiques fédérales, mais elles protègent peu le Québec, dans la mesure où les autres provinces sont souvent plus proches des vues du gouvernement fédéral que de celles du Québec. De la même façon, le débat constitutionnel a peu de chances de favoriser le Québec à court terme. La possibilité d'un référendum gagnant sur la souveraineté demeure distante et, contrairement aux années soixante par exemple, elle n'inspire plus la prudence aux autres gouvernements face aux revendications du Québec.

Dans les circonstances, le jeu va se jouer principalement autour des politiques sociales. C'est en définissant une politique sociale globale et ambitieuse, et en occupant tous les domaines à sa portée, que le gouvernement du Québec pourra le mieux contrecarrer la volonté fédérale de redéfinir l'État-providence canadien à partir du centre. De la fin de la Seconde Guerre mondiale au début des années soixante, le gouvernement fédéral exerçait le leadership dans les politiques sociales, dans une large mesure parce que les provinces adoptaient une attitude attentiste et conservatrice. L'opposition du gouvernement du Québec aux initiatives fédérales, notamment, se faisait surtout au nom du respect des compétences provinciales et d'un certain *statu quo*[2]. Avec la Révolution tranquille, le Québec prend au contraire les devants, pour imposer beaucoup plus clairement ses prérogatives, face à un gouvernement fédéral moins progressiste. Le régime de pensions du Québec, par exemple, s'est imposé parce qu'il était plus sophistiqué et plus généreux que le projet fédéral[3]. Plus récemment, le gouvernement du Québec a pris les devants dans les politiques familiales et les services de garde, rendant plus difficile une intervention fédérale unilatérale. De façon générale, le gouvernement qui, le premier, occupe un champ de juridiction et définit les

1. Bob Rae, *From Protest to Power: Personal Reflections on a Life in Politics*, Toronto, Penguin Books, 1997, p. 337.
2. Yves Vaillancourt, *L'évolution des politiques sociales au Québec, 1940-1960*, Montréal, Presses de l'Université de Montréal, 1988, p. 119.
3. Simeon, *Federal-Provincial Diplomacy*, p. 55.

paramètres de l'intervention gouvernementale a de bonnes chances de prévaloir[1].

Contrairement à ce qu'avance l'argumentaire fédéral, il n'y a pas au Canada de «tendances au "nivellement par le bas" dans les programmes et services sociaux»[2]. Certains gouvernements ont pu adopter des politiques plus conservatrices ou moins généreuses, mais celles-ci ne relèvent pas d'une compétition inéluctable qui, en l'absence d'intervention fédérale, forcerait tous les gouvernements provinciaux à s'ajuster vers le bas. Personne n'a pu établir l'existence d'un tel mécanisme ni au Canada ni même aux États-Unis, et ce n'est pas faute d'avoir essayé[3]. Au contraire, il est permis de penser que si les politiques sociales canadiennes sont plus généreuses que les politiques américaines, c'est justement parce que la fédération canadienne est plus décentralisée[4]. D'ailleurs, il serait difficile de trouver, au niveau provincial, un seul programme qui aurait subi des restructurations aussi sévères, avec des conséquences aussi étendues, que l'assurance-emploi, un programme entièrement fédéral, qui ne protège plus qu'une minorité des chômeurs.

Le véritable enjeu, dans les politiques sociales, ne concerne pas un hypothétique «nivellement par le bas», mais plutôt la capacité autonome de chaque société de définir et de maintenir des modèles progressistes dans un contexte de mondialisation et de transformations sociales et économiques. En Europe, par exemple, on s'inquiète moins d'une compétition qui amènerait les différents pays à réduire la protection sociale que de la perte d'autonomie que pourrait entraîner l'intégration économique et politique. On ne veut pas que l'Union mine la capacité des États de maintenir et d'améliorer leur modèle national de protection sociale[5]. De la même façon, au Canada, les chances de développer des consensus, des contrats

---

1. Keith G. Banting, «The Welfare State as Statecraft: Territorial Politics and Canadian Social Policy Reform», dans Stephan Leibfried et Paul Pierson (eds.), *European Social Policy: Between Fragmentation and Integration*, Washingon, D.C., The Brookings Institution, 1995, p. 269-300.
2. «La coopération dans l'exercice du pouvoir de dépenser en matière de transferts intergouvernementaux: le modèle de la course au sommet», ministère des Affaires intergouvernementales, Ottawa, 5 février 1999, p. 2.
3. Voir, à ce sujet: Alain Noël, «Is Decentralization Conservative? Federalism and the Contemporary Debate on the Canadian Welfare State», dans Robert A. Young (ed.), *Stretching the Federation: The Art of the State in Canada*, Montréal et Kingston, McGill-Queen's University Press, 1999 (à paraître).
4. *Ibid.*
5. Alain Noël, «Le principe fédéral, la solidarité et le partenariat», dans Guy Laforest et Roger Gibbins (dir.), *Sortir de l'impasse: les voies de la réconciliation*, Montréal, Institut de recherche en politiques publiques, 1998, p. 284-85.

sociaux engageants et un sens véritable de la solidarité semblent plus grandes au niveau provincial qu'au niveau fédéral[1]. En politique sociale, le gouvernement fédéral peut surtout agir indirectement, par le biais des transferts ou de la fiscalité. L'impact redistributif est important, comme le montrent les analyses comparant le Canada et les États-Unis[2], mais la portée demeure limitée. Le gouvernement fédéral n'a tout simplement pas les outils pour renouveler l'État-providence en intégrant tous les transferts vers les personnes, en développant des politiques actives du marché du travail, en liant les soins de santé à la problématique plus générale des services sociaux et en intégrant les dynamiques locales et communautaires[3]. Le Québec, au contraire, est particulièrement bien placé pour évoluer dans cette direction, s'il a l'autonomie pour le faire[4].

Même dans un contexte politique difficile, le gouvernement du Québec peut donc poursuivre trois stratégies: 1) continuer d'affirmer son autonomie et son caractère national en soulignant, encore et toujours, qu'il ne s'agit pas là d'une orientation particulière au présent gouvernement; 2) demeurer ouvert, sans naïveté, à des alliances ponctuelles avec d'autres provinces, afin de tirer parti de convergences possibles et pour contribuer à définir les enjeux dans les relations fédérales-provinciales; et 3) occuper le terrain du social en développant une approche globale, ambitieuse et progressiste de la protection sociale.

Pour l'essentiel, les politiques sociales demeurent un domaine de compétence provinciale. C'est aussi vers le gouvernement du Québec que se tournent spontanément les différents intervenants et les citoyens québécois. Il convient donc de garder à l'esprit, et de rappeler, que sur ces questions, c'est le gouvernement du Québec qui devrait avoir le premier mot, et le dernier.

---

1. Richard Simeon, «In Search of a Social Contract: Can We Make Hard Decisions as if Democracy Matters?», Benefactors Lecture, Toronto, C. D. Howe Institute, septembre 1994, p. 43.
2. Keith Banting, «The Social Policy Divide: The Welfare State in Canada and the United States», dans Keith Banting, George Hoberg et Richard Simeon (eds.), *Degrees of Freedom: Canada and the United States in a Changing World*, Montréal et Kingston, McGill-Queen's University Press, 1997, p. 301.
3. Sur ces évolutions, voir: Alain Noël, «Vers un nouvel État-providence? Enjeux démocratiques», *Politique et sociétés*, n° 30, automne 1996, p. 18-24.
4. Alain Noël, «La contrepartie dans l'aide sociale au Québec», *Revue française des affaires sociales*, vol. 50, n° 4, octobre-décembre 1996, p. 99-122; Vaillancourt, «Transfert canadien en matière de santé et de programmes sociaux».

Conclusion

The problem with the spending power is that, by enabling the federal government to use fiscal means to influence decisions that fall within provincial jurisdiction, it allows national majorities to set priorities and to determine policies within spheres of influence allocated under the Constitution to regional majorities. Thus, both by design and effect, the spending power runs counter to the political purposes of a federal system.

Andrew Petter, Faculty of Law, University of Victoria[1]

Le concept d'union sociale est une création assez récente au Canada. Introduit avec l'Accord de Charlottetown pour affirmer l'unité que le Canada réalise par le biais de ses programmes sociaux, le concept servait à contrebalancer ce que l'on percevait au Canada comme des tendances décentralisatrices. C'était l'union sociale des nationalistes canadiens. Repris par les provinces au milieu des années 1990, le même concept a pris un second sens, pour désigner un processus de gestion intergouvernementale de politiques sociales moins unifiées et probablement moins généreuses. Finalement, en août 1998 à Saskatoon, l'union sociale a pris une troisième signification, pour rendre compte de la vision québécoise, qui privilégie le développement autonome de modèles provinciaux de politiques sociales[2].

Le 4 février 1999, la première vision a triomphé, ne concédant presque rien à quatre ans d'efforts intergouvernementaux pour définir la seconde et la troisième perspectives. Le fait que les provinces ont perdu leur mise ne laisse aucun doute. À peu près rien de ce qu'elles demandaient n'a été retenu, sauf peut-être le vocabulaire, vidé de sa substance, d'une plus grande collaboration fédérale-provinciale. Le Québec, qui s'était associé à la démarche provinciale et avait contribué à la redéfinir recule également, encore qu'en refusant de signer, il s'engage moins dans un processus qui institutionnalisera, pour beaucoup plus que trois ans, le pouvoir fédéral de dépenser. Ceci ne veut pas dire que la stratégie du front commun était erronée. Le gouvernement du Québec aurait pu procéder un peu différemment, en affirmant plus explicitement, par exemple, la question de la reconnaissance, mais il n'avait pas vraiment de meilleure option. Dans les mois à venir, le Québec devra continuer de

1. Petter, «Meech a do about nothing? Federalism, Democracy and the Spending Power», p. 189. Andrew Petter est maintenant ministre des Relations intergouvernementales de la Colombie-Britannique.

2. Alain Noël, «Les trois unions sociales», *Options politiques*, vol. 19, nº 9, novembre 1998, p. 26-29.

mettre de l'avant ses objectifs traditionnels, demeurer ouvert à des alliances possibles et, surtout, définir une approche globale et ambitieuse de la protection sociale, qui lui permettra d'occuper le terrain du social. Pour cela, le gouvernement devrait compter sur la collaboration de ses partenaires sociaux. Des liens internationaux, avec des petits pays comparables, pourraient également être développés.

Au moment de la Confédération, raconte l'historien Arthur Silver, les francophones du Québec voyaient le Québec comme le cadre politique autonome d'une nation, partenaire d'une autre nation dans une fédération souple. Cette perception n'était cependant pas partagée. Dans les provinces anglophones, on souhaitait construire une nationalité canadienne qui soit plus qu'un partenariat politique: *Within months of Confederation a "Canada First group" appeared, to promote the idea. If Canada was to realize its destiny, they believed, it must develop a "national spirit" – a moral nationhood with a common vision and sense of purpose*[1]. Depuis la Seconde Guerre mondiale, cette volonté de créer une nation unitaire s'est transposée dans la promotion de politiques sociales pancanadiennes. Le philosophe Will Kymlicka explique:

> ...leur vision d'un Canada formé d'une seule collectivité nationale présuppose divers éléments: le droit des personnes à la mobilité sur tout le territoire; l'établissement de normes pancanadiennes en matière de services sociaux; la transférabilité des droits sociaux, d'une province à l'autre; ainsi que le droit, reconnu dans tout le pays, d'utiliser la langue anglaise devant les tribunaux, à l'école et dans les fonctions gouvernementales...
>
> ...ces caractéristiques du nationalisme pancanadien n'ont pas pour seul effet d'accroître la mobilité des Canadiens anglophones; elles accroissent aussi leur pouvoir politique. Si les droits linguistiques et les normes de programmes sociaux doivent s'appliquer dans tout le pays, il s'ensuit que les décisions qui les touchent doivent se prendre au niveau fédéral plutôt qu'au niveau provincial. Et cela, à son tour, signifie que ces décisions seront prises par une instance où les Canadiens anglophones jouissent d'une majorité écrasante[2].

Le pouvoir de dépenser, notait de la même façon Andrew Petter, permet à la majorité du pays d'outrepasser la majorité d'une province, même sur des questions où le régime fédéral prévoit que les

1. Silver *The French-Canadian Idea of Confederation*, p. 250.
2. Will Kymlicka, «Le fédéralisme multinational au Canada: un partenariat à repenser», dans Laforest et Gibbins (dir.), *Sortir de l'impasse*, p. 33.

provinces sont souveraines. C'est ce pouvoir de la majorité que la nouvelle entente sur l'union sociale vient renforcer. C'est d'ailleurs pourquoi, cette fois-ci comme en 1981-82, personne au Canada-anglais ne s'est inquiété du monopole de quelques hommes politiques enfermés dans une pièce close.

Le problème est réel, mais il n'est pas nouveau. Depuis la Confédération, d'une façon ou d'une autre, les Québécois ont toujours maintenu et préservé le principe fédéral. Cette idée, fondatrice du Canada, implique que le Québec est une nation autonome, capable de définir ses propres orientations politiques et sociales. Dans les contraintes qui sont les siennes, le gouvernement du Québec peut encore incarner cette vision, en exerçant pleinement les pouvoirs qui sont les siens.

Principes

André Binette

Sommaire

L'entente sur l'union sociale du 4 février 1999 est un tournant dans l'évolution du fédéralisme canadien. L'entente met en place une dynamique nouvelle dans les relations fédérales-provinciales qui modifiera à terme la nature même de ce fédéralisme, en réduisant substantiellement l'autonomie des provinces et en consacrant la primauté du gouvernement fédéral dans la majorité des grands axes d'intervention des autorités étatiques au Canada.

L'entente constitutionnelle de 1981 et l'entente sur l'union sociale forment la majeure et la mineure d'une même proposition: le Canada ne peut plus coexister avec l'identité du Québec. Le Canada est de plus en plus incapable de se définir en tenant compte des aspirations et de la volonté d'autonomie du Québec. Quoique l'entente sur l'union sociale ait été réalisée dans des circonstances moins dramatiques que le coup de force constitutionnel de 1981, ses effets sont en réalité plus concrets et plus dommageables pour les aspirations du Québec.

Les positions du front commun des provinces avant et pendant les négociations avec Ottawa sont incompatibles avec le texte final signé par les premiers ministres de toutes les provinces, sauf le Québec. Le communiqué du 6 août 1998 de la conférence des premiers ministres provinciaux à Saskatoon, et le document final du 29 janvier 1999 énonçant la position commune des provinces à Victoria, mettaient tous deux l'accent sur le fédéralisme coopératif. Le but recherché était le respect mutuel des deux ordres de gouvernement et le maintien ou le renforcement d'un certain équilibre entre leurs compétences respectives.

L'entente sur l'union sociale retient une approche fort différente. Ottawa obtient une reconnaissance sans précédent de la légitimité de son pouvoir de dépenser; sa marge de manœuvre et ses initiatives sont préservées, et les contraintes qu'il aura à assumer sont peu exigeantes. Le gouvernement fédéral a réussi à s'arroger un droit de gérance de certaines des compétences socio-économiques les plus importantes des provinces, sans égard au partage des compétences. Ottawa ne s'engage nulle part dans l'entente à respecter l'exclusivité des compétences des provinces dans les secteurs de l'éducation, de la santé et des services sociaux.

Le droit de retrait qui est offert aux provinces est édulcoré. Les provinces qui voudront s'en prévaloir devront se soumettre à un cadre d'imputabilité fédéral. Les objectifs du programme pancanadien visé et ceux du programme existant d'une province devront être convenus avec Ottawa, ce qui limitera la discrétion de la province dans l'exercice de sa propre compétence. De plus, les fonds retirés devront être réinvestis dans le même domaine ou dans un domaine connexe, ce qui permet à Ottawa de définir l'étendue de la compétence de la province. Enfin, le droit de retrait ne vise que les nouveaux programmes fédéraux, et ne s'applique pas aux transferts fédéraux à des organismes ou des particuliers, comme le programme des bourses du millénaire.

Le gouvernement fédéral n'a pas cherché dans l'entente sur l'union sociale à clarifier les rôles et les responsabilités des deux ordres de gouvernement. Les provinces ont proposé de corriger l'un des principaux déséquilibres structurels de la Constitution, celui entre les ressources fiscales et financières des provinces et leurs responsabilités constitutionnelles. Le gouvernement fédéral considère qu'il doit conserver son monopole sur la répartition des ressources fiscales et financières entre les ordres de gouvernement parce qu'il s'agit d'un élément vital du rapport de force politique qui l'avantage.

Il est étonnant de constater qu'en une seule semaine, les positions des provinces, à l'exception du Québec, aient pu basculer aussi complètement. Les provinces anglophones cherchent à faire fonctionner la fédération même au prix de sa centralisation. Le Québec ne peut se résoudre à payer ce prix parce que son identité nationale s'en trouverait menacée. C'est l'équation simple, mais lourde de conséquences, qui a fait achopper l'entente sur l'union sociale en ce qui concerne la relation entre le Québec et le Canada.

L'entente sur l'union sociale est incompatible avec les intérêts et les aspirations du Québec, tels qu'ils ont été compris et définis par les gouvernements qui se sont succédé à Québec depuis plus d'un demi-siècle. Le refus de l'actuel gouvernement du Québec de signer l'entente sur l'union sociale s'inscrit en droite ligne des prises de position antérieures des différents premiers ministres du Québec. Le pouvoir de dépenser, que les premiers ministres Duplessis, Lesage, Bourassa et Lévesque ont tous dénoncé, est l'un des plus puissants éléments de la dynamique centralisatrice qui parcourt la fédération. Dans le passé, le gouvernement du Québec pouvait compter à l'occasion sur une certaine résistance des autres provinces aux ingérences fédérales. Cette possibilité, qui a toujours été aléatoire, est désormais gravement compromise. La nature du fédéralisme canadien a changé, les provinces autres que le Québec ayant accepté un affaiblissement marqué de leur statut constitutionnel.

Il est à prévoir que le Québec sera, de par son refus à entrer dans le courant centralisateur, de plus en plus considéré comme une anomalie. La volonté autonomiste du Québec risque à l'avenir d'être l'objet d'assauts systématiques du gouvernement fédéral, dans l'ensemble des domaines de compétence provinciale. L'entente sur l'union sociale est un symbole de l'état actuel de la fédération canadienne. Du point de vue d'Ottawa, il s'agit d'une victoire historique qui consolide la position du gouvernement central dans la fédération. Du point de vue du Québec, l'État canadien cherche à se construire aux dépens de l'État québécois que le peuple québécois cherche à développer depuis plusieurs décennies. La quête de l'autonomie du Québec s'appuie sur la volonté du peuple québécois, qui cherche ainsi à manifester son identité.

Deux voies de redressement s'offrent au peuple québécois. L'une d'elles, l'accession du Québec à la souveraineté, est la voie choisie par plusieurs, qui ne forment pas encore une majorité. Une autre pourrait être de demander au peuple québécois d'accorder par référendum la plénitude des pouvoirs fiscaux à l'Assemblée nationale du Québec. Cette option pourrait réunir une forte majorité de souverainistes et de non-souverainistes, qui démontreraient de façon incontestable la légitimité des positions traditionnelles du Québec, qui ont été reprises par l'actuel gouvernement.

Introduction

Notre mandat

Il nous a été demandé de réaliser une étude du chapitre 1 de l'entente du 4 février 1999 entre le gouvernement du Canada et les gouvernements provinciaux et territoriaux, à l'exclusion du Québec. Cette entente est mieux connue sous le nom d'entente sur l'union sociale.

L'entente contient sept chapitres. Pour plus de commodité, nous reproduisons le chapitre 1 ci-dessous:

Principes

L'union sociale doit traduire les valeurs fondamentales des Canadiens: égalité, respect de la diversité, équité, dignité de l'être humain, responsabilité individuelle, de même que notre solidarité et nos responsabilités les uns envers les autres.

Aussi, dans le respect de leurs compétences et pouvoirs constitutionnels respectifs, les gouvernements s'engagent à adopter les principes suivants:

Tous les Canadiens sont égaux

- *Traiter tous les Canadiens avec justice et équité*
- *Promouvoir l'égalité des chances pour tous les Canadiens*
- *Respecter l'égalité, les droits et la dignité de tous les Canadiens et Canadiennes, ainsi que leurs différents besoins*

Répondre aux besoins des Canadiens

- *Assurer à tous les Canadiens, peu importe où ils vivent ou se déplacent au Canada, l'accès à des programmes et services sociaux essentiels qui soient de qualité sensiblement comparable*
- *Offrir à ceux qui sont dans le besoin une aide appropriée*
- *Respecter les principes de l'assurance-maladie: intégralité, universalité, transférabilité, gestion publique et accessibilité*
- *Favoriser la pleine et active participation de tous les Canadiens à la vie sociale et économique du pays*
- *Travailler en partenariat avec les individus, les familles, les collectivités, les organismes bénévoles, les entreprises et les syndicats, et assurer aux Canadiens la possibilité de contribuer significativement au développement des politiques et programmes sociaux*

Maintenir les programmes et les services sociaux

- *Faire en sorte que les programmes sociaux bénéficient d'un financement suffisant, abordable, stable et durable*

Peuples autochtones du Canada

- *Pour plus de certitude, aucun élément de la présente entente ne porte atteinte à aucun des droits des peuples autochtones du Canada, qu'il s'agisse des droits ancestraux, des droits issus de traités ou de tout autre droit, y compris l'autonomie gouvernementale.*

Il nous est demandé de mesurer l'évolution de la position des provinces qui ont souscrit à l'entente, en comparant d'abord celle-ci au consensus du 6 août 1998 des premiers ministres des provinces lors de leur 39e rencontre annuelle, qui s'est tenue à Saskatoon, et ensuite à la proposition finale des provinces (y compris le Québec) lors de la rencontre des ministres provinciaux chargés du dossier à Victoria, le 29 janvier 1999.

De plus, il nous est demandé de cerner l'écart entre le résultat final de la négociation et la position traditionnellement mise de l'avant par le Québec en cette matière.

Les deux premières parties de la présente étude seront consacrées à chacun de ces points. Dans la troisième partie, nous examinerons les effets appréhendés de l'entente sur l'union sociale sur le statut du Québec dans la fédération canadienne.

Le champ d'expérience de l'auteur l'amène à aborder ces questions sous l'angle du droit constitutionnel et des relations intergouvernementales. Il est entendu que d'autres aspects entrent dans l'analyse de l'entente, notamment la dimension socio-économique et financière (effets de l'entente sur les équilibres financiers du Québec, modification de la nature des différentes catégories de paiements de transfert fédéraux, etc.). Ces autres aspects ne seront évoqués que pour souligner certains éléments et ne seront pas approfondis.

Perspective générale

Nous considérons l'entente sur l'union sociale comme étant un tournant majeur dans l'évolution du fédéralisme canadien, qui instaure à un degré sans précédent la rigidité, l'uniformisation et la centralisation dans l'exercice de certaines des principales compétences socio-économiques des provinces canadiennes, dans les secteurs de la santé, de l'éducation et des services sociaux. L'entente met en place une dynamique nouvelle dans les relations fédérales-provinciales qui modifiera à terme la nature même du fédéralisme canadien, en réduisant substantiellement l'autonomie des provinces et en consacrant la primauté du gouvernement fédéral dans la majorité des grands axes d'intervention des autorités étatiques au Canada. Cette perspective générale sera le fil conducteur de la présente étude.

L'entente sur l'union sociale n'est pas sans rappeler l'entente constitutionnelle de novembre 1981, après *la nuit des longs couteaux*. L'exclusion du Québec à cette occasion a été la cause d'un blocage constitutionnel qui n'est toujours pas résolu. Cette exclusion a pris également une grande valeur symbolique qui cristallisait la redéfinition du Canada. L'entente sur l'union sociale apparaît comme un prolongement de l'entente de novembre 1981. Celle-ci était en effet partiellement compensée jusqu'ici par une relative souplesse sur le plan du fédéralisme administratif (ententes sur la formation de la main-d'œuvre, sur l'immigration, sur la TPS) qui tenait compte dans une certaine mesure de la spécificité du Québec, ou de l'étendue des compétences des provinces (accord sur le commerce intérieur). En parallèle, des efforts importants ont été menés de 1986 à 1992 en vue de surmonter le blocage constitutionnel.

Le présent gouvernement fédéral a renoncé à de tels efforts. Il opte maintenant pour une entente sur l'union sociale, une entente administrative majeure qui a un effet structurant sur la conduite des affaires de la fédération, une entente qui sur le plan politique est pour cette raison de nature quasi constitutionnelle (même si le formalisme juridique ne peut ici rejoindre le réalisme politique). Cette entente ne sera pas quasi constitutionnelle pour le juriste; elle le sera dans les faits pour le gestionnaire de l'État. Le juriste reconnaîtra tout de même que les effets constitutionnels de l'entente peuvent être lourds et qu'ils risquent de s'accroître avec le temps.

L'entente sur l'union sociale apparaît par conséquent comme le complément et le corollaire de l'entente constitutionnelle de 1981. Les deux textes ont provoqué l'exclusion politique et symbolique du Québec de la définition du Canada. L'exclusion du Québec a été le résultat à chaque occasion du refus de reconnaître la situation unique du Québec, notamment par l'entremise du droit de retrait avec compensation. L'entente sur l'union sociale creuse les effets de l'entente de 1981. Il s'agit d'une amplification administrative du blocage constitutionnel, d'un approfondissement de la rigidité de la fédération au nom du principe de l'égalité qui ne reconnaît pas le droit à la différence, et d'une reconnaissance par les autres provinces de la légitimité des tentatives de normalisation d'Ottawa et du statut premier du gouvernement fédéral.

Avec le recul, on pourra sans doute constater qu'en 1999 les provinces anglophones ont consenti à mettre par écrit la conception du fédéralisme qui prévalait sans doute chez la plupart d'entre elles depuis longtemps: la reconnaissance d'un fédéralisme vertical dans lequel elles jouent un rôle subordonné, encadré par le pouvoir de dépenser et les normes *nationales* du gouvernement fédéral. On a d'ailleurs vu dans le récent budget fédéral la faiblesse du poids politique des provinces et le peu d'impact de l'entente sur l'union sociale sur les initiatives unilatérales d'Ottawa.

L'entente constitutionnelle de novembre 1981 et l'entente sur l'union sociale forment la majeure et la mineure d'une même proposition: le Canada ne peut plus coexister avec l'identité du Québec. Le Canada est de plus en plus incapable de se définir en tenant compte des aspirations et de la volonté d'autonomie du Québec. Les deux sociétés se séparent dans les faits, et l'entente sur l'union sociale apparaît comme un nouveau jalon vers une rupture irréductible. Il n'est même plus suffisant pour le Canada que le Québec accepte le Canada tel quel, sans réforme constitutionnelle. Le Canada demande maintenant au Québec davantage. Il demande d'accepter le Canada TEL QU'IL SE CENTRALISE, c'est-à-dire une dynamique contraire à celle qu'ont voulu instaurer la quasi-totalité des gouvernements du Québec, celle-ci étant la seule qui soit respectueuse de l'épanouissement du Québec.

Le coup de force administratif d'Ottawa et des provinces de 1999 complète le coup de force constitutionnel de 1981. Il en est la conséquence logique et l'aboutissement. Quoique réalisé dans des circonstances moins dramatiques, ce qui le rend moins perceptible aux yeux de l'opinion publique, ses effets sont en réalité plus concrets et plus dommageables pour les aspirations du Québec.

Commentaires généraux

Nous ferons deux brefs commentaires généraux sur le chapitre 1, avant de l'examiner de plus près.

D'abord, les gouvernements affirment agir dans le respect de leurs compétences et pouvoirs constitutionnels respectifs. Cette disposition classique et d'apparence anodine masque en réalité un profond désaccord sur l'étendue des pouvoirs et compétences des deux ordres de gouvernement, particulièrement entre Ottawa et Québec. Si le gouvernement fédéral rendait publique une liste exhaustive de ses pouvoirs et compétences et sa définition des pouvoirs et compétences du Québec dans un langage accessible et contemporain, et si le gouvernement du Québec en faisait autant, les citoyens seraient sans doute étonnés de l'ampleur des divergences de vues dans une foule de secteurs. De plus, une telle clause masque le fait que l'équilibre des pouvoirs et compétences est en perpétuelle évolution, le plus souvent à l'avantage d'Ottawa. Deux des facteurs les plus déterminants de cette évolution sont la jurisprudence constitutionnelle et les ententes administratives elles-mêmes. Pour ne citer qu'un exemple, la jurisprudence des années soixante-dix, par laquelle la Cour suprême du Canada a attribué la compétence sur les communications à Ottawa, prive aujourd'hui le Québec d'une grande partie du contrôle des secteurs de haute technologie, de l'informatique et du multimédia. Par ailleurs, les tribunaux hésiteront à remettre en question des ententes intergouvernementales, et y verront une référence de poids dans l'interprétation du partage des compétences.

La deuxième remarque porte sur la clause de protection des peuples autochtones, à la fin du chapitre 1. Il n'apparaît aucune clause semblable pour le peuple québécois, malgré le fait que la Chambre des communes et le Sénat aient adopté, en décembre 1995, une résolution reconnaissant une société distincte au Québec et incitant *tous les organismes des pouvoirs législatif et exécutif du gouvernement à prendre note de cette reconnaissance et à se comporter en conséquence.* Cette résolution est restée lettre morte; elle n'a jamais eu d'effet réel. Lorsque viennent les moments décisifs, il n'y a plus de société distincte au Québec aux yeux d'Ottawa, et encore moins de peuple québécois. Encore une fois, le Canada est incapable de se définir en respectant l'identité du Québec.

Nous examinons maintenant l'évolution de la position des provinces au cours des discussions menant à la conclusion de l'entente sur l'union sociale.

L'évolution de la position des provinces

Le consensus de Saskatoon

Pour la commodité du lecteur, nous reproduisons ci-dessous le texte du communiqué du 6 août 1998 de la conférence annuelle des premiers ministres provinciaux:

Entente-cadre sur l'union sociale canadienne

Saskatoon, le 6 août 1998

> *Les Premiers ministres ont discuté de l'état des négociations relatives à l'entente-cadre sur l'union sociale. Ils ont constaté que les deux ordres de gouvernement sont concernés par l'union sociale canadienne et ont souligné qu'un partenariat plus solide entre les deux ordres de gouvernement est indispensable afin de protéger les programmes sociaux canadiens pour l'avenir.*
>
> *Les Premiers ministres croient fermement qu'une entente-cadre sur l'union sociale donnera à tous les Canadiens de meilleures possibilités de participer pleinement à la vie économique et sociale du pays. Elle traduit une volonté des gouvernements de travailler ensemble, à l'intérieur de leurs compétences constitutionnelles, pour assurer aux Canadiens des services solides et durables dans les*

domaines de la santé, de l'éducation et des services sociaux. Il ne s'agit pas de donner plus de pouvoirs à un ou l'autre des deux ordres de gouvernement.

Les Premiers ministres ont donné un appui unanime au consensus provincial/territorial élaboré par les ministres participants en ce qui a trait à la position en vue des négociations.

Les Premiers ministres ont exprimé leur satisfaction par rapport à la déclaration publique récente par laquelle le Premier ministre fédéral s'est engagé à mener les négociations à leur aboutissement. Ils ont reconnu que même si les propositions fédérales récentes sur l'entente-cadre ne constituent pas une réponse complète au document renfermant le consensus provincial/territorial sur la position de négociation, ces propositions et le document du consensus provincial/territorial actuel à l'égard des négociations permettront aux négociations d'aller de l'avant.

Les Premiers ministres ont convenu que, par le truchement de négociations, il leur serait possible d'accepter plusieurs des objectifs qui se trouvent dans les propositions fédérales. Le défi consiste maintenant pour le gouvernement fédéral à travailler avec les provinces à la recherche de solutions aux problèmes en suspens.

Les Premiers ministres ont aussi constaté que les points communs entre la position du gouvernement fédéral et celle des provinces/territoires traduisent un progrès dans les négociations. Ils ont toutefois souligné qu'il sera indispensable de trouver une formule de collaboration en ce qui concerne les dépenses fédérales dans les domaines relevant de la compétence des provinces/territoires ainsi qu'une procédure impartiale de règlement des différends afin d'instaurer un partenariat équilibré et juste. Ils ont de plus réclamé que les négociations aillent de l'avant en vue d'aboutir à un projet d'entente d'ici la fin de l'année.

Les Premiers ministres ont pris note que les propositions fédérales comportent des dispositions sur le droit de retrait. Ils ont aussi insisté sur la dimension fondamentale du consensus provincial/territorial sur la position en vue des négociations quant à la capacité d'une province ou d'un territoire de se retirer de tout nouveau programme social ou programme modifié pancanadien dans les secteurs de compétence provinciale/territoriale avec pleine compensation, entendu que la province ou le territoire offre un programme ou une initiative dans les mêmes champs d'activité prioritaires que les programmes pancanadiens.

Les Premiers ministres ont en outre convenu que de nouveaux mécanismes pour résoudre et prévenir les différends le cas échéant constituent également un élément capital de leur position de négociation. Ils ont mis en relief le fait que les différends entre gouvernements minent l'union sociale canadienne. C'est pourquoi, ont-ils dit, de nouveaux mécanismes de coopération destinés à empêcher les conflits de surgir ou afin de les régler équitablement lorsqu'ils surviennent accroîtraient la confiance des Canadiens dans la capacité de leurs gouvernements de travailler ensemble dans l'intérêt de la population.

> *Les Premiers ministres ont souligné que l'union sociale canadienne et les programmes auxquels les Canadiens tiennent le plus, surtout le régime de soins de santé, doivent reposer sur une série d'arrangements fiscaux renouvelés assurant un équilibre entre les revenus et les compétences des provinces/territoires à l'égard des programmes.*
>
> *En conclusion à leurs discussions, les Premiers ministres ont confirmé la règle fondamentale pour les négociations voulant qu'aucun élément de l'entente-cadre ne soit accepté tant que l'accord dans son ensemble ne l'aura pas été. Ils ont chargé le coprésident provincial des négociations, l'honorable Bernhard Wiens, de déterminer avec son homologue fédérale, l'honorable Anne McLellan, une date pour la tenue d'une réunion de négociations des ministres dès que possible.*

Ce document fait référence à un autre document renfermant le consensus provincial/territorial sur la position de négociation qui avait été élaboré au niveau ministériel, et auquel les premiers ministres ont souscrit à l'unanimité.

Les premiers ministres provinciaux ont souligné l'importance d'*un partenariat plus solide entre les deux ordres de gouvernement* afin de protéger les programmes sociaux canadiens pour l'avenir. Ils déclarent également qu'il ne s'agit pas de donner plus de pouvoirs à l'un ou l'autre des deux ordres de gouvernement. Ils expriment une volonté des gouvernements de travailler ensemble à l'intérieur de leurs compétences constitutionnelles.

L'accent est mis sur le fédéralisme coopératif, c'est-à-dire sur le respect mutuel des deux ordres de gouvernement, et sur le maintien ou le renforcement d'un certain équilibre entre leurs compétences respectives. La relation avec le gouvernement fédéral qui est envisagée est de type horizontal, plutôt que vertical.

Il est frappant de constater que l'on ne retrouve plus cette approche dans le chapitre 1 de l'entente sur l'union sociale, qui contient les principes devant guider l'interprétation de l'entente: la seule allusion au fédéralisme dans ce chapitre provient de l'engagement des gouvernements à adopter ces principes «*dans le respect de leurs compétences et pouvoirs constitutionnels respectifs*». Notons d'abord que le texte de Saskatoon ne mentionnait que le respect des compétences constitutionnelles. La référence aux pouvoirs constitutionnels a sans doute été ajoutée à la demande du gouvernement fédéral, et ouvre la voie à la reconnaissance sans précédent du pouvoir de dépenser fédéral au chapitre 5. La première phrase du chapitre 5 se lit ainsi: *L'utilisation du pouvoir fédéral de dépenser, conformément à la Constitution, a été essentielle au développement de l'union sociale canadienne.* Cette seule phrase aurait justifié le Québec de ne pas signer l'entente. Notons qu'avant que le Québec ne participe aux négociations menant à l'entente sur l'union sociale, le premier ministre du Québec avait déclaré qu'il refusait de reconnaître directement ou indirectement le pouvoir fédéral de dépenser, *le Québec réaffirmant sa position historique quant au respect de ses compétences*. (Déclaration du premier ministre du Québec, Conférence des premiers ministres, Ottawa, 12 décembre 1997).

Quoique les tribunaux aient accepté de considérer que le pouvoir de dépenser était légal eu égard à la *Loi constitutionnelle de 1867*, son exercice par le gouvernement fédéral affaiblit grandement l'autonomie que, selon la lecture qui en a été faite au Québec depuis fort longtemps, cette loi constitutionnelle est censée garantir aux provinces. Le pouvoir de dépenser n'est pas encadré par la Constitution. Son exercice découle du déséquilibre entre les responsabilités constitutionnelles des provinces et leurs ressources financières et fiscales à l'ère moderne, et de la volonté d'Ottawa de se donner une relation directe avec les citoyens afin d'étendre sa visibilité et de se doter d'un État plus fort. Il ne correspond pas, particulièrement dans le cas d'initiatives fédérales unilatérales dans les champs de compétence clairement attribués aux provinces par la Constitution, à la conception du fédéralisme qui a traditionnellement eu cours au Québec. Nous reparlerons plus loin de cet aspect de la question.

Dans le communiqué de Saskatoon, les premiers ministres provinciaux ont souligné *qu'il sera indispensable de trouver une formule de collaboration en ce qui concerne les dépenses fédérales dans les domaines relevant de la compétence des provinces/territoires*. Le pouvoir de dépenser, qui n'est pas reconnu mais simplement constaté, apparaît ici comme un élément perturbateur qui doit être corrigé. Au contraire, le chapitre 5 de l'entente, comme nous l'avons vu, proclame haut et fort la légitimité du pouvoir de dépenser fédéral. Plus qu'un changement de ton, il s'agit d'une toute autre perspective, qui impose la vision fédérale. L'écart entre les approches est ici majeur.

Bon prince, une fois obtenue la victoire majeure de la reconnaissance officielle de son pouvoir de dépenser, le gouvernement fédéral consent, au chapitre 5, à *procéder d'une manière coopérative, qui soit respectueuse des gouvernements provinciaux et territoriaux, et de leurs priorités*. On s'apercevra en lisant le reste du chapitre que ses dispositions préservent la marge de manœuvre et l'initiative fédérales, et que les contraintes qu'il aura à assumer sont peu exigeantes. Il s'impose de consulter les provinces et de leur donner un avis avant de modifier le financement des transferts sociaux. Il s'engage à collaborer avec les provinces pour déterminer les priorités et objectifs pancanadiens. Il ne créera pas de nouvelles initiatives pancanadiennes sans le consentement de la majorité des provinces, ce qui est une disposition franchement ridicule quand on connaît le poids démographique des quatre plus grandes provinces. Qui plus est, il impose aux provinces un cadre d'imputabilité, même dans les cas où les programmes existants d'une province lui permettraient de tirer avantage de la possibilité de réinvestir les fonds non requis dans le même domaine prioritaire ou dans un domaine prioritaire connexe.

Le gouvernement fédéral a réussi à s'arroger, au chapitre 5, un droit de gérance de certaines des compétences socio-économiques les plus importantes des provinces, sans égard au partage des compétences. D'ailleurs, nulle part dans l'entente sur l'union sociale, et plus particulièrement nulle part dans le chapitre 5 ne peut-on lire que les soins de santé, l'éducation postsecondaire, l'aide sociale et les services sociaux relèvent de la compétence des provinces. On procède comme s'il s'agissait de vastes compétences partagées, avec prépondérance fédérale. Quoique Ottawa se dise désireux de respecter les provinces et leurs priorités, il ne s'engage pas à respecter l'exclusivité de leurs compétences constitutionnelles, parce qu'il ne la reconnaît pas.

Dès lors, le lecteur comprend mieux la signification et la portée du chapitre 1 de l'entente. La volonté fédérale de se donner une plus grande légitimité et une plus grande visibilité en établissant des liens directs avec les citoyens et en confinant les provinces à un rôle secondaire apparaît comme le fondement des principes qui sont mentionnés. Qui pourra le mieux exprimer les valeurs fondamentales des Canadiens et leur aspiration à l'égalité? Qui pourra le mieux répondre à leurs besoins, après les avoir définis? Le chapitre 1, au fond, est un programme et un mandat dont le gouvernement fédéral est le principal bénéficiaire politique puisqu'il est le seul gouvernement qui peut prétendre agir au nom de l'ensemble de la collectivité canadienne, et que c'est sur les besoins communs de l'ensemble des membres individuels de cette collectivité que le chapitre 1 et l'ensemble de l'entente mettent l'accent. Le chapitre 1 rehausse la visibilité et la légitimité d'Ottawa dans des domaines où sa présence a été longtemps contestée, même à l'extérieur du Québec. Les provinces anglophones ont capitulé, et consenti à un virage qui fera en sorte qu'une certaine vision du fédéralisme coopératif et décentralisé ne pourra plus être mise de l'avant de manière crédible à l'extérieur du

Québec, même si le discours officiel continue, par intermittence, de l'invoquer.

Un autre écart majeur entre le communiqué de Saskatoon et le texte de l'entente sur l'union sociale se trouve dans la question du droit de retrait. Les premiers ministres provinciaux avaient insisté, en août 1998, sur la dimension fondamentale de leur consensus sur cette question. Leur position était alors que chaque province devait pouvoir se retirer de tout nouveau programme social ou programme modifié pancanadien dans les secteurs de compétence provinciale avec pleine compensation, étant entendu que la province offrirait un programme ou une initiative dans les mêmes champs d'activité prioritaires que les programmes pancanadiens. Cette position représentait déjà un compromis important pour le Québec.

Nous avons vu que l'entente sur l'union sociale ne reconnaît aucun champ de compétence des provinces. Voici les dispositions pertinentes de l'entente qui se trouvent dans le chapitre 5:

Un gouvernement provincial ou territorial qui, en raison de sa programmation existante, n'aurait pas besoin d'utiliser l'ensemble du transfert pour atteindre les objectifs convenus, pourrait réinvestir les fonds non requis dans le même domaine prioritaire ou dans un domaine prioritaire connexe.

Le gouvernement du Canada et les gouvernements provinciaux et territoriaux s'entendront sur un cadre d'imputabilité relatif à ces nouvelles initiatives et nouveaux investissements sociaux.

Tous les gouvernements provinciaux et territoriaux qui atteignent ou s'engagent à atteindre les objectifs pancanadiens convenus et conviennent de respecter le cadre d'imputabilité recevront leur part du financement disponible.

Ces dispositions s'appliquent aux nouvelles initiatives pancanadiennes pour les soins de santé, l'éducation postsecondaire, l'aide sociale et les services sociaux, financées au moyen de transferts fédéraux aux provinces. Elles ne visent pas les transferts fédéraux directs aux personnes et aux *organisations*, comme les bourses du millénaire. Dans ce dernier cas, l'action fédérale n'est limitée que par l'obligation de donner un préavis de trois mois et celle de consulter. Cette distinction entre les transferts fédéraux aux gouvernements des provinces et les transferts fédéraux aux particuliers ou organismes n'apparaissait pas dans le consensus de Saskatoon.

Il apparaît, à la lecture du premier des trois paragraphes qui ont été cités, que le gouvernement d'une province qui offre déjà un programme dans le domaine visé par l'initiative fédérale et qui n'aurait pas besoin d'utiliser l'ensemble du transfert pour atteindre les objectifs **convenus**, pourrait réinvestir les fonds non requis dans le même domaine, afin de parfaire son programme, ou dans un domaine connexe. La marge de manœuvre de la province est nettement plus étroite dans l'entente sur l'union sociale que dans le communiqué de Saskatoon. Les objectifs du programme pancanadien et ceux du programme existant que la province invoquerait devront être *convenus* entre Ottawa et la province, ce qui limiterait la discrétion de celle-ci dans l'exercice de ses propres compétences.

De plus, il faut comprendre que le nouveau cadre d'imputabilité qui sera mis en place visera autant les gouvernements bénéficiant du soi-disant droit de retrait, édulcoré, que les autres. En effet, selon le dernier des paragraphes cités, seules les provinces qui atteignent ou s'engagent à atteindre les objectifs pancanadiens *convenus* avec Ottawa et les autres provinces et acceptent de respecter le cadre d'imputabilité, pourraient recevoir le financement fédéral. Voilà qui aurait pu restreindre singulièrement la marge de manœuvre du Québec au cœur de ses propres compétences constitutionnelles, que l'on dit exclusives.

Enfin, les provinces qui disposent déjà d'un programme dans le domaine de l'initiative fédérale peuvent utiliser les fonds transférés dans le même domaine ou *dans un domaine connexe*. La définition de ce qui est connexe devrait présumément être approuvée par Ottawa. Nous nous situons encore une fois dans un champ de compétence provinciale exclusive, et Ottawa détiendrait le droit d'en définir la portée. Il n'existait aucune limite de cette nature dans le communiqué de Saskatoon. Celui-ci permettait à toute province offrant un programme dans le même domaine qu'un programme pancanadien de se retirer de ce dernier avec pleine compensation. Il était alors clair que cette province pouvait utiliser ces fonds à sa discrétion dans le domaine de son choix, sans que le gouvernement fédéral puisse exercer sa surveillance.

La proposition interprovinciale de Victoria

Les écarts entre la dernière position interprovinciale du 29 janvier 1999, dite de Victoria, et l'entente sur l'union sociale du 4 février sont importants.

De façon générale, la position de Victoria met en relief le statut, les responsabilités constitutionnelles et la légitimité des provinces relativement aux services publics fournis aux citoyens dans les domaines de l'éducation, de la santé et des services sociaux. Ces considérations brillent par leur absence dans l'entente que les provinces anglophones ont conclue avec Ottawa le 4 février. On peut parler d'un virage à 180 degrés à cet égard, puisque l'on passe d'un texte axé sur le fédéralisme horizontal ou coopératif, où tous les gouvernements sont codétenteurs de la légitimité, à un fédéralisme vertical où les provinces apparaissent comme des relais administratifs.

Plusieurs exemples peuvent illustrer ce virage. Le chapitre 1 de l'entente du 4 février, intitulé *Principes* correspond aux chapitres 1 et 2 de la proposition de Victoria, intitulés *Respecting Canadian Values* et *Guiding Principles*. Dans le chapitre 1 de la proposition de Victoria, on souligne l'importance d'améliorer les rapports entre les gouvernements en clarifiant le partage des responsabilités et en éliminant les chevauchements:

> *Canadians want and deserve governments working better together by clarifying responsibilities, eliminating overlap and duplication, and enhancing accountability.*
>
> *This Agreement offers Canadians financially sustainable health care and social programs, more accountable government, flexibility to meet different needs in different provinces and territories, and greater harmony among governments. Working together more effectively will strengthen the social union and benefit all Canadians.*

Le chapitre 2 de la proposition de Victoria va plus loin, puisqu'il affirme sans ambages la primauté des fonctions constitutionnelles des provinces dans le domaine de la politique sociale:

Managing Canada's Social Union

> *Under the Constitution, provinces and territories are primarily responsible for social policy and the delivery of social programs.*
>
> *Governments believe strongly in increasing accountability to the public and improving the effectiveness and efficiency of the Social Union. To this end, governments are committed to:*
>
> - *reducing and avoiding overlap and duplication;*
> - *clarifying roles and responsibilities by assigning, where appropriate, responsibility for areas of the Social Union to one order of government or the other; and,*
> - *minimizing areas of joint responsibility where this would improve the effectiveness and efficiency of the social Union.*
>
> *Governments are committed to working together in partnership where this would result in improved services to Canadians and explaining to Canadians their respective contributions to social programs.*

Le fossé entre ces dispositions et celles du chapitre 1 de l'entente sur l'union sociale est profond. Dans celles-ci, le bon fonctionnement de la fédération, la réduction des chevauchements et la clarification du partage des responsabilités ne font plus partie des priorités, des principes ou des valeurs des Canadiens. Dans un texte qui consacrait définitivement son rôle prépondérant dans le domaine social et la légitimité de son pouvoir de dépenser, Ottawa ne pouvait souscrire à l'affirmation de la responsabilité première des provinces en vertu de la Constitution. Dans un texte qui a précisément pour objet d'écarter l'interprétation traditionnelle de la Constitution, axée sur un respect scrupuleux du partage des compétences et de l'autonomie substantielle des provinces, il ne pouvait être question pour Ottawa de clarifier les rôles et les responsabilités des deux ordres de gouvernement en assignant clairement la responsabilité de certains domaines de l'union sociale à l'un d'eux. Il ne pouvait être question non plus pour lui de réduire les domaines d'intervention conjointe, puisqu'il risquait de perdre à cet exercice, vu le texte de la Constitution; Ottawa a plutôt intérêt à les maximiser.

Dans la vision de la fédération qu'entretient l'État fédéral, le partage des compétences de 1867 n'est pas fonctionnel. Les provinces sont des empêcheurs de tourner en rond, qui devraient idéalement n'être que des succursales administratives dans un État unitaire déconcentré. Toute disposition raffermissant le statut et soulignant les compétences principales des provinces dans les domaines visés par l'entente du 4 février devenait dès lors inacceptable. La réponse fédérale aux clauses que nous venons de citer se trouve notamment dans la reconnaissance formelle du pouvoir de dépenser fédéral au chapitre 5 de l'entente.

D'autres exemples illustrent ce changement de perspective. Ainsi, le chapitre 4 de la proposition de Victoria, intitulé *Programs Canadians can count on*, expose la vision interprovinciale qui avait été annoncée dans les chapitres antérieurs. Cette vision peut être qualifiée de *provincialiste* parce qu'elle met de l'avant un rôle et une visibilité raffermis pour les provinces. Contrairement à l'entente sur l'union sociale, le chapitre 4 s'applique autant aux transferts fiscaux qu'aux paiements fédéraux, autant aux programmes existants qu'aux nouveaux programmes, autant aux transferts aux particuliers et aux organismes qu'aux transferts aux gouvernements provinciaux et autant aux programmes fédéraux ne visant qu'une ou quelques provinces qu'aux programmes pancanadiens.

Les dispositions les plus significatives du chapitre 4 sont les suivantes:

> *The federal government will work with provinces and territories to ensure that all major federal/provincial/territorial funding arrangements provide provinces and territories with adequate resources to meet their responsibilities to Canadians, including those described in this agreement. To ensure that Canadians are treated equitably, the federal government will work with provinces and territories to ensure that they have the financial resources to allow them to provide reasonably comparable levels of public services at reasonably comparable levels of taxation.*
>
> *Adequacy and long-term balance will be addressed through:*
>
> - *The federal government working with the provinces and territories to ensure that major federal/provincial/territorial funding arrangements adequately reflect provincial/territorial spending responsibilities. [...]*
> - *The federal government working with the provinces to ensure that equalization payments adequately address the fiscal imbalances that exist between the provinces' revenue-raising capacities. [...]*
> - *The federal government working with the provinces and territories to ensure sufficient federal resources through existing financial arrangements to address current and growing cost pressures in the areas of health, education and social services. [...]*
> - *Under this Agreement, if the federal government withdraws from the funding of social programs, or if there is a realignment of responsibilities within the federation, commensurate federal resources must accompany these changes to provide provinces and territories with adequate funds to carry out their new or enhanced responsibilities.*

Ces dispositions concrétisent l'affirmation de principe, que nous avons vue au chapitre 2, de la responsabilité constitutionnelle principale des provinces dans le domaine de la politique sociale et de la fourniture des services sociaux. Le rôle du gouvernement fédéral, dans la vision des provinces, consiste à épauler celles-ci afin de leur permettre de s'acquitter pleinement de leurs responsabilités constitutionnelles. Le gouvernement fédéral doit ainsi s'assurer que les provinces disposent des ressources suffisantes pour donner des services comparables, à un taux comparable d'imposition, à tous les Canadiens. Dans cette vision, les provinces requièrent d'Ottawa un apport fiscal et financier qui ne remet pas en cause leur propre primauté dans le domaine social.

Les provinces identifient également l'un des principaux déséquilibres structurels de la Constitution canadienne, celui entre les ressources fiscales et financières des provinces, et leurs responsabilités ou compétences constitutionnelles. On sait que les responsabilités provinciales dans les secteurs de la santé, de l'éducation et des services sociaux sont très onéreuses; or, les provinces ne disposent pas de pouvoirs fiscaux aussi étendus qu'Ottawa. Celui-ci pour sa part a utilisé ses pouvoirs fiscaux, et son pouvoir d'emprunt, pour entrer dans les champs de compétence provinciaux plutôt que de corriger le déséquilibre en respectant l'autonomie provinciale.

Les provinces ont tenté à Victoria d'aller davantage au fond des choses en cherchant à inclure la problématique de la péréquation dans l'entente sur l'union sociale afin de corriger les disparités fiscales. Les dispositions citées du chapitre 4 ne se retrouvent pas dans l'entente sur l'union sociale fédérale-provinciale. Pour Ottawa, il était inacceptable de voir les provinces tenter de prendre part à ses décisions concernant son processus budgétaire et sa répartition des ressources fiscales et financières entre les ordres de gouvernement. Pour le gouvernement fédéral, cette répartition doit demeurer unilatérale parce qu'il s'agit d'un élément vital du rapport de force qui l'avantage. Son pouvoir fiscal, son pouvoir d'emprunt et son pouvoir de dépenser constituent une grande trilogie qui lui permet de dominer les provinces dans des domaines que la Constitution leur attribue formellement. Cette trilogie fiscale et financière est l'une des principales sources de puissance de l'État fédéral. Il était hors de question de laisser les provinces s'en approcher.

Dans le chapitre 5 de la proposition de Victoria, les provinces réaffirment leur perspective fondamentale:

> *Provincial and territorial governments have primary responsibility for core social programs. The federal government also has an important role in the social union.*

Selon ce texte, les provinces sont en première ligne; elles ne sont pas de simples fournisseurs de services fédéraux; le gouvernement fédéral a un rôle supplétif permettant aux provinces de remplir les responsabilités, y compris en matière de conception des politiques sociales, qui leur reviennent en vertu de la Constitution. La suite des événements aura démontré le manque de fermeté des provinces anglophones sur ces questions. Il n'empêche que la disposition citée du chapitre 5 était conciliable avec les positions traditionnelles du Québec en la matière, comme on le verra plus loin.

Toujours dans le chapitre 5 de la proposition de Victoria, les provinces posent à nouveau la question de l'union sociale en faisant référence aux compétences constitutionnelles:

The ability of a province/territory to address priority areas of Canada-wide programs within its jurisdiction is essential to an effectively functioning social union. (p. 7)

À la page suivante, en ce qui concerne les programmes fédéraux dans une ou quelques provinces, le rappel de la compétence provinciale conduit à l'exigence du consentement de la province pour qu'un programme fédéral puisse s'appliquer sur son territoire:

Federal spending in an area of provincial jurisdiction which occurs in a province or territory must have the consent of the province or territory involved. (p. 8)

Cette façon d'envisager les choses a été évacuée de l'entente sur l'union sociale du 4 février. Il n'y est fait aucune mention des responsabilités et des compétences des provinces, ni même de la Constitution, à l'exception d'une référence unique dans le chapitre 1, qui est démentie par le rapport de force défavorable aux provinces qui est exprimé dans l'ensemble des dispositions qui suivent.

En ce qui concerne le droit de retrait, le chapitre 5 de la proposition de Victoria reprend, en des termes plus formels, la position énoncée dans le communiqué de Saskatoon:

The federal government will provide full financial compensation to any provincial or territorial government that chooses not to participate in any new or modified Canada-wide program, providing it carries on a program or initiative that addresses the priority areas of the new or modified Canada-wide program.

À ce propos, nous renvoyons le lecteur à nos commentaires ci-dessus sur la comparaison entre la position de Saskatoon et les dispositions pertinentes de l'entente sur l'union sociale.

La profonde différence d'approche entre la proposition de Victoria et l'entente sur l'union sociale apparaît aussi dans les chapitres 6 et 7 de la proposition, intitulés respectivement *Clear roles for Governments* et *Accountability for Canadians*.

Dans le chapitre 6, on peut lire ce qui suit:

Canadians need to know which order of government to hold responsible for specific decisions in areas of social policy. Clarifying roles and responsibilities in the management and delivery of social programs will enable Canadians to hold their governments accountable for decisions they make.

Les premiers mots du chapitre 7 sont les suivants:

Clarify the roles of Governments and inform Canadians of the responsibilities of each government [...].

L'importance attachée dans la proposition de Victoria à la clarification des rôles et des responsabilités des gouvernements, et à la transparence du partage des rôles et des responsabilités aux yeux des citoyens, ne se retrouve plus dans l'entente sur l'union sociale. Les dispositions citées des chapitres 6 et 7 de la proposition de Victoria n'ont aucun équivalent dans cette entente. Cette dernière a été rédigée pour donner au gouvernement fédéral une visibilité maximale et une légitimité sans précédent dans les secteurs visés, au détriment d'une clarification des rôles des gouvernements qui, encore une fois, aurait pu avantager les provinces et empêcher Ottawa d'atteindre ses objectifs politiques. Utilisant pleinement les avantages conférés par ses plus grandes ressources financières et fiscales, Ottawa s'est livré à une forme de *nation-building* à courte vue qui pourrait constituer un nouveau facteur de désunion et d'instabilité dans la fédération canadienne.

Conclusion de la première partie

S'il ne se dégage pas d'écart majeur entre le communiqué de Saskatoon et la position de Victoria, celle-ci constituant une élaboration formelle de celui-là, il en est tout autrement de l'écart entre la position de Victoria et l'entente que les neuf provinces anglophones et les territoires ont conclue avec le gouvernement fédéral le 4 février dernier. Il est étonnant de constater qu'en une seule semaine, les positions des provinces, à l'exception du Québec, aient pu basculer aussi complètement. Il faut en déduire qu'elles ne s'associaient au Québec qu'à des fins de marchandage, que des négociations avec Ottawa avaient lieu en parallèle à l'insu du Québec, et que la fermeté de leurs convictions constitutionnelles devait céder au moment décisif à la nécessité de choisir la loyauté envers le Canada plutôt que la solidarité avec une province qui a cherché à faire sécession. Ces éléments se retrouvaient tous dans l'entente constitutionnelle de novembre 1981 qui a isolé le Québec.

Les provinces anglophones cherchent à faire fonctionner la fédération même au prix de sa centralisation. Le Québec ne peut se résoudre à payer ce prix parce que son identité nationale s'en trouverait menacée. C'est l'équation simple, mais lourde de conséquences, qui a fait achopper l'entente sur l'union sociale en ce qui concerne la relation entre le Québec et le Canada.

Les provinces anglophones ne perçoivent pas l'entente sur l'union sociale comme une menace à leurs aspirations parce que leur identité nationale est partagée et parce qu'elle peut être exprimée par un gouvernement central fort, dont la légitimité est chez eux beaucoup moins contestée. La principale source d'inquiétude pour l'avenir ne provient pas, à leurs yeux, du gouvernement fédéral, mais du retrait possible du Québec de la fédération canadienne. Elles ont joué double jeu, et lâché le Québec dès que leur position autonomiste risquait de compromettre les chances d'une entente qui leur serait financièrement avantageuse, risquant du même coup d'être accusées par leurs opinions publiques d'avoir fait le jeu des sécessionnistes québécois. Ce faisant, elles ont perdu une bonne part de leur crédibilité politique et constitutionnelle.

Comparaison entre l'entente sur l'union sociale et les positions traditionnelles du Québec

Une comparaison entre l'entente sur l'union sociale et les diverses positions pertinentes mises de l'avant par les gouvernements du Québec depuis plus d'un demi-siècle démontre que l'entente n'est pas conforme aux positions traditionnelles du Québec, et qu'un gouvernement du Québec qui souhaite maintenir ces positions ne pouvait pas la signer.

Les documents consultés à cet égard proviennent du Secrétariat aux Affaires intergouvernementales canadiennes:

- Les positions traditionnelles du Québec en matière constitutionnelle 1936-1990, novembre 1991, ministère du Conseil exécutif;
- Position historique du Québec sur le pouvoir fédéral de dépenser 1944-1998, juillet 1998, ministère du Conseil exécutif.

Pour faciliter la lecture, nous répartissons l'analyse des positions traditionnelles en trois périodes, celle avant 1960, celle allant du gouvernement de Jean Lesage à celui de René Lévesque, et celle allant de 1976 à aujourd'hui. Nous procédons d'abord à l'examen des positions traditionnelles, et ensuite à une comparaison avec l'entente du 4 février.

La période antérieure à 1960

Avant 1960, le gouvernement de Maurice Duplessis avait défendu des positions classiques sur l'autonomie des provinces canadiennes, et sur la nécessité de préserver l'indépendance financière des provinces afin d'assurer leur autonomie. C'est notamment à l'occasion de diverses conférences intergouvernementales après la Seconde Guerre mondiale que le gouvernement Duplessis a formulé ces positions. On sait qu'à cette époque, suite au rapport Rowell-Sirois paru en 1939, le gouvernement fédéral cherchait à consolider son emprise sur les pouvoirs fiscaux des provinces, qui lui a été temporairement consentie pendant la guerre, afin de financer l'État-providence qu'il souhaitait ériger et afin de se donner de plus grandes possibilités d'initiative et d'intervention. C'est dans le contexte de la résistance de Maurice Duplessis aux visées fédérales que sa conception du statut des provinces et des relations intergouvernementales a été mise de l'avant:

> *Dans l'esprit de la Confédération il existe et doit exister deux autorités souveraines: l'autorité centrale dans la sphère de sa juridiction et l'autorité provinciale dans la sphère de sa juridiction. Notre régime de gouvernement est fondé sur le principe de l'autonomie complète des provinces.*
>
> – Discours d'ouverture de M. Maurice Duplessis, Conférence fédérale-provinciale sur la Constitution, Ottawa, 10-12 janvier 1950, p. 17.

> *L'autonomie des provinces ne peut être sauvegardée en substituant un subside fédéral à l'indépendance financière des provinces.*
>
> – Mémoire du gouvernement du Québec à la Conférence fédérale-provinciale sur le rétablissement, Ottawa, 25 avril 1946, p. 396.

> *Le système fédératif qui, fondamentalement, comporte une attribution des tâches publiques doit comporter également une répartition corrélative des sources de revenus [...] Un gouvernement central qui s'approprierait les sources de taxation réduirait, en fait, les provinces à l'impuissance législative. En effet, une province qui n'aurait d'autres revenus que les subsides fédéraux deviendrait une sorte d'organisme inférieur, sous la tutelle de l'autorité qui pourrait lui mesurer ses moyens de subsistance.*
>
> – Mémoire présenté par M. Duplessis, Conférence intergouvernementale canadienne, Ottawa, octobre 1955, p. 10.

> *Les droits exclusifs des provinces en matière de législation sociale, d'éducation, de droit civil, etc., doivent être intégralement conservés et sauvegardés si la Confédération doit survivre.*
>
> – Mémoire du gouvernement du Québec à la Conférence fédérale-provinciale sur le rétablissement, Ottawa, 25 avril 1946, p. 407.

À quoi servirait aux provinces le droit de bâtir des écoles et des hôpitaux s'il leur fallait se présenter devant une autre autorité pour obtenir les argents nécessaires? Leur souveraineté en matière d'enseignement et d'hospitalisation serait alors un vain mot.

– Mémoire présenté par M. Duplessis, Conférence intergouvernementale canadienne, Ottawa, octobre 1955, p. 7.

On sait que le gouvernement Duplessis s'objecta vivement et longuement aux subventions fédérales aux universités. Il interdit, en 1953, aux universités québécoises d'accepter ces subventions. Dans une lettre au ministre fédéral de la Justice en 1954, M. Duplessis s'objecta à la politique fédérale d'intervenir directement auprès des institutions de compétence provinciale, plutôt que de fournir des ressources financières suffisantes aux provinces leur permettant de s'acquitter de leurs responsabilités constitutionnelles.

– Les positions traditionnelles du Québec en matière constitutionnelle, Secrétariat aux Affaires intergouvernementales canadiennes, 1991, p. 11.

Le successeur de M. Duplessis, M. Paul Sauvé, a repris la même position:

Le Québec considère que les subventions fédérales aux universités empiètent sur un domaine exclusivement réservé aux provinces.

– Déclaration de Paul Sauvé, *La Presse*, 18 septembre 1959.

À mon avis, [...], il est très clair que l'administration centrale ne doit pas taxer pour des fins provinciales, et si à un moment donné, dans un avenir rapproché ou éloigné, Ottawa s'accorde là-dessus, il n'y aura plus de conflit dans le domaine fiscal.

– Déclaration de Paul Sauvé, *La Presse*, 17 septembre 1979.

De Jean Lesage à René Lévesque

À partir de 1960, le discours du gouvernement du Québec se modernise. Il ne s'agit plus seulement de privilégier l'autonomie comme une valeur en soi, mais comme un moyen permettant à un peuple de se développer et de s'épanouir comme il l'entend:

Le Québec ne défend pas le principe de l'autonomie des provinces seulement parce qu'il s'agit d'un principe, mais bien plus parce que l'autonomie est pour lui la condition concrète non pas de sa survivance qui est désormais assurée, mais de son affirmation comme peuple.

– Discours d'ouverture de Jean Lesage, Conférence fédérale-provinciale, Ottawa, novembre 1963, p. 42.

En 1964, M. Lesage exposait sa conception du fédéralisme coopératif, qui devait selon lui respecter l'autonomie et les responsabilités des provinces:

> *Le fédéralisme coopératif n'est pas simplement d'obtenir le concours des provinces à des politiques centralisatrices. Pour le Québec, il signifie plutôt le début d'une nouvelle ère dans les relations fédérales-provinciales et l'adaptation dynamique du fédéralisme canadien. Le fédéralisme doit se manifester de trois façons: 1) une coopération régulière au moment de la prise de décisions au sujet de nouvelles politiques; 2) une consultation constante dans l'application des politiques; 3) la remise aux provinces des ressources financières nécessaires pour s'acquitter de leurs responsabilités accrues.*
>
> – Discours de Jean Lesage lors d'une cérémonie de remise d'un doctorat honorifique, Université de Moncton, 17 mai 1964, p. 2.

Jean Lesage a fréquemment dénoncé l'utilisation du pouvoir de dépenser fédéral et réclamé vigoureusement un droit de retrait, en privilégiant la formule du transfert fiscal. Voici quelques exemples:

> *Les subventions conditionnelles versées par le gouvernement fédéral aux provinces en rapport avec les programmes conjoints administrés par les gouvernements provinciaux posent toutes sortes de difficultés. Nous comprenons que lorsque le gouvernement fédéral décide de participer à de tels programmes, il exige que certaines conditions soient remplies par les provinces, mais ces conditions mêmes font naître plusieurs complications.*
>
> *L'expérience démontre que souvent ces programmes conjoints ne permettent pas aux provinces d'utiliser leurs propres revenus comme elles l'entendent et de tenir suffisamment compte des conditions locales. De plus, ils soulèvent aussi des difficultés administratives qui signifient perte d'efficacité ou double emploi et des frais plus élevés. Les provinces doivent avoir à leur service un personnel spécialement chargé de faire rapport à Ottawa de l'exécution de ces programmes et le gouvernement fédéral doit à son tour engager des fonctionnaires pour voir à ce que les conditions exigées par Ottawa soient remplies par les provinces.*
>
> – Discours d'ouverture de M. Jean Lesage, Conférence fédérale-provinciale, Ottawa, juillet 1960, p. 35.

> *Ces programmes sont maintenant assez bien établis à l'échelle provinciale pour que le gouvernement fédéral cesse d'y participer et sorte de ces domaines. Le gouvernement fédéral devrait être prêt à accepter cette demande. Évidemment, il faudra alors qu'il compense pleinement les provinces pour les responsabilités financières additionnelles dont elles se chargeront. Cette compensation financière devrait prendre la forme de droits additionnels de taxation spécifiquement réservés aux gouvernements provinciaux et de paiements de péréquation correspondants. Chaque province serait ainsi libre de disposer de ses revenus comme elle l'entend dans les champs de juridiction qui lui sont propres.*

– Discours d'ouverture de M. Jean Lesage, Conférence fédérale-provinciale, Ottawa, juillet 1960, p. 35.

Ces subventions deviennent ainsi une contrainte qui, à toutes fins utiles, place les provinces dans un état de subordination vis-à-vis le gouvernement central. En effet, si certains d'entre elles, à cause de leur position constitutionnelle, ne veulent pas se soumettre aux conditions fixées par le gouvernement central, elles sont gravement pénalisées puisqu'elles se voient privées de sommes auxquelles leurs citoyens ont pourtant contribué. [...]

Dans le cas des programmes conjoints à venir, de même que pour ceux qui existent déjà mais auxquels le Québec n'adhère pas actuellement, nous désirons qu'une équivalence financière, qui serait ensuite transposée en une libération supplémentaire des champs de taxation, nous soit accordée, en prenant comme base de calcul la proportion relative de la population québécoise par rapport à l'ensemble de la population canadienne.

– Déclaration de M. Jean Lesage, Conférence fédérale-provinciale, Québec, 31 mars 1964, p. 14, 21-22.

Le Québec a résolu de mettre un terme au régime des programmes conjoints et s'est retiré, en conséquence, des programmes ainsi institués par le fédéral en exigeant soit une compensation fiscale, soit une équivalence fiscale en points d'impôts. Ces programmes conjoints, qui créent de coûteux chevauchements, réduisent l'initiative des provinces dans les champs d'action que la Constitution leur reconnaît et déforment l'ordre des priorités établi par les provinces.

– Discours d'ouverture de M. Jean Lesage, Conférence fédérale-provinciale, Ottawa, juillet 1960, p. 31.

Le Québec demande au fédéral qu'il lui remette, sous forme d'équivalence fiscale, les sommes que ce dernier voulait affecter à des programmes qui empiètent sur des compétences provinciales: i.e. les prêts aux étudiants, les allocations scolaires.

– Déclaration de M. Jean Lesage, Conférence fédérale-provinciale, Québec, 1964, p. 22.

Sous Daniel Johnson, il n'en va pas autrement. La continuité des positions fondamentales de l'État québécois est remarquable. Les citations suivantes résument les positions du gouvernement formé par l'Union nationale de 1966 à 1970:

Le Québec n'envisage pas de renouveler les programmes conjoints dont il s'est déjà retiré, ni s'engager dans de nouveaux programmes de cette nature.

Il exige en retour une compensation inconditionnelle qui lui permettra d'assurer à la population québécoise des services conformes à ses propres besoins. [...]

Le Québec souhaite que l'on comprenne une fois pour toutes que pour des raisons socioculturelles, il tient de façon absolue et intégrale au respect de ses compétences constitutionnelles et qu'il n'accepte, à leur propos, aucune ingérence fédérale, directe ou indirecte.

– Mémoire du Québec à la quatrième réunion du Comité du régime fiscal, septembre 1966, p. 2.

Le pouvoir fédéral de dépenser devrait être limité aux seules matières fédérales. Toutefois, des subventions inconditionnelles pourraient être versées aux provinces au moyen d'une formule générale de péréquation ou en vue de stabiliser leurs revenus.

– Mémoire soumis par Daniel Johnson, Conférence fédérale-provinciale, Ottawa, 5-7 février 1968.

Les programmes conjoints constituent un obstacle à la libre croissance de la collectivité québécoise. Ils lui imposent des priorités d'action susceptibles de bousculer celles qu'elle établirait autrement, sans compter qu'ils réduisent son autonomie budgétaire réelle [...] Pour une nation comme la nôtre, les programmes conjoints gèlent ses ressources fiscales et lui enlèvent le plein contrôle de domaines d'activités qui lui reviennent de droit.

– Mémoire du Québec à la quatrième réunion du Comité du régime fiscal, septembre 1966, p. 5-6.

Les gouvernements qui doivent s'occuper de certains champs d'action bien déterminés, doivent aussi avoir accès à des ressources qu'ils peuvent affecter de la façon dont ils entendent s'acquitter de leurs responsabilités. Les subventions, subsides et transferts conditionnels sont donc tout à fait inacceptables.

– Déclaration de M. Jean-Jacques Bertrand, Conférence fédérale-provinciale des ministres des Finances, Ottawa, 4-5 novembre 1968, p. 18.

Lors de son premier passage au pouvoir, M. Robert Bourassa ne dévie pas des positions tenues par ces prédécesseurs. Il exprime avec constance un discours dont la précision semble encore d'actualité:

Il faut que chaque ordre de gouvernement ait accès à des revenus suffisants pour défrayer le coût des programmes relevant de sa juridiction.

– Déclaration de Robert Bourassa, Conférence fédérale-provinciale des ministres des Finances, Winnipeg, 5-6 – juin 1970, p. 16.

Nul n'oserait nier que les politiques en matière de services de santé et de services sociaux sont de la compétence première des provinces. Pourtant, dans la réalité, le gouvernement fédéral n'a cessé, par le biais de programmes financiers rigides, de fixer des priorités et de déterminer des ressources. [...]

Bien qu'idéalement l'exercice du pouvoir fédéral de dépenser dans des matières de compétence provinciale ne devrait pas exister, le Québec est prêt à accepter son existence pourvu que toute province non participante à un programme conjoint ait droit à une compensation financière qui garantirait sa liberté de s'abstenir.

– Déclaration de Robert Bourassa, Conférence constitutionnelle, Ottawa, septembre 1970, p. 10 et 16.

[...] je tiens à souligner que le gouvernement du Québec veut mettre fin aux arrangements provisoires concernant les programmes d'assurance-hospitalisation et d'assurance-santé pour les remplacer par une formule de retrait définitif. Cette formule doit répondre à deux conditions préalables:

1. *elle doit donner lieu à des paiements inconditionnels; c'est donc dire qu'il ne doit plus y avoir de contrôle administratif;*
2. *les provinces se prévalant de cette formule doivent avoir une assurance que l'évolution respective des coûts et de la compensation fédérale n'auront pas pour effet d'accroître la part des fonds publics des provinces dans ces programmes au bénéfice des budgets fédéraux. [...]*

Je crois que l'on pourrait répondre parfaitement à ces conditions en accordant aux provinces un abattement de points d'impôt sur le revenu suffisant pour couvrir les coûts réels des programmes. Ce mode de compensation fiscale est inconditionnel et augmente annuellement à un rythme suffisant pour compenser la hausse des coûts. [...]

En matière de compensation fiscale pour le retrait de programmes à frais partagés, le Québec préfère percevoir ses propres impôts plutôt que de recevoir des compensations financières.

– Déclaration de M. Robert Bourassa, Conférence des premiers ministres, Ottawa, novembre 1971, p. 31-32, 40.

Lors du Discours inaugural de 1973, le gouvernement Bourassa avait fait du réaménagement fiscal de la fédération sa principale priorité:

Les grandes priorités du gouvernement sur le plan des relations fédérales-provinciales sont les suivantes:

1. *la question du financement de la fédération en vue d'atteindre un partage des ressources fiscales plus conforme aux responsabilités constitutionnelles des gouvernements fédéral et provinciaux; [...].*

– Discours inaugural, Journal des débats de l'Assemblée nationale, 15 mars 1973, p. 1.

De René Lévesque à aujourd'hui

L'idée de la souveraineté du Québec était propulsée à l'avant-scène à partir de novembre 1976, avec la formation d'un premier gouvernement souverainiste par René Lévesque. Sans remettre en question les positions fondamentales de ses prédécesseurs sur le pouvoir de dépenser et le partage des compétences, ce gouvernement allait les employer afin de démontrer les déficiences structurelles du fédéralisme canadien qui étaient contraires aux aspirations du Québec. La critique du fédéralisme était l'une des justifications mises de l'avant pour accéder à la souveraineté. Simultanément, René Lévesque identifiait les tendances centralisatrices du régime fédéral qui ignorent de plus en plus la lettre de la Constitution et l'esprit du fédéralisme, et qui font en sorte que la défense de l'autonomie du Québec est de plus en plus difficile. Dans ces conditions, le *statu quo* constitutionnel ne peut pas exister; ou bien le Québec acquiert les pouvoirs qui lui sont nécessaires pour s'épanouir librement, ou bien son statut et ses compétences constitutionnelles s'amenuiseront et seront constamment érodés. L'entente sur l'union sociale est la plus récente manifestation de ces tendances centralisatrices, et l'une des plus sérieuses.

La reprise par le gouvernement Lévesque des positions historiques de ses prédécesseurs est illustrée par les extraits suivants:

> *Le Québec croit que le pouvoir fédéral de dépenser devrait être limité aux seules matières énumérées de compétence fédérale exclusive ou concurrente. Il faudra cependant statuer sur le mode de compensation applicable aux provinces éventuellement abstentionnistes.*

– Gouvernement du Québec, ministère des Affaires intergouvernementales, Dossier sur les discussions constitutionnelles 1978-1979, p. 6.

> *Le Québec s'objecte aux nombreuses coupures fédérales qui l'acculent graduellement à une situation financière de plus en plus serrée, dans l'espoir de l'amener à reconnaître comme siennes les priorités fédérales, les programmations fédérales, les distributions fédérales aux citoyens.*

– Notes pour une intervention du ministre des Finances du Québec, Conférence des Premiers ministres sur l'économie, Ottawa, 27-29 novembre 1978, Secrétariat des conférences intergouvernementales canadiennes, doc. 800-9 /036, p. 11.

> *Le Québec dénonce la désappropriation des pouvoirs provinciaux par l'imposition de normes fédérales nationales qui, par le truchement du pouvoir de dépenser, érodent la division des compétences entre les deux ordres de gouvernement. Ainsi le Québec juge inacceptable que le fédéral instaure un*

système de tutelle et d'inspectorat dans un secteur de compétence provinciale, telle la santé, qu'il verse directement des subventions aux municipalités et qu'il subordonne le versement de ses contributions au respect de critères et d'objectifs «nationaux» notamment en éducation. La défense des compétences provinciales passe par l'exercice efficace des pouvoirs, l'occupation complète par les provinces de leurs champs de juridiction, et par la limitation du pouvoir fédéral de dépenser, laquelle est devenue une priorité.

– Intervention de René Lévesque sur la situation actuelle et les priorités pour l'avenir, Conférence annuelle des Premiers ministres, Charlottetown, 1984.

Faisant en quelque sorte le bilan de son expérience des relations intergouvernementales en 1984, René Lévesque est allé plus loin que ses prédécesseurs, après avoir repris leur dénonciation du pouvoir de dépenser. Il a constaté que l'usage généralisé et unilatéral de ce pouvoir fédéral dénaturait le fédéralisme canadien et provoquait une transformation profonde de sa nature:

On assiste à une volonté de centraliser les pouvoirs à Ottawa, sans précédent dans le Canada moderne. [...] On doit prévoir que pour une part importante, ce mouvement se poursuivra.

Sur cette question, l'intérêt du Québec et celui des autres provinces se recoupent en partie: car est carrément remis en cause l'exercice souverain pour toutes les provinces des compétences traditionnellement exercées par elles en vertu du BNA Act de 1867 et des décisions des tribunaux. Ottawa, se servant tout particulièrement de son pouvoir illimité de dépenser, a entrepris non seulement de modifier à son avantage le partage des pouvoirs au sein du fédéralisme canadien, mais s'attaque à la nature même de ce système.

Cette offensive fédérale est particulièrement évidente lorsqu'elle touche les pouvoirs exclusivement réservés aux provinces dans trois secteurs qui se trouvent au cœur de leurs compétences: la santé, les affaires municipales et l'éducation. [...]

On assiste à une mutation, au sens profond du terme, de ce qui a constitué ces dernières années l'essence du fédéralisme canadien: les compétences des provinces ne sont plus jamais considérées comme exclusives par Ottawa qui s'arroge le droit d'intervenir à tout propos pour imposer en ce domaine ses normes «nationales», soi-disant pour le plus grand bien-être de l'ensemble des Canadiens[1].

Malheureusement, après l'entente sur l'union sociale, on ne pourra plus affirmer que les provinces anglophones partagent avec le Québec la volonté de faire respecter leur autonomie et leurs compétences constitutionnelles. La mutation de l'essence du fédéralisme

1. Ibid, p. 2 et 4.

canadien qu'avait perçue René Lévesque est aujourd'hui plus avancée. Elle est avancée à un tel degré que les autres provinces ont consenti à affaiblir leur statut irrémédiablement et que le Québec se retrouve désormais seul à défendre une vision du fédéralisme à laquelle, suivant la direction imposée par Ottawa, elles ont tourné le dos. L'aggravation de la détérioration du fédéralisme canadien a atteint un nouveau sommet en 1999, qu'aucun des gouvernements antérieurs du Québec n'avait connu.

À son retour au pouvoir, Robert Bourassa entreprend une tentative de réforme de la Constitution canadienne qui répond à ce qu'il perçoit comme étant les principaux griefs du Québec à l'endroit de la fédération canadienne. Parmi les cinq conditions qu'il pose à la ratification par le Québec de la *Loi constitutionnelle de 1982* se trouve l'encadrement du pouvoir de dépenser fédéral. Ces conditions ont été énoncées en 1986 par le ministre délégué aux Affaires intergouvernementales canadiennes d'alors. Voici le passage de cette allocution qui concerne le pouvoir de dépenser:

> *La sécurité culturelle signifie aussi la possibilité pour le Québec d'agir exclusivement dans ses champs de compétence sans l'interférence du gouvernement fédéral par son pouvoir de dépenser. On sait que par ce pouvoir, Ottawa peut dépenser, comme il l'entend, des sommes d'argent dans tous les domaines, qu'ils soient de sa compétence ou non. Cette situation est devenue intolérable. Elle est pour l'ensemble des provinces une «épée de Damoclès» sur toute politique planifiée de leur développement tant social, que culturel ou économique. [...]*
>
> *Il apparaît de plus en plus nécessaire que l'on assujettisse l'exercice du pouvoir de dépenser à l'approbation des provinces. Cela contribuerait grandement à bonifier le fonctionnement du régime fédéral.*

– Allocution prononcée par M. Gil Rémillard, ministre délégué aux Affaires intergouvernementales canadiennes, à l'occasion du colloque *Une collaboration renouvelée du Québec et de ses partenaires dans la Confédération, Mont-Gabriel*, 9 mai 1986, p. 11.

Cette demande du Québec s'est reflétée dans le projet *de Modification constitutionnelle de 1987*, mieux connu sous le nom *d'Accord du lac Meech*. L'Accord aurait inséré une nouvelle disposition dans la *Loi constitutionnelle de 1867*, l'article 106A, qui aurait apporté une certaine limite à l'exercice du pouvoir fédéral de financer. Cette disposition se lisait comme suit:

> *106A. (1) Le gouvernement du Canada fournit une juste compensation au gouvernement d'une province qui choisit de ne pas participer à un programme national cofinancé qu'il établit après l'entrée en vigueur du présent article dans*

un secteur de compétence exclusive provinciale, si la province applique un programme ou une mesure compatible avec les objectifs nationaux.

Le présent article n'élargit pas les compétences législatives du Parlement du Canada ou des législatures des provinces.

Paradoxalement, l'article 106A ne prévoyait un droit de retrait que dans le cas d'un programme pancanadien cofinancé dans un secteur de compétence exclusive provinciale; l'exercice unilatéral du pouvoir de dépenser fédéral dans un tel secteur n'était pas interdit. L'article 106A ne satisfaisait donc que partiellement les positions traditionnelles du Québec.

Comme la *Modification constitutionnelle de 1987* n'a jamais été adoptée, le problème est demeuré entier. Daniel Johnson, fils, successeur de Robert Bourassa en 1994, a réitéré la position de ses prédécesseurs:

Mais avant tout, la réduction des chevauchements doit être en concordance avec un encadrement du pouvoir fédéral de dépenser, si l'on veut permettre aux deux gouvernements d'exercer leurs responsabilités de la façon la plus efficace possible. Cet objectif doit aussi contribuer à ce que chacun des gouvernements agisse clairement à l'intérieur des compétences qui lui sont attribuées par la Constitution.

– Lettre de M. Daniel Johnson à M. Marcel Massé, ministre des Affaires intergouvernementales du Canada, 15 février 1994.

Après le retour au pouvoir du Parti Québécois en septembre 1994, le gouvernement, dirigé d'abord par Jacques Parizeau et ensuite par Lucien Bouchard, a exigé à nouveau le respect des compétences constitutionnelles du Québec et un droit de retrait des programmes fédéraux, assorti d'une compensation fiscale:

[...] le Québec exigera le respect de ses compétences constitutionnelles et en revendiquera le plein exercice; il continuera à dénoncer les ingérences du gouvernement fédéral et il exigera une pleine compensation financière sous forme de points d'impôt, particulièrement dans le cas de toute nouvelle entente ou initiative fédérale dans un secteur relevant de la compétence du Québec.

– Déclaration de M. Jacques Brassard, ministre délégué aux Affaires intergouvernementales canadiennes, Journal des débats de l'Assemblée nationale, 4 décembre 1997, p. 9087.

Lorsque les autres provinces ont entrepris des négociations avec le gouvernement fédéral en 1996 au sujet de l'union sociale, le premier ministre actuel, M. Bouchard, leur a servi une mise en garde en s'appuyant sur les positions historiques des différents gouvernements du Québec:

> *Le gouvernement n'a ni l'intention ni le mandat d'abandonner quelque dimension des compétences constitutionnelles du Québec, que l'opération envisagée soit de nature constitutionnelle ou administrative. [...] Les gouvernements du Québec, depuis longtemps et indépendamment de leur option quant au statut du Québec, ont cherché à raffermir ses compétences de manière à favoriser la maîtrise par le peuple québécois de son développement social, économique et culturel ainsi que de ses institutions politiques. Ce que nous offrent les provinces, c'est une centralisation, un recul, la négation du cheminement historique des Québécois. [...]*
>
> *Le Québec ne peut s'engager sur la voie d'un rééquilibre dont les orientations générales et les mesures particulières mènent à l'abandon des revendications fondamentales du Québec et à l'érosion graduelle de ces dernières par des moyens intergouvernementaux et administratifs. Ce que l'on propose au Québec, c'est la construction d'un gouvernement canadien plus puissant, d'un Canada plus centralisé et moins respectueux des volontés des Québécois.*
>
> – Communiqué de presse, Le Rééquilibre des rôles et des responsabilités d'Ottawa et des provinces: une autre avenue de centralisation, 23 août 1996, p. 2.

Il n'est pas étonnant qu'un gouvernement qui démontre ainsi qu'il est conscient que les positions qu'il défend s'inscrivent dans une continuité historique, ait considéré qu'il ne pouvait souscrire à l'entente sur l'union sociale.

Comparaison entre les positions traditionnelles du Québec et l'entente sur l'union sociale

Il n'est pas nécessaire de réaliser une longue analyse pour démontrer que l'entente sur l'union sociale du 4 février 1999 est incompatible avec les intérêts et les aspirations du Québec, tels qu'ils ont été compris et définis par les gouvernements qui se sont succédé aux affaires à Québec depuis plus d'un demi-siècle. La simple lecture de l'entente sur l'union sociale suivie de celle des prises de position des différents premiers ministres du Québec, ou d'autres porte-parole officiels, au sujet des matières faisant l'objet de l'entente, conduit à ce constat. Il est manifeste que le refus de l'actuel gouvernement du Québec de signer l'entente sur l'union sociale s'inscrit en droite ligne des prises de position antérieures, dont la constance et la fermeté, au-delà des divergences partisanes, ne manquent pas d'impressionner et suscitent le respect. Si les remèdes prescrits pour les maux qui affligent le fédéralisme canadien sont différents, à savoir l'accession à la souveraineté ou la réforme du fédéralisme, le diagnostic posé ne varie pas. Ce fédéralisme, dans son état actuel, est inacceptable pour le Québec. Seuls un renforcement marqué du statut du Québec et un accroissement considérable de ses pouvoirs et compétences peuvent maintenir et accroître le rayonnement du Québec.

Le pouvoir de dépenser, un pouvoir unilatéral fédéral dont l'usage généralisé contourne et mine le partage des compétences jusqu'à remettre en question dans les faits la notion même de compétence exclusive provinciale et fait du Canada tout au plus une quasi fédération, a soulevé des difficultés majeures pour chacun des gouvernements du Québec depuis la fin de la Seconde Guerre mondiale, et a paru injustifiable à chacun d'eux. Le pouvoir de dépenser cristallise le déséquilibre dans le rapport de force entre Ottawa et les provinces, et est l'un des plus puissants éléments de la dynamique centralisatrice qui parcourt la fédération. Les différents gouvernements du Québec ont vaillamment et constamment cherché à en contenir les effets. Ils pouvaient compter à l'occasion sur une certaine résistance des autres provinces aux ingérences fédérales. Cette possibilité, qui a toujours été aléatoire, est désormais gravement compromise. Les gouvernements actuels et futurs du Québec ne pourront compter que sur eux-mêmes, et sur le peuple québécois, pour défendre et renforcer le statut du Québec.

Pour Maurice Duplessis, la Confédération canadienne était fondée sur le principe de l'autonomie complète des provinces, et cette autonomie ne pouvait être sauvegardée en substituant des transferts fédéraux à l'indépendance financière du Québec; il a cherché à assurer cette indépendance en créant l'impôt sur le revenu et le ministère du Revenu du Québec. Pour Jean Lesage, le principe de l'autonomie était la condition concrète de l'affirmation du peuple québécois; il a renforcé l'indépendance financière de l'État québécois par une série de retraits de programmes fédéraux accompagnés de transferts fiscaux, et par la création de la Caisse de dépôt et placement. Pour Robert Bourassa, il fallait que chaque ordre de gouvernement ait accès à des revenus suffisants pour défrayer le coût des programmes relevant de sa juridiction; il a cherché à consolider l'autonomie fiscale du Québec en concluant une entente avec Ottawa sur la perception et la gestion de la taxe sur les produits et services au Québec. On ne peut imaginer qu'aucun de ces prédécesseurs (pour ne nommer que ceux-là) aurait accepté de reconnaître, comme le fait l'entente sur l'union sociale, la légitimité du pouvoir de dépenser fédéral, son usage quasi discrétionnaire dans les secteurs de compétence provinciale ou l'encadrement de la discrétion des provinces dans l'exercice de leurs propres compétences. Ils n'auraient pas non plus accepté l'obligation qui se trouve dans l'entente de rendre compte à Ottawa, tel un gouvernement subordonné, pour l'usage de fonds qui ne viennent que corriger l'une des déficiences inhérentes et structurelles de la Constitution canadienne, à savoir l'écart profond entre les responsabilités constitutionnelles du Québec, notamment en matière de santé, d'éducation, de services sociaux (sans compter plusieurs autres secteurs comme la protection de l'environnement) et les ressources fiscales et financières qui sont mises à sa disposition par cette Constitution. Lorsqu'il s'agit de surcroît du développement d'un peuple unique et distinct, au nom duquel ces responsabilités sont exercées, seul un gouvernement qui aurait renié l'identité de ce peuple et sa propre raison d'être aurait pu s'incliner devant la volonté fédérale de le normaliser.

L'entente sur l'union sociale et le statut du Québec

Dans cette partie, nous examinerons brièvement l'effet de l'entente sur l'union sur l'évolution du fédéralisme canadien. Nous avons déjà abordé cette question dans les pages qui précèdent. Nous formulerons quelques observations additionnelles sur le fédéralisme canadien tel qu'il se conçoit et se pratique désormais au Canada anglais, sur le fédéralisme canadien et l'identité du Québec, et sur le statut du Québec après l'entente sur l'union sociale.

Le fédéralisme canadien au Canada anglais

Un bon point de départ pour cette réflexion est une étude rédigée par le professeur Thomas J. Courchene, de l'Université Queen's, pour le ministère des Affaires intergouvernementales de l'Ontario en 1996. Cette étude, intitulée *Convention sur les systèmes économiques et sociaux du Canada*, a été diffusée auprès des gouvernements participant aux négociations sur l'union sociale.

Le professeur Courchene a souligné ce qui lui paraissait être la nécessité de resserrer l'union économique et sociale canadienne. Dans le contexte de la mondialisation et des échanges croissants dans un axe nord-sud avec les États-Unis, il serait indispensable de rendre la fédération canadienne plus fonctionnelle afin, notamment, de préserver les programmes sociaux canadiens. Pour le professeur Courchene, la fédération canadienne est très décentralisée, ce qui lui semble nuisible sur le plan de l'intégration intérieure entre les marchés provinciaux. Le professeur Courchene était aussi d'avis que le gouvernement fédéral allait remettre d'importants pouvoirs aux provinces, et que la réduction massive des transferts fédéraux allait affaiblir le gouvernement fédéral dans ses rapports avec les provinces:

> *On a désormais besoin d'une «intégration positive», c'est-à-dire d'une fusion proactive des régimes provinciaux (transférabilité des compétences) et fédéraux-provinciaux (harmonisation des taxes à la consommation). Cette intégration nécessite la pleine participation des provinces. Par conséquent, une union socio-économique complète requiert une intégration tant verticale qu'horizontale.*
>
> *Cette constatation s'impose de plus en plus. À mesure que les provinces reçoivent des pouvoirs (ou les récupèrent, selon le point de vue), tel que le prévoit le discours du trône [il s'agit du discours du trône de 1996], leur participation devient plus que jamais nécessaire. En outre, le gouvernement fédéral réduit ses paiements de transfert aux provinces en vertu du transfert canadien en matière de santé et de programmes sociaux (TCSP): les transferts passeront d'environ 18 milliards de dollars cette année à 11 milliards de dollars à la fin du siècle. C'est ainsi que s'effritent l'autorité morale et la capacité financière dont Ottawa a besoin pour appliquer des normes verticales unilatérales. (p. 5-6)*

Dans la vision provincialiste de l'auteur, le poids politique et constitutionnel des provinces serait tel qu'Ottawa ne pourrait plus leur imposer ses vues et seule la concertation entre partenaires pourrait, sur une base collégiale, permettre de bien gérer la fédération.

Pour le professeur Courchene, les rôles respectifs des deux paliers de gouvernement dans le domaine social devaient être éclaircis. De plus, l'ordre de gouvernement qui dépense les deniers publics doit être le même que celui qui les perçoit. Les transferts intergouvernementaux doivent être conçus de manière à permettre que l'ordre de gouvernement responsable puisse être facilement identifié et tenu de rendre des comptes (p. 8-9).

L'auteur affirme que le gouvernement fédéral devrait pouvoir exercer son pouvoir de dépenser dans les domaines de compétence provinciale, si les provinces obtiennent un droit de retrait avec compensation financière (p. 11). Il ne s'oppose pas à l'asymétrie entre les provinces, le Québec pouvant disposer de plus de pouvoirs à condition que tous les citoyens canadiens détiennent des droits uniformes (p. 11-12). Il est d'avis que la Convention qu'il propose symboliserait la nature et l'identité de la fédération canadienne (p. 11).

Dans la Convention sur l'union sociale proposée par l'étude du professeur Courchene, les transferts financiers fédéraux seraient remplacés par des transferts de points d'impôt, à l'exception de la péréquation. L'auteur reconnaît qu'Ottawa s'oppose aux transferts fiscaux, mais croit qu'il est possible de le convaincre, ainsi que l'opinion publique du Canada, de leur bien-fondé:

> *Comme le gouvernement fédéral a déjà déclaré son opposition au transfert d'autres points d'impôt sur le revenu des particuliers, le seul moyen de réaliser ce transfert dans la Convention consiste pour les provinces à démontrer les unes aux autres, au gouvernement fédéral et surtout à la population canadienne qu'elles ont la volonté et la capacité de concevoir et de mettre en œuvre une convention sur l'union sociale qui soit efficace. [...]*
>
> *Comme les politiques relatives à la santé et à l'aide sociale sont en plein bouleversement, ce processus ne sera pas facile, mais il est et doit être réalisable, car les programmes sociaux pancanadiens représentent l'une des caractéristiques fondamentales du Canada. De plus en plus, il apparaît que seul l'appui des provinces permettra au pays d'atteindre cet objectif. Toutefois, la population n'est pas encore consciente de cette situation, et cela constitue un obstacle majeur. En proposant dans son budget de1995 des principes qui seraient établis «d'un commun accord» et en réitérant ce souhait dans le budget de 1996 et le discours du trône, le gouvernement fédéral a reconnu cette réalité. Il doit maintenant en faire part à la population canadienne. (p. 21)*

Plus loin, l'auteur cite une autre étude avec approbation, ce qui lui donne l'occasion de reformuler ses prémisses et sa conception des relations intergouvernementales:

> *Dans un article publié récemment, Richard Zuker (1995) aborde cette question. Il affirme qu'en raison de l'effritement du pouvoir de dépenser du gouvernement fédéral et de la décentralisation qui a été amorcée, il est désormais nécessaire de conclure de nouvelles ententes afin de réduire les effets néfastes des chevauchements éventuels entre les paliers fédéral et provincial et les politiques. Pour Zuker, ces ententes représentent un «fédéralisme réciproque».*
>
> *Cette appellation semble particulièrement pertinente car elle désigne une notion qui reconnaît fondamentalement qu'Ottawa doit poser certains actes pour que les politiques «provinciales» soient plus efficaces. De la même façon, Ottawa a besoin de l'aide des provinces pour améliorer l'efficacité des politiques «fédérales». (p. 24-25)*

La vision du professeur Courchene, et de plusieurs autres intellectuels du Canada anglais, qui a été reprise à l'occasion par quelques gouvernements provinciaux, a été démentie par les faits. Elle reposait d'abord sur une vision trop optimiste des intentions du gouvernement fédéral dans la conjoncture postréférendaire de 1996. À cette époque, Ottawa faisait grand cas de son intention de décentraliser la fédération en se retirant de certains champs de compétence, d'ailleurs réservés aux provinces par la Constitution (voir le discours du trône de 1996); on sait maintenant que ces retraits étaient superficiels, et ne modifiaient pas de façon significative l'équilibre des pouvoirs entre les ordres de gouvernement. De plus, dès que l'état des finances publiques l'a permis (et même lorsqu'il ne le permettait pas), le gouvernement fédéral a repris ses interventions conditionnelles dans la santé et l'éducation, comme le démontrent le dernier budget fédéral, le dossier des bourses du millénaire et celui des prestations aux enfants, ainsi que plusieurs autres. Le gouvernement fédéral n'a jamais sérieusement cherché à limiter la croissance de ses interventions de tous ordres dans les champs de compétence des provinces.

Sur le plan idéologique, Ottawa ne pouvait pas donner suite à la vision provincialiste du professeur Courchene et des personnes au Canada anglais qui, de bonne foi, la partagent. Ottawa ne pouvait pas renoncer à sa propre vision fondamentale, celle du renforcement de son propre pouvoir afin de maintenir l'existence du Canada. Pour le gouvernement fédéral, l'existence du Canada est mise en péril par deux défis majeurs: la possibilité de la sécession du Québec et l'attraction constante et permanente des relations avec les États-Unis. Le gouvernement fédéral conçoit historiquement le renforcement de ses propres pouvoirs comme une condition nécessaire du maintien de l'existence du Canada. Souscrire à la vision provincialiste mise de l'avant par un certain courant de pensée au Canada anglais, qui rejoint en partie la perspective autonomiste du Québec au sein de la fédération, accroîtrait à terme, aux yeux d'Ottawa, les risques de démantèlement de la fédération canadienne.

La vision provincialiste au Canada anglais sort grandement affaiblie de l'entente sur l'union sociale du 4 février 1999. Sur le plan idéologique et politique, la conception que se fait le Canada anglais du fédéralisme canadien semble maintenant avoir franchi un virage majeur. Les provinces anglophones ont hissé le pavillon blanc au sujet de l'un de leurs principaux griefs historiques, à savoir l'encadrement du pouvoir fédéral de dépenser. Les limites prétendument apportées à ce pouvoir dans l'entente du 4 février ne font pas le poids devant la reconnaissance historique de sa légitimité et de son bien-fondé. En fait, l'entente sur l'union sociale consacre l'entrée du gouvernement fédéral dans les secteurs de compétence provinciale exclusive, et l'engagement des provinces à ne pas exercer leurs compétences exclusives sans l'aval d'Ottawa. La vision collégiale du fédéralisme canadien, exprimée par le professeur Courchene et d'autres, qui reconnaît l'interdépendance des ordres de gouvernement et le décloisonnement des interventions des autorités publiques, ne pouvait être viable que si elle reposait sur une limitation réelle de l'appétit de pouvoir d'Ottawa et de sa volonté de dominer les provinces. Ce projet de contenir le gouvernement fédéral apparaissait dans les positions interprovinciales de Saskatoon et de Victoria. Il a été largué avec précipitation par les premiers ministres des provinces anglophones, qui n'ont pas sérieusement cherché à le faire prévaloir.

Le fédéralisme canadien du point de vue du Québec

Le Québec doit tirer les leçons de l'entente sur l'union sociale du 4 février. L'une des conditions posées par le gouvernement Bourassa à l'adhésion du Québec à la *Loi constitutionnelle de 1982* était la limitation du pouvoir fédéral de dépenser. Comme cette exigence historique a été bafouée, la signature de l'entente sur l'union sociale aggrave considérablement le caractère inacceptable du fédéralisme canadien pour le Québec.

Qui plus est, le gouvernement du Québec ne peut plus sérieusement compter sur l'appui des autres provinces afin de remédier aux lacunes structurelles de la Constitution. Le mode de nomination des juges de la Cour suprême et des sénateurs, par exemple, a toujours été contraire aux principes élémentaires du fédéralisme et a été souvent contesté dans les autres provinces comme au Québec. L'entente du 4 février est l'équivalent, pour ce qui concerne le pouvoir de dépenser, de l'abandon par les autres provinces de toute tentative de réforme de ces institutions fédérales et de la reconnaissance formelle des vertus du *statu quo* à ce sujet. Les provinces anglophones se sont placées sur un mode réactif sur le plan constitutionnel, laissant les initiatives à Ottawa et à l'opinion publique. Ottawa ne pourrait d'ailleurs être poussé désormais à modifier un *statu quo* dont la dynamique le favorise que par cette opinion publique s'exprimant par référendum, se prononçant par exemple pour l'abolition du Sénat ou de la monarchie ou en faveur de la souveraineté du Québec. La nature du fédéralisme canadien a désormais changé, les provinces ayant accepté un affaiblissement marqué de leur statut constitutionnel.

Nous avons vu qu'un front commun des dix provinces ne réussissait pas à faire bouger Ottawa, trop attaché à ses projets historiques et idéologiques, conscient de la fragilité des consensus interprovinciaux et assuré de l'appui des provinces anglophones à la lutte contre l'affirmation du caractère national du Québec. Le réalisme commande que le Québec ne se prête plus à ce genre d'exercice. La conception du fédéralisme qui a désormais clairement cours au Canada anglais est incompatible avec les positions traditionnelles du Québec, qui jouissent manifestement de l'appui constant de la population du Québec, tel qu'il se manifeste dans les élections générales et dans les sondages depuis plusieurs décennies.

Le fédéralisme canadien hors Québec suit désormais sa propre voie, dans laquelle le Québec ne se reconnaît plus. Le Canada s'est séparé du Québec à cet égard. Le Canada politique et constitutionnel qui se construit hors Québec n'est pas assez grand pour le Québec, puisqu'il étouffe graduellement ses aspirations, qui sont fondées sur sa volonté constante et historique de renforcer son autonomie et de maîtriser son développement. La défense de l'autonomie du gouvernement et de l'Assemblée nationale du Québec est un élément vital de l'identité et de l'épanouissement du peuple québécois.

Le statut du Québec après l'entente sur l'union sociale

Après avoir réussi à banaliser les velléités des autres provinces, Ottawa pourra maintenant se consacrer davantage à la normalisation du Québec. Dès qu'un conflit surgira avec les provinces sur une question majeure dans un domaine de compétence provinciale, la recette sera désormais connue. Ottawa pourra inviter les provinces à une quelconque structure conjointe, où la collégialité servira de paravent à sa domination. La direction et la gestion de l'ensemble des affaires de la fédération incomberont de plus en plus clairement au gouvernement fédéral, qui pourra avec le temps solliciter la sanction des tribunaux à l'extension de ses compétences.

Le Québec pourra continuer à mettre de l'avant une autre conception de la collégialité, qui ne cherche pas à troquer les transferts fédéraux en espèces pour une présence décisionnelle fédérale dans ses propres sphères de compétence. Une gestion concertée de la fédération canadienne qui respecterait l'autonomie du Québec reconnaîtrait un droit de retrait substantiel avec pleine compensation et des transferts fédéraux sous forme de points d'impôt. Le Québec ne doit pas renoncer à ces deux demandes fondamentales. Il doit au contraire les réitérer et expliquer davantage leur nécessité au peuple québécois.

Il est à prévoir que le Québec sera, de par son refus à entrer dans le courant centralisateur, de plus en plus considéré comme une anomalie. La fédération canadienne risque de devenir de plus en plus asymétrique, non pas parce que le Québec aura obtenu de nouveaux pouvoirs, mais parce qu'il se sera accroché à ceux qu'il détient en vertu de la Constitution. La volonté autonomiste du Québec risque à l'avenir d'être l'objet d'assauts systématiques du gouvernement fédéral, dans l'ensemble des domaines de compétence provinciale. Ces assauts prendront diverses formes, budgétaire, médiatique, juridique, diplomatique, qui auront pour but de convaincre l'opinion publique du Québec et l'opinion publique internationale que la société québécoise doit rentrer dans le rang, et qu'il est raisonnable de chercher à niveler ses aspirations de manière à les dissoudre dans le tout canadien. Le statut du Québec fera sans doute l'objet d'une pression âpre dans les prochaines années, du moins tant que le gouvernement fédéral actuel sera au pouvoir, celui-ci ayant semble-t-il épuisé son semblant de flexibilité découlant des circonstances postréférendaires. Un éventuel changement de gouvernement à Ottawa pourrait procurer un répit momentané, celui-ci ne pouvant être toutefois que de courte durée, la logique centralisatrice étant systémique et structurelle plutôt que conjoncturelle.

L'entente sur l'union sociale est un symbole de l'état de la fédération canadienne en 1999, et une indication des perspectives d'avenir des relations intergouvernementales entre Ottawa et les autres provinces. Du point de vue d'Ottawa, il s'agit d'une victoire historique qui consolide la position du gouvernement central dans la fédération. Du point de vue des provinces anglophones, il s'agit d'un abandon de leur statut de gouvernements autonomes, au sens où l'autonomie est entendue au Québec, en échange de l'espoir d'un apport financier plus constant; la crise des finances publiques fédérales aura ainsi permis à Ottawa de faire voir aux provinces l'étendue de leur dépendance, et leur intérêt à mettre de côté leurs revendications axées sur le partage des compétences et sur leur vision du fédéralisme. Du point de vue du Québec, il est désormais clair que l'État canadien cherche à se construire aux dépens de l'État québécois que le peuple québécois cherche à développer depuis plusieurs décennies. La légitimité de l'État québécois aux yeux du peuple québécois est incontestable, mais les outils d'intervention et la marge discrétionnaire que l'État québécois s'est donnés, particulièrement depuis la Révolution tranquille, sont plus que jamais menacés.

Conclusion: vers l'autonomie fiscale et financière du Québec

La défense et la promotion d'une autonomie substantielle pour le Québec ont été une constante de son histoire. Depuis plus d'un demi-siècle, les différents gouvernements du Québec, au-delà de toute orientation partisane, ont affirmé que cette autonomie générale devait plus particulièrement être assurée dans les domaines fiscal et financier, fondements de la capacité d'agir de l'État québécois dans les champs de compétence qui lui ont été attribués par la Constitution canadienne. Cette quête d'une autonomie plus étendue s'appuie sur la volonté du peuple québécois, qui cherche ainsi à manifester son identité.

Devant les tentatives renouvelées du gouvernement canadien de nier l'identité du peuple québécois et de faire du gouvernement du Québec un gouvernement subordonné et dépendant, le Québec se doit de réagir. La résistance passive ou dispersée dans d'épuisants conflits sectoriels ne permet pas aux citoyens d'avoir une vue d'ensemble ou d'approfondir leur compréhension des événements. Avec la signature de l'entente sur l'union sociale, un seuil historique a été franchi; Ottawa ne fera même plus semblant de respecter l'autonomie du Québec ni sa lecture traditionnelle de la Constitution.

Deux voies de redressement s'offrent au peuple québécois. L'une d'elles, l'accession du Québec à la souveraineté, est la voie choisie par plusieurs, qui ne forment pas encore une majorité. Une autre pourrait être de demander au peuple québécois d'accorder par référendum la plénitude des pouvoirs fiscaux à l'Assemblée nationale du Québec. Cette option pourrait réunir une forte majorité de souverainistes et de non-souverainistes, qui démontreraient de façon incontestable la légitimité des positions traditionnelles du Québec, qui ont été reprises par l'actuel gouvernement. Le résultat d'une telle consultation populaire pourrait freiner, au moins pour un temps, la spirale centralisatrice du Canada et forcer le gouvernement fédéral à tolérer une autonomie effective et plus substantielle pour le Québec.

Mobilité

Jacques Frémont

Introduction

Les représentants du gouvernement fédéral du Canada et ceux de neuf des dix provinces canadiennes et des territoires signaient, le 4 février dernier, une entente-cadre portant sur l'union sociale[1]. Seul le Québec restait alors à l'écart. On nous demande, dans ce court document, d'analyser plus spécifiquement la disposition de l'entente-cadre intitulée *La mobilité partout au Canada* en regard de la disposition portant sur le même sujet qui fut proposée par les provinces dans la proposition de Victoria du 29 janvier précédent. Le but de l'étude est, d'une part, de mesurer l'évolution de la position des provinces entre la position adoptée au cours de l'été 1998 puis, par la suite, en janvier 1999 afin de cerner l'écart entre la position de départ des provinces et le résultat final de la négociation. Il s'agit, d'autre part, de mesurer l'écart entre le résultat final de la négociation et la position traditionnellement mise de l'avant par le Québec en matière de liberté de mouvement.

Afin d'examiner les tenants et aboutissants de cette question, nous analyserons tout d'abord le processus d'émergence du concept de la liberté de mouvement au sein de l'entente de février 1999. Cette analyse permettra par ailleurs de dégager les principales différences entre la proposition antérieure des provinces et l'accord final ainsi que d'identifier les points les plus significatifs de cette clause. Nous serons alors en mesure d'examiner plus spécifiquement comment la disposition de l'entente-cadre intitulée *La mobilité partout au Canada* s'articule par rapport aux dispositions portant sur le même sujet que l'on retrouve dans différents instruments, dont *la Charte canadienne des droits et libertés* et l'*Accord sur le commerce intérieur*. Enfin, avant de conclure, nous dégagerons quelles sont les positions traditionnelles du Québec en matière de liberté de mouvement. Cette analyse permettra de mesurer l'écart entre ces positions traditionnelles et la proposition de l'entente-cadre.

---

1. Entente entre le gouvernement du Canada et les gouvernements provinciaux et territoriaux, *Un cadre visant à améliorer l'union sociale pour les Canadiens*, Ottawa, le 4 février 1999, voir: http://www.pco-bcp.gc.ca/aia/ro/doc/unionsoc.htm

L'émergence du concept de liberté de mouvement au sein de l'entente de février 1999

Le concept de la liberté de mouvement, tel qu'on le retrouve dans l'entente-cadre de février 1999, a fait l'objet de discussions préalables entre tous les gouvernements canadiens, y compris celui du Québec. Ces discussions ont principalement eu cours lors des rencontres de Saskatoon et de Victoria et ont abouti, en février 1999, à l'adoption de la clause précitée. Après avoir décrit rapidement l'état du dossier à chaque étape, nous tenterons d'identifier les principales différences entre les travaux préparatoires et la disposition qui a été adoptée.

Le consensus de Saskatoon et la proposition de Victoria

On sait qu'à l'occasion de la 39e conférence annuelle des Premiers ministres provinciaux qui a eu lieu à Saskatoon du 5 au 7 août 1998, les premiers ministres provinciaux ont discuté de la question de conclure une éventuelle entente-cadre portant sur l'union sociale canadienne. Le communiqué final de la Conférence ne contient cependant rien portant spécifiquement sur la question de la mobilité. Nous croyons comprendre que les discussions sur ce point précis ne furent que sommaires, la question de la mobilité semblant intéresser davantage le gouvernement fédéral. Les premiers ministres des provinces considéraient pour l'essentiel que les dispositions de l'article 6 de la *Charte canadienne des droits et libertés* de même que celles du chapitre sept de l'*Accord sur le commerce intérieur* étant suffisantes. C'est uniquement par la suite, lors d'une rencontre qui eut lieu à Victoria le 29 janvier 1999, que les provinces se sont entendues sur un texte de proposition relatif à la liberté de mouvement. Ce texte, d'une rédaction boiteuse, représentait néanmoins une première mise en forme d'un droit relatif à la liberté de mouvement qui, on le verra, collait de près à la logique des dispositions applicables de l'*Accord sur le commerce intérieur*[1].

---

1. Pour mémoire, ce texte, dont la seule version officielle est en anglais, se lisait:
   Freedom of Movement
   All governments support and promote the principle that Canadians are free to pursue social and economic opportunities anywhere in Canada. Mobility reflects our shared citizenship and is essential for equality of opportunity. Specifically:
   All governments are committed to freedom of movements of Canadians.
   All governments are therefore committed to eliminating unreasonable barriers to mobility while maintaining governments' ability to pursue legitimate public policy objectives.
   All governments support the labour market provisions of the AIT under the current implementation process.
   All governments are committed to promoting the mobility rights of Aboriginal Canadians by ensuring full access to, and portability of, federal social programs and benefits both on and off reserve.

L'entente sur l'union sociale de février 1999

Le texte de la disposition de l'entente-cadre sur l'union sociale du 4 février 1999 portant sur la mobilité est considérablement différent du texte proposé par les provinces en janvier 1999. Ce texte, qui contient cinq alinéas, reprend certains des points avancés par les provinces le mois précédent et en propose de nouveaux. Il se lit:

La mobilité partout au Canada

> Tous les gouvernements estiment que la liberté de mouvement, qui permet aux Canadiens d'aller profiter de perspectives favorables n'importe où au Canada, est un élément essentiel de la citoyenneté canadienne.
>
> Les gouvernements s'assureront que les nouvelles initiatives en matière de politique sociale ne créent aucun nouvel obstacle à la mobilité.
>
> Les gouvernements élimineront, d'ici trois ans, toutes les politiques ou pratiques fondées sur des critères de résidence qui restreignent l'accès à l'éducation postsecondaire, à la formation professionnelle, à la santé, aux services sociaux et à l'aide sociale à moins qu'on puisse faire la preuve que ces politiques ou pratiques sont raisonnables et qu'elles respectent les principes de l'entente-cadre sur l'union sociale.
>
> Par conséquent, les ministres sectoriels soumettront des rapports annuels au Conseil ministériel inventoriant les barrières à l'accessibilité fondées sur la résidence et proposant des plans d'action pour éliminer ces barrières.
>
> Les gouvernements s'engagent également à assurer, d'ici le 1er juillet 2001, le respect intégral des dispositions en matière de mobilité de l'Accord sur le commerce intérieur par toutes les entités assujetties à ces dispositions, et notamment des conditions visant la reconnaissance mutuelle des qualifications professionnelles et l'élimination des conditions de résidence qui limitent l'accès aux perspectives d'emploi.

Pour l'essentiel, ce texte énonce le principe de la liberté de mouvement, tire de cet énoncé certaines conséquences quant à ses effets dans le temps et propose un mécanisme de mise en œuvre du principe. Il convient maintenant d'examiner le contenu de cette clause et de comparer celle-ci avec le texte antérieurement adopté à Victoria.

L'écart entre l'entente-cadre sur l'union sociale et la proposition de Victoria en regard du droit à la mobilité des Canadiens

On aura donc compris de ce qui précède qu'un écart considérable existe entre la proposition des provinces telle qu'explicitée dans le document de Victoria et la position qui a été, en bout de ligne, adoptée par les provinces (autres que le Québec), les territoires et le gouvernement fédéral en février 1999. Nous allons maintenant démontrer qu'il s'agit pour l'essentiel de deux clauses fondamentalement différentes. Alors que la proposition de Victoria faisait au moins implicitement référence aux mécanismes existants (tels la *Charte canadienne des droits et libertés* et l'*Accord sur le commerce intérieur* – ACI) en en confirmant l'importance et la logique, la clause finalement adoptée à Ottawa, au contraire, prolonge, jusqu'à un certain point du moins, la logique des instruments normatifs déjà applicables en la matière et impose aux gouvernements signataires une série de nouvelles obligations. Avant d'examiner celles-ci en détail, il convient de discuter des logiques en présence, du renforcement de l'ACI, des mécanismes de suivi qui sont ajoutés par la disposition ainsi que des ajustements terminologiques qui ont été effectués entre les deux versions de la disposition.

Une logique libre-échangiste remplacée par une logique sociale. Il est clair que si les objectifs avoués des clauses de mobilité de Victoria et d'Ottawa sont essentiellement les mêmes (la liberté de mouvement est un élément essentiel de la citoyenneté canadienne et les citoyens sont libres de profiter de perspectives favorables n'importe où au Canada), les moyens de les atteindre varient considérablement d'une disposition à l'autre. Il nous semble qu'au niveau des moyens proposés pour atteindre ces objectifs, la clause de Victoria s'appuyait pour l'essentiel sur les dispositions existantes de l'ACI. Elle le faisait explicitement à l'alinéa 3 en référant aux dispositions de l'Accord qui portent sur la mobilité de la main-d'œuvre et, du moins implicitement, à l'alinéa précédent alors que l'on faisait référence à la notion de *legitimate public policy*, elle-même tirée de l'article 709 de l'ACI. Autrement dit, la mobilité se définissait essentiellement en fonction de la circulation interprovinciale de la main-d'œuvre. La clause de l'entente-cadre d'Ottawa paraît s'écarter de cette logique, du moins jusqu'à un certain point, en l'articulant davantage en fonction de considérations sociales. C'est ainsi que le deuxième alinéa fait référence aux nouvelles initiatives en matière sociale et que l'alinéa suivant ne traite que de politiques ou de programmes à saveur sociale. Les barrières à la mobilité proviendraient donc (ou pourraient provenir) davantage des programmes sociaux existants ou futurs. La question de déterminer si, dans les faits, les exigences relatives à la résidence dans les programmes sociaux restreignent effectivement la liberté de mouvement des Canadiens demeure manifestement ouverte. Il faut souligner que la nouvelle logique mise de l'avant par la disposition de l'entente-cadre d'Ottawa peut paraître davantage cohérente par rapport à un document portant sur l'union sociale canadienne. Il est par ailleurs clair que ce glissement d'une logique de libre-échangisme au social influera sur l'interprétation qui sera apportée, en contexte judiciaire ou autre, de la disposition.

Les fondements de la clause d'élimination des barrières à la mobilité sont revus. Dans la clause de Victoria, on l'a vu, les gouvernements s'engageaient à éliminer les barrières déraisonnables (*unreasonable*) à la mobilité, tout en permettant aux mêmes gouvernements de poursuivre des objectifs publics légitimes. D'une part, la nature des barrières n'était pas précisée, pas plus que ce qui peut ou non constituer une barrière raisonnable. D'autre part, on prenait bien soin de rappeler, tout comme le fait l'ACI, que les gouvernements peuvent passer outre au droit à la mobilité dans certaines circonstances qui ne sont par ailleurs pas définies. Par la terminologie utilisée (*legitimate public policy objective*), on peut penser qu'on a alors voulu effectuer une référence implicite à l'article 709 de l'ACI. L'articulation de la clause de l'entente-cadre adoptée à Ottawa est différente. On ne parle plus désormais que des pratiques ou politiques fondées sur des critères de résidence et ces critères sont articulés par rapport à une liste fermée de secteurs: l'éducation postsecondaire, la formation professionnelle, la santé, les services sociaux et l'aide sociale. Enfin, aux marges de manœuvres que conférait la clause de Victoria aux gouvernements (*unreasonable barriers, legitimate public policy objectives*), on substitue, dans l'entente-cadre d'Ottawa, une marge de manœuvre qui paraît plus restreinte. On doit dorénavant faire la preuve que ces politiques et pratiques «sont raisonnables et qu'elles respectent les principes de l'entente-cadre sur l'union sociale». Encore une fois, la clause d'Ottawa impose donc une logique renforcée et plus précise, essentiellement articulée en fonction des finalités de l'entente-cadre sur l'union sociale.

Les droits à la mobilité sont étendus tant aux programmes futurs qu'aux programmes existants. On notera par ailleurs qu'alors que la clause de Victoria, par sa rédaction, ne s'appliquait qu'aux programmes existants, la clause de l'entente-cadre s'applique tant aux programmes actuels (al.3) qu'aux initiatives futures (al.2).

Les exigences de l'ACI se trouvent renforcées par une exigence de respect intégral avant le 1er juillet 2001. Par ailleurs, alors que, on l'a vu, la clause de Victoria se contentait de réitérer l'appui des gouvernements fédéral et provinciaux aux dispositions de l'ACI relatives à la mobilité de la main-d'œuvre, la clause d'Ottawa, toujours à l'égard de l'ACI, va beaucoup plus loin. Elle exige tout d'abord le respect intégral de ces dispositions et ensuite que cela soit accompli d'ici au 1er juillet 2001. Or, à notre connaissance, rien dans l'ACI ne prévoyait le respect intégral des dispositions, encore moins à l'intérieur d'un quelconque délai. Il s'agit donc, en quelque sorte, d'exigences nouvelles à tous égards, quoiqu'elles se situent dans le prolongement direct de l'esprit et de la lettre de l'ACI.

Un mécanisme de suivi est instauré. On sait que la clause de Victoria ne comportait, à strictement parler, aucun mécanisme de suivi des progrès accomplis dans sa mise en œuvre. Cela s'explique sans doute par le fait que cette clause s'appuyait essentiellement sur les dispositions relatives à la mobilité de la main-d'œuvre de l'ACI, elles-mêmes soumises aux dispositions générales de cet accord relativement au suivi. La clause de l'entente-cadre d'Ottawa, à son alinéa 4, instaure un traditionnel mécanisme de rapports annuels qui seront examinés par un Conseil ministériel.

La clause relative à la liberté de mouvement des autochtones et au droit aux programmes sociaux fédéraux est mise à l'écart. La proposition de Victoria, on le sait, contenait un alinéa qui aurait eu pour effet d'assurer aux autochtones le plein accès ainsi que la transférabilité des programmes sociaux fédéraux tant à l'intérieur qu'à l'extérieur des réserves. Cette clause est tout simplement disparue dans l'entente-cadre d'Ottawa. Nous ne croyons par ailleurs pas que la disposition de principe garantissant que l'entente-cadre ne porte aucunement atteinte aux droits ancestraux ou issus de traités ait un effet équivalent à la clause mise de côté[1]. Il faut croire que le gouvernement fédéral a choisi de ne pas s'imposer de telles obligations à l'égard de la mobilité des autochtones.

Des nuances terminologiques sont apportées. On note par ailleurs certains changements terminologiques plus ou moins significatifs entre les versions de Victoria et d'Ottawa de la clause relative à la liberté de mouvement.

- Si on compare le premier alinéa de chaque version, la clause de Victoria disait que les gouvernements *support and promote* le

1. La clause de la déclaration de principe de l'entente-cadre se lit à l'égard des peuples autochtones du Canada: «Pour plus de certitude, aucun élément de la présente entente ne porte atteinte à aucun des droits des peuples autochtones du Canada, qu'il s'agisse des droits ancestraux, des droits issus de traités ou de tout autre droit, y compris l'autonomie gouvernementale.»

principe de la mobilité, alors que dans la version d'Ottawa on parle plutôt de *believe* (estiment), ce qui nous paraît indiquer une insistance moins forte sur le principe qui est énoncé;

- Alors que la clause de Victoria parlait de *social and economic opportunities*, la clause d'Ottawa ne parle que d'*opportunities* (perspectives) sans en qualifier le genre ou la nature. On pourrait voir là une tentative de ne pas restreindre le type de perspectives auxquelles les Canadiens peuvent aspirer en vertu de cette disposition.

Des obligations et contraintes sont imposées aux gouvernements signataires. L'analyse du document signé à Ottawa en février 1999 démontre par ailleurs que, par rapport à l'entente antérieure de Victoria, les gouvernements signataires se sont engagés à plusieurs obligations ou contraintes. Parmi celles-ci, notons:

- L'impossibilité pour les gouvernements de créer des nouveaux obstacles à la mobilité à l'occasion de la mise sur pied de nouvelles initiatives en matière de politique sociale (al.2). Notons qu'il s'agit d'une impossibilité pure et simple et qu'aucune échappatoire ne semble possible;
- L'obligation, mentionnée précédemment, pour les gouvernements d'éliminer toute politique ou pratique fondée sur des critères de résidence dans plusieurs secteurs sociaux d'importance, tels l'enseignement postsecondaire et l'aide sociale (al.3);
- L'obligation pour les ministres responsables de soumettre des rapports annuels qui inventorient les barrières à l'accessibilité fondées sur la résidence (al. 4);
- La contrainte de respecter intégralement des dispositions de l'ACI relatives à la mobilité de la main-d'œuvre (al. 5); et
- L'imposition d'une échéance ferme, celle du 1er juillet 2001, pour ce faire (al.5).

D'affirmer, à la lumière de l'analyse qui précède, que les différences entre la disposition adoptée à Victoria et celle de l'entente-cadre sont d'importance semble une évidence. D'une disposition qui, pour l'essentiel, confirmait le droit applicable, on a plutôt choisi d'adopter une clause qui impose des obligations de même que de sérieuses contraintes aux gouvernements signataires. Il est par ailleurs utile de rappeler que, par leur essence, ces obligations affectent davantage les gouvernements provinciaux que le gouvernement fédéral puisque, fondamentalement, ce sont eux qui assument la compétence sur ces domaines de l'action étatique. Il convient par ailleurs de rappeler que la seule clause qui visait directement les compétences fédérales, celle qui portait sur le droit à la mobilité des peuples autochtones, a tout simplement été écartée. On a par ailleurs, comme on l'a vu, pris soin de modifier la logique sur laquelle la norme est fondée. En bref, on a transformé une disposition qui respectait ce à quoi les provinces avaient consenti par le passé en clause qui impose plusieurs changements dans la compréhension que l'on doit désormais avoir de la liberté de mouvement au Canada.

L'articulation du principe de la liberté de mouvement avec les normes existantes

La disposition de l'entente-cadre sur l'union sociale relative à la mobilité n'apparaît pas dans un vacuum. Le système juridique comprend en effet déjà quelques dispositions d'importance qui traitent, à un degré ou à un autre, de questions relatives à la mobilité des Canadiens. C'est donc dire que les exigences de la disposition relative à la liberté de mouvement viendront se greffer à l'édifice normatif existant. Il convient d'examiner succinctement l'impact vraisemblable de cette disposition de l'entente-cadre tant à l'égard de l'article 6 de la *Charte canadienne des droits et libertés* qu'à l'*Accord sur le commerce intérieur* et aux ententes bilatérales existantes auxquelles le Québec est partie. Il conviendra cependant de discuter de la délicate question de l'effet normatif de l'entente-cadre de février 1999.

D'entrée de jeu, il faut rappeler que ces différents instruments ne sont pas de même nature, l'un étant de nature constitutionnelle, les autres étant de nature essentiellement contractuelle, mais produisant des effets à l'égard des tiers. L'entente-cadre est elle aussi de nature contractuelle, mais ne produit des effets restreints qu'à l'égard des cosignataires. C'est donc dans un univers normatif complexe et aux contours incertains que se situe la présente discussion au sujet de l'impact normatif des dispositions de l'entente-cadre relatives à la liberté de mouvement.

L'effet normatif de l'entente-cadre du 4 février 1999

Il n'est de prime abord pas évident de tenter d'identifier avec une quelconque précision la nature exacte de l'entente-cadre sur l'union sociale conclue le 4 février 1999 à Ottawa. Il pourrait d'une part ne s'agir que d'une "simple" entente intergouvernementale de nature strictement politique qui n'aurait alors d'effet qu'entre ses signataires, un peu comme l'entente du lac Meech en 1987 ou celle de Charlottetown en 1992. Si c'est le cas, la nature juridique d'une telle entente n'est au mieux que contractuelle et ne peut produire d'effets juridiques qu'entre les parties signataires; la sanction de la violation de ses termes est alors régie par ses strictes dispositions et demeure alors, pour l'essentiel, de nature politique. L'examen du texte de l'entente-cadre et, en particulier, de la clause 6 intitulée: Prévention et règlement des différends, peut laisser croire que l'entente-cadre ne constitue en effet qu'une simple entente. Le style de rédaction de l'entente-cadre et, en particulier, l'utilisation fréquente du conditionnel, laissent clairement voir sa nature politique. On s'engage à adopter certains principes (a. 1), les gouvernements estiment que la liberté de mouvement est un élément essentiel de la citoyenneté canadienne (a. 2, al. 1), les gouvernements conviennent de coopérer et d'effectuer une planification concertée dans certains secteurs (a. 4) et ainsi de suite. Si c'est le cas, l'entente-cadre, afin de produire des effets concrets de nature juridique, exigera d'une part la mise en place de mécanismes institutionnels de prévention et de règlement des différends, et, d'autre part, l'adoption, par chaque signataire, de lois et règlements ayant pour effet de faire pénétrer en droit interne, provincial ou fédéral, selon le cas, ses normes.

On peut par contre se demander si au moins certaines des dispositions de l'entente-cadre ne pourraient pas être interprétées comme allant au-delà de simples déclarations politiques et proposer des engagements susceptibles de produire des effets entre les parties signataires et, peut-être, envers des tiers, c'est-à-dire le public en général. C'est ainsi qu'en vertu de l'entente-cadre, les gouvernements s'assureront que les nouvelles initiatives ne créent aucun nouvel obstacle à la mobilité (a.2, al.2), qu'ils élimineront, d'ici trois ans, toutes les politiques et pratiques fondées sur des critères de résidence (a.2, al.3) et qu'ils s'engagent à assurer le respect intégral des dispositions de l'ACI (a.2, al.5). Il s'agit certes d'engagements fermes qui, examinés sous la lorgnette contractuelle, pourraient sans doute produire des effets certains en cas de violation, chaque partie signataire pouvant légalement être en droit d'exiger son respect. Il en va peut-être de même en ce qui concerne d'autres dispositions de l'entente-cadre relatives au pouvoir fédéral de dépenser où des engagements très précis sont souscrits par Ottawa (a.5).

Si c'était le cas, il resterait aussi à examiner si des tiers pourraient revendiquer de profiter des engagements ainsi pris par les gouvernements. La question se pose avec acuité à l'égard de la question de la liberté de mouvement, alors que certaines personnes pourraient revendiquer devant les tribunaux, comme cela a été fait il y a quelques années dans un contexte similaire d'ententes intergouvernementales[1], que les gouvernements se conforment aux engagements contractuels qu'ils ont assumés. Pour les fins de la discussion qui suit, cependant, nous tiendrons pour acquis que nous avons essentiellement affaire à une simple entente de nature politique qui, tant qu'elle n'aura pas été reçue par les systèmes juridiques de chaque province et par celui du fédéral, ne produira pas, pour ainsi dire, d'effets juridiques.

Il reste que l'entente-cadre est avant tout de nature politique. Cela revient à dire que, toujours pour les fins de la discussion qui suit, nous considérerons que l'entente-cadre ne pourra avoir pour effet de contredire, invalider ou mettre en cause un quelconque système normatif existant qu'il s'agisse de l'ACI, des ententes bilatérales qui existent ou encore, à plus forte raison, de la *Charte canadienne des droits et libertés*. Cette constatation appelle deux commentaires. Tout d'abord, on présumera que l'entente-cadre produira éventuellement des effets juridiques lorsque les législatures provinciales et le Parlement du Canada adopteront une traduction juridique des principes adoptés en février 1999. Ensuite, on tiendra pour acquis que les principes avalisés par l'entente-cadre ne se retrouveront pas constitutionnalisés d'une façon ou d'une autre au cours des prochaines années.

Le principe de la liberté de mouvement et les droits à la mobilité garantis par l'article 6 de la Charte canadienne des droits et libertés

L'article 6 de la *Charte canadienne des droits et libertés* consacre le droit des citoyens canadiens à la liberté de circulation et d'établissement[2].

---

1. Finlay, C. Canada (Ministre des Finances), [1993] 1 R.C.S. 1080.
2. Il se lit:

   6. (1) Tout citoyen canadien a le droit de demeurer au Canada, d'y entrer ou d'en sortir.

   (2) Tout citoyen canadien et toute personne ayant le statut de résident permanent au Canada ont le droit:

   a) de se déplacer dans tout le pays et d'établir leur résidence dans toute province;

   b) de gagner leur vie dans toute province.

   (3) Les droits mentionnés au paragraphe (2) sont subordonnés:

   a) aux lois et usages d'application générale en vigueur dans une province donnée, s'ils n'établissent entre les personnes aucune distinction fondée principalement sur la province de résidence antérieure ou actuelle;

   b) aux lois prévoyant de justes conditions de résidence en vue de l'obtention des services sociaux publics.

   (4) Les paragraphes (2) et (3) n'ont pas pour objet d'interdire les lois, programmes ou activités destinés à améliorer, dans une province, la situation d'individus défavorisés socialement ou économiquement, si le taux d'emploi dans la province est inférieur à la moyenne nationale.

Cette disposition, d'une facture complexe, confère aux citoyens canadiens et aux résidents permanents au sein du Canada, le droit de se déplacer partout au pays et d'y établir leur résidence dans toute province (a. 6(2)a)) ainsi que d'y gagner leur vie (a. 6(2)b))[1]. En dépit de son objet, il s'agit donc en quelque sorte d'un droit classique en ce sens qu'il s'agit d'un droit conféré à des personnes à l'encontre de comportements des gouvernements et des législatures qui pourraient avoir pour effet de compromettre leur liberté de circulation et d'établissement. Rien ne force donc ces gouvernements et législatures à adopter quelque norme que ce soit pour mettre en œuvre le droit à la mobilité des individus; ils doivent plutôt s'abstenir d'interférer avec l'exercice des droits à la mobilité.

Le droit conféré par l'article 6 de la Charte n'est cependant pas absolu puisque cette disposition vient relativiser la plénitude du droit conféré en permettant explicitement aux gouvernements et aux législatures d'adopter, sans se soucier de la liberté de circulation et d'établissement, toute norme d'application générale en autant que celles-ci n'établissent pas de distinctions fondées «principalement sur la province de résidence antérieure ou actuelle» (a. 6(3)a)). De plus, le même article de la Charte permet l'adoption de normes imposant des conditions de résidence, en autant qu'elles soient imposées par voie législative et qu'elles soient "justes" (a. 6(3)b)). Si on se rappelle par ailleurs que l'article 1er de la *Charte canadienne des droits et libertés* s'applique à cet article comme à tous ses autres articles (et possède donc lui aussi un potentiel relativisateur), il est clair que les gouvernements et législatures possèdent, malgré le droit qui y est consacré, une relative latitude afin d'imposer certaines restrictions au droit à la mobilité et, par conséquent, aux politiques, normes et pratiques fondées sur des critères de résidence. Autrement dit, les gouvernements et les législatures doivent être prudents avant de restreindre le droit de circuler et de s'établir, mais possèdent probablement une plus grande marge de manœuvre qu'à l'égard des autres dispositions de la Charte qui ne sont soumises qu'à son article 1er. Ils doivent s'abstenir de restreindre le droit en deçà de certaines limites, mais, rappelons-le, rien ne les force pour autant à adopter des mesures qui visent à exemplifier ce droit.

Or, c'est sans doute à ce niveau qu'une différence doit être établie entre la disposition de l'article 6 de la Charte et celle de

---

1. Pour une discussion des tenants et aboutissants de cette disposition complexe, voir: Pierre BLACHE, *Les libertés de circulation et d'établissement*, ch. 8, dans G.-A. BEAUDOIN et E. MENDES, *The Canadian Charter of Rights and Freedoms*, 3rd Edition, Carswell, 1996, p. 8-1.

l'entente-cadre de février 1999. Par cette dernière, non seulement désire-t-on éliminer les barrières à la mobilité pour les programmes actuels et futurs, mais on s'engage en outre à éliminer «toutes les politiques ou pratiques fondées sur des critères de résidence» dans une foule de secteurs, tous de compétence provinciale. Autrement dit, les signataires de l'entente-cadre s'engagent à volontairement éliminer des exigences qui auraient pourtant aisément pu franchir les tests de l'article 1er ainsi que ceux de l'article 6(3) de la Charte. Les gouvernements se trouvent par conséquent, dans les faits, à accepter de restreindre leur souveraineté normative (et, notamment, législative) bien au-delà des exigences de la Constitution du Canada en matière, entre autres, de critères fondés sur la résidence et, plus généralement, de barrières à la mobilité interprovinciale.

Le principe de la liberté de mouvement et l'ACI

On sait que l'*Accord sur le commerce intérieur* a été signé dans sa version finale le 12 septembre 1994. Il propose toute une série de mesures qui lient les gouvernements des provinces signataires afin de «réduire et éliminer, dans la mesure du possible, les obstacles à la libre circulation des personnes, des produits, des services et des investissements à l'intérieur du Canada...» (a.100). Tout au long du texte de l'ACI, les parties ont convenu de parler de la circulation des personnes comme constituant un des principes fondamentaux de l'accord[1]. Le chapitre VII de l'ACI, qui traite spécifiquement de la question de la mobilité de la main-d'œuvre, contient plusieurs dispositions relatives à la circulation et à l'établissement des travailleurs et professionnels. Il convient cependant de rappeler que ces dispositions sont essentiellement articulées en fonction de préoccupations libre-échangistes et de renforcement des marchés intérieurs canadiens. Il y a certes à cet égard une différence importante entre les dispositions de l'ACI et celles de l'entente-cadre relatives à la mobilité, puisque ces dernières se situent au sein d'un document portant sur l'union sociale canadienne.

Au plan normatif, les dispositions de l'ACI ne lient pas d'autres parties que les signataires de l'entente. On ne peut cependant probablement pas, comme on l'a fait précédemment au sujet de l'entente-cadre, dire qu'il s'agit d'un document de nature essentiellement politique sans portée juridique véritable, du moins dans l'immédiat. Au contraire, par ses propres termes, l'ACI prévoit toute une série de mécanismes de recours en cas de violation de ses termes, qu'il s'agisse

1. Voir inter alia, art. 101, al. 3 (a), (c) et (d), art. 402 et, généralement, le chap. VII de l'ACI intitulé «Mobilité de la main-d'œuvre».

de règlement des différends entre gouvernements ou encore entre une personne et un gouvernement[1]. C'est donc dire que des tiers, au-delà des signataires de l'ACI se voient attribuer des recours à l'égard du non-respect de l'accord. Il y a là une sorte de stipulation pour autrui, conférant à des tiers non parties à l'accord des droits d'exercer des recours en cas de violation des termes de l'accord.

Dans le cas de la mise en forme juridique des termes de l'entente-cadre relatifs à la liberté de mouvement, il faudra voir si les gouvernements signataires préféreront transiter par des normes juridiques traditionnelles au droit public (lois, règlements) ou plutôt par une approche davantage contractuelle, du type de celle adoptée dans le cas de l'ACI. Dans cette éventualité, il faudra aussi voir si, par ses termes, le nouvel accord conférera ou non des droits aux gouvernements (ce qui est prévisible), mais aussi aux tiers intéressés (ce qui l'est moins, mais ne peut être exclu, au contraire). Il nous est donc difficile, à ce stade, de spéculer davantage sur l'approche qui sera adoptée et, par conséquent, sur l'impact de la mise en œuvre des dispositions de l'entente-cadre relatives à la liberté de mouvement sur les termes de l'ACI. En règle générale, cependant, qu'il soit permis de rappeler que les normes juridiques traditionnelles, telles les lois et les règlements, primeront les termes des ententes qui pourront être agréées par les gouvernements et qu'il y a fort à parier que si une approche contractuelle est favorisée, elle comprendra des mécanismes de résolution des conflits qui impliqueront les signataires de l'entente ainsi que, le cas échéant, des tiers lésés.

Le principe de la liberté de mouvement et les accords bilatéraux signés par les provinces

La conclusion qui précède s'applique aussi dans le cas des ententes bilatérales portant sur la liberté de mouvement et qui sont, à l'occasion, signées par divers gouvernements provinciaux. Tout comme dans le cas de l'ACI, il s'agit pour l'essentiel d'ententes intergouvernementales dont certaines confèrent même des droits de plainte à des tiers intéressés[2]. Encore une fois, nous ne pouvons pas, à ce

1. Voir le chapitre XVII de l'ACI intitulé «Procédures de règlement des différends», aux articles 1702 et suivants (Règlement des différends entre gouvernements) et 1711 et suivants (Règlement des différends entre une personne et un gouvernement).

2. Voir, par exemple, l'*Accord de libéralisation des marchés publics du Québec et du Nouveau-Brunswick*, 30 mars 1994, a. 9-4 et suivants; *Accord de libéralisation des marchés publics du Québec et de l'Ontario*, 3 mai 1994, a. 9-1 et suivants; *Amendements à l'Accord de libéralisation des marchés publics du Québec et de l'Ontario*, 30 mai 1996, a. 8 à 11; *Accord entre l'Ontario et le Québec sur la mobilité de la main-d'œuvre et la reconnaissance de la qualification professionnelle, des compétences et des expériences de travail dans l'industrie de la construction*, 6 décembre 1996, a. 8.2 et suivants.

stade, spéculer davantage sur l'approche normative qui sera adoptée par les signataires de l'entente-cadre et, par conséquent, sur l'impact de la mise en œuvre des dispositions de l'entente-cadre relatives à la liberté de mouvement sur les termes des ententes interprovinciales auxquelles les provinces sont parties et qui contiennent des dispositions relatives à la mobilité d'une catégorie ou d'une autre de personnes.

Une difficile internormativité

Il est donc difficile à ce stade-ci de tirer des conclusions autres qu'intérimaires sur l'impact éventuel de la clause de l'entente-cadre sur les normes existantes en matière de mobilité. Ceci s'explique certes par l'incertitude quant aux voies juridiques qui seront choisies pour mettre en œuvre l'entente-cadre. Mais il y a plus. La nature juridique et surtout les effets légaux que les ententes intergouvernementales bipartites ou multipartites peuvent susciter demeurent un des trous noirs de notre édifice de droit public au Canada. Malgré la multitude d'ententes intergouvernementales de toutes sortes existant dans une foule de secteurs, la jurisprudence est à peu près inexistante sur le sujet et la doctrine ne nous renseigne que bien peu à cet égard. Toute la difficulté vient du fait que les ententes, par leur nature, relèvent davantage du droit privé que du droit public. C'est donc dire que l'État, qu'il soit fédéral ou provincial, se sert alors essentiellement du droit privé pour mettre en œuvre ses politiques et on se retrouve dans une difficile situation d'internormativité dont les contours sont remarquablement flous.

Enfin, se pose la difficulté particulière de l'absence d'agrément du gouvernement du Québec à l'entente-cadre sur l'union sociale. Il n'est certes pas lié par ce document. Ses partenaires dans l'ACI et dans certaines ententes bilatérales se trouvent cependant à l'être et pourraient se retrouver dans une situation où ils devront demander à renégocier de tels instruments normatifs afin de se conformer aux exigences de l'entente-cadre. Dans cette éventualité, il reviendra évidemment au Québec de décider s'il y a lieu d'avaliser ainsi indirectement le contenu d'une entente-cadre à laquelle il n'a pas consenti. Il reste que cette possibilité demeure essentiellement théorique puisqu'il semble exister une certaine pratique à l'effet de ne pas imposer à des partenaires des normes auxquelles ils n'ont pas consenti[1].

1. Cette pratique s'inspire de l'article 704 de l'ACI.

Les dispositions de l'entente de février 1999 relatives à la liberté de mouvement et les positions traditionnelles du Québec

Afin de tenter de mesurer l'adéquation entre la clause de l'entente-cadre relative à la mobilité et les positions traditionnelles du Québec en la matière, il importe de tenter, dans un premier temps, d'identifier un peu plus précisément quelles sont au juste ces positions traditionnelles.

Les positions traditionnelles du Québec en matière de mobilité

Il serait sans doute excessif d'affirmer que les droits à la mobilité se sont de tout temps situés au cœur des préoccupations constitutionnelles du Québec, qu'il s'agisse de ses partis politiques ou de ses gouvernements successifs. Par contre, il serait tout aussi exagéré d'affirmer que ceux-ci ne s'en sont aucunement souciés par le passé. À cet égard, il est possible d'affirmer qu'au-delà des partis et des personnes en place au gouvernement du Québec, on peut dégager d'une analyse des différentes prises de position ce qu'il convient de dénommer une position traditionnelle en matière de droits à la mobilité. Cette position traditionnelle a été exprimée tant à l'occasion des grands débats qui ont porté sur l'avenir constitutionnel du Québec, que lors de ceux qui ont, depuis une quinzaine d'années, accompagné la libéralisation des échanges sur le continent nord-américain. De façon générale, il faut cependant noter que ces prises de position, si elles sont favorables à la mobilité des personnes, demeurent relativement peu explicites sur les paramètres de cette mobilité.

Les positions traditionnelles prises à l'occasion des débats relatifs à l'avenir constitutionnel du Québec

À l'occasion des grands débats sur l'avenir constitutionnel du Québec, les gouvernements successifs ainsi que les partis politiques ont eu l'occasion d'exprimer leur soutien aux droits à la mobilité. C'est ainsi que, dès 1979, le Projet de souveraineté-association définissait la libre circulation des personnes comme représentant un «domaine d'action commune» dont le traité d'association communautaire que le Québec signerait avec le reste du Canada traiterait afin «de préserver l'espace économique actuel[1]».

---

1. Gouvernement du Québec, Conseil exécutif, *La nouvelle entente Québec-Canada: proposition du gouvernement du Québec pour une entente d'égal à égal: la souveraineté-association*, Éditeur officiel du Québec, 1979.

À la suite de l'échec de Meech, le Parti libéral du Québec publiait le Rapport de son Comité constitutionnel[1]. Celui-ci insistait entre autres sur des objectifs d'intégration économique en vue d'assurer des conditions optimales de développement économique, le tout dans le cadre du marché commun canadien. C'est dans cet esprit que le Rapport proposait plus spécifiquement, en ce qui concernait la mobilité des personnes, que les législatures canadiennes renoncent «à imposer quelque restriction que ce soit à la libre circulation des personnes, des produits et des capitaux» en ajoutant qu'à «l'heure de la globalisation des échanges et de l'internationalisation des marchés, l'espace économique canadien doit être affranchi de toute barrière au mouvement des ressources productives» (p. 41).

Quelques semaines plus tard, soit en mars 1991, le Rapport de la Commission sur l'avenir politique et constitutionnel du Québec (Bélanger-Campeau) qui fut, rappelons-le, cosigné tant par le premier ministre, monsieur Bourassa, que par le chef de l'opposition de l'époque, monsieur Parizeau, reprenait le même thème en rappelant qu'il existe un consensus très ferme à l'effet que le Québec ne cherche pas à «ériger des entraves à la libre circulation des personnes, des biens, des services et des capitaux dans l'espace économique qu'il partage avec les autres parties du Canada» et qu'il convenait de «maintenir les bénéfices acquis au chapitre de cette liberté de circulation»[2]. Le Rapport proposait qu'advenant l'accession à la souveraineté, les principaux éléments du marché commun pourraient être maintenus en vigueur en harmonisant le droit québécois aux législations fédérales en vigueur[3]. Il était par la suite précisé que la préservation de l'essentiel du marché commun canadien pourrait «être facilitée par le maintien de la possibilité pour les résidents du Québec et du Canada de travailler librement sur l'ensemble du territoire» en autant toutefois que cette mobilité puisse être réciproque. C'est donc dire, selon la Commission, que le droit actuel d'établissement et de travail pourrait être garanti par le biais de nouveaux mécanismes[4].

---

1. Comité constitutionnel du Parti libéral du Québec, *Un Québec libre de ses choix*, Rapport pour dépôt au 25e Congrès des membres, 28 janvier 1991.
2. Assemblée nationale du Québec, *Rapport de la Commission sur l'avenir politique et constitutionnel du Québec*, Québec, mars 1991, p. 11; voir aussi p. 64.
3. *Id.*, p. 65-66.
4. *Id.*, p. 60-70.

Les positions traditionnelles prises à l'occasion des débats relatifs à l'émergence d'un espace économique nord-américain

Depuis le milieu des années quatre-vingt, l'idée de libéraliser les échanges au sein d'un nouvel espace nord-américain faisait son chemin dans les cercles commerciaux et gouvernementaux. En 1985, la Commission Royale sur l'Union Économique mieux connue sous le nom de Commission Macdonald publiait son volumineux rapport qui prônait entre autres l'établissement d'un mécanisme de libre-échange avec les États-Unis.

La même année, le gouvernement du Québec par la voix de son premier ministre de l'époque, monsieur Pierre-Marc Johnson, se déclarait d'accord avec la tenue de négociations sur la libéralisation des échanges. Il posait cependant un certain nombre de conditions, telles le désir d'être associé à l'ensemble du processus de négociation, la nécessité de mettre sur pied des mesures de transitions à la suite de l'éventuelle mise en œuvre du nouveau régime commercial et enfin que le Québec ne se sentira lié par tout accord dans les secteurs relevant de ses responsabilités constitutionnelles que dans la mesure où il y aura consenti[1]. Par la suite, en répondant à des questions devant l'Assemblée nationale, le premier ministre Bourassa avait l'occasion de faire sienne la position exprimée par son prédécesseur tout en la précisant[2]. À l'occasion des discussions relatives au traité de libre-échange avec les États-Unis, le gouvernement du Québec réitérait son accord au principe du libre-échange tout en maintenant et en explicitant ses conditions, dont celles relatives au respect du partage des compétences et du respect de l'intégralité des lois et programmes dans les secteurs culturels, des communications et de la langue. Quoique rien dans ce document ne discute spécifiquement de la mobilité des personnes et des travailleurs dans le contexte nord-américain, le document énonçait néanmoins l'intérêt du Québec à ce que les services soient inclus dans un éventuel accord[3]. Dans un

1. Allocution de Pierre-Marc Johnson, Conférence des Premiers ministres sur l'économie, Halifax, 28-29 novembre 1985, SCIC, doc 800-21/031, p. 6, tel que rapporté dans Gouvernement du Québec, Ministère du Conseil exécutif, Secrétariat aux affaires intergouvernementales canadiennes, *Les positions traditionnelles du Québec en matière constitutionnelle 1936-1990, Document de travail*, novembre 1991, p. 71.

2. Assemblée nationale du Québec, Commission permanente des institutions, Débats, 29 avril 1985, p. CI-153; Assemblée nationale du Québec, Débats, 15 décembre 1987, p. 10691.

3. Gouvernement du Québec, *La libéralisation des échanges avec les États-Unis: une perspective québécoise*, Québec, avril 1987, p. 84 et 87.

document subséquent à la signature de l'Accord par le Canada et les États-Unis, le ministre du Commerce extérieur et du Développement technologique de l'époque, monsieur Pierre MacDonald, émettait l'opinion que les priorités du Québec étaient respectées par l'Accord et que l'appui du gouvernement du Québec à l'Accord était souhaitable[1].

Le débat sur l'opportunité pour le Québec de participer à l'élargissement de l'espace économique nord-américain avec le Mexique reprit quelques années plus tard. Le ministre des Affaires internationales John Ciaccia formulait à nouveau les conditions pour que le Québec appuie le processus d'élargissement. Elles étaient sensiblement les mêmes que celles énoncées auparavant lors de la conclusion de l'Accord de libre-échange avec les États-Unis. Il s'agissait du respect du partage des compétences législatives, du respect des lois et politiques en matières sociales, des communications, de la langue et de la culture, le maintien d'une marge de manœuvre pour que le gouvernement du Québec puisse moderniser l'économie du Québec, l'établissement de périodes de transition suffisamment longues et la mise sur pied de mesures d'adaptation appropriées, et d'autres conditions de moindre importance[2]. Rien n'apparaît cependant dans cette prise de position au sujet de questions relatives à la mobilité de travailleurs, si ce n'est que le document souligne que certains secteurs de l'économie tels le génie-conseil ont beaucoup à gagner de la conclusion d'un éventuel accord tripartite[3]. Dans un document subséquent, le même ministre aura l'occasion d'expliquer que l'ALÉNA est, dans son ensemble, favorable aux intérêts du Québec, car il maintient et améliore même plusieurs des acquis obtenus précédemment dans l'établissement du libre-échange canado-américain[4]. Il faut conclure qu'à l'occasion des discussions ayant entouré l'adoption des deux grands traités libres-échangistes nord-américains, rien de particulier n'est à signaler au sujet des questions relatives à la mobilité des personnes ou de la main d'œuvre dans les positions

1. Gouvernement du Québec, Ministère du Commerce extérieur et du Développement technologique, *L'Accord de libre-échange entre le Canada et les États-Unis, Analyse dans une perspective québécoise*, Québec, 1988.

2. Gouvernement du Québec, ministère des Affaires internationales, *La libéralisation des échanges commerciaux entre le Canada, les États-Unis et le Mexique, Les enjeux dans une perspective québécoise*, Québec, mai 1992, p. 16-20.

3. *Id.*, p. 14.

4. Gouvernement du Québec, ministère des Affaires internationales, *Le Québec et l'Accord de libre-échange nord-américain*, Québec, 1993. Voir aussi Assemblée nationale du Québec, Commission permanente des institutions, *Débats*, 9 mars 1993, p. CI-1287 et suivantes.

traditionnelles du Québec, si ce n'est la règle générale qui exige le respect intégral des compétences législatives du Québec. Les questions relatives à la mobilité sont clairement couvertes par cette règle suivie par tous les gouvernements au fil des ans.

Les positions traditionnelles relatives à l'adoption de l'Accord sur le commerce intérieur

Il n'est donc pas surprenant, à la lumière de ce qui précède, que les débats ayant entouré l'adoption par Québec de l'*Accord sur le commerce intérieur* (ACI) aient donné lieu à l'expression du traditionnel consensus québécois au sujet de l'importance du libre-échange et de ce qui l'accompagne, dont la mobilité des personnes. Alors que l'ACI avait été signé sous un gouvernement libéral à Québec, c'est un gouvernement du Parti québécois qui a fait adopter une loi mettant en œuvre l'ACI par l'Assemblée nationale. Le ministre délégué aux Affaires intergouvernementales canadiennes, lors du débat sur le projet de loi, disait alors que l'ACI se situait «tout à fait dans la logique libre-échangiste de la dynamique économique québécoise», tout en expliquant que le consentement à l'ACI se situait dans la droite lignée des consentements donnés antérieurement par le Québec à l'Accord de libre-échange et à l'ALÉNA[1]. Encore une fois, on prit soin de répéter au nom du Québec l'importance de respecter les compétences constitutionnelles du Québec au niveau de la mise en œuvre d'accords comme l'ACI[2].

L'entente-cadre de février 1999 relative à la liberté de mouvement et les positions traditionnelles du Québec

On aura compris que même si les prises de position qui viennent d'être décrites ont été effectuées dans des contextes différents, elles demeurent relativement cohérentes par rapport à l'importance du libre-échange et de la liberté de mouvement qui l'accompagne. Les positions traditionnelles du Québec à ces questions pourraient être résumées de la manière suivante:

- *Le Québec, au-delà des partis et des gouvernements en place, a constamment appuyé le principe du libre-échange et ses exigences.* Le libre-

1. Québec, Assemblée nationale, *Débats*, le 16 octobre 1996, 10:05. «Alors que la plupart des gouvernements acceptent de jouer le jeu de la libéralisation du commerce international, il nous apparaît tout à fait normal, allant de soi, de consentir les mêmes avantages aux entreprises qui dépendent de l'espace économique Canada-Québec», *id.*, à 11:10.
2. *Id.*, 10:20.

échange en matière de services, soit à l'intérieur du Canada ou à l'extérieur, a toujours été souhaité. C'est aussi vrai pour son corollaire relatif à la libre-circulation des personnes. Cette position pourrait même sans exagérer être décrite comme constituant un des traits dominants, une des caractéristiques les plus fermes et les plus fondamentales du Québec des vingt dernières années. Si le principe du libre-échange est acquis et partagé de façon générale, cela ne veut pas dire pour autant que certaines conditions fondamentales ne doivent pas être respectées pour rendre les paramètres du libre-échange acceptables pour le Québec. On identifie à cet égard trois grandes conditions qui ont toujours semblé représenter autant de positions fondamentales pour le Québec.

- Une première condition est celle du *respect des compétences constitutionnelles du Québec*. C'est dire que la définition des paramètres des régimes de libre-échange ainsi que leur mise en œuvre ne peuvent ni ne doivent échapper au Québec et à ses institutions qui ont leur mot à dire et, le cas échéant, doivent intervenir pour mettre en œuvre les mécanismes qui relèvent des compétences que lui confère la Constitution du Canada. Cette position fondamentale a été mise de l'avant et défendue avec vigueur par tous les gouvernements, qu'ils soient d'allégeance fédéraliste ou souverainiste.
- Découlant de la position qui précède, le Québec a toujours exigé de *conserver sa pleine marge de manœuvre législative et normative sur des secteurs qu'il estime cruciaux, tels la langue, la culture, les communications ou l'éducation*. Dimensions inhérentes de sa souveraineté et de son caractère distinct, le Québec a toujours refusé que ces secteurs puissent échapper à son contrôle sous prétexte de libre-échangisme ou autre. Là encore, les gouvernements et partis politiques, quels qu'ils soient, ont toujours maintenu une approche qui se caractérise par sa constance et sa vigueur.
- Enfin, le Québec a toujours insisté pour maintenir *une marge de manœuvre afin de permettre à l'État québécois de faire face aux nouveaux défis qu'amènent les transformations des façons de faire imposées par le libre-échange*, entre autres en matière de programmes de soutien aux industries particulièrement affectées par les changements.

Des positions traditionnelles qui viennent d'être dégagées, une certaine logique se dégage. C'est celle qui veut que le Québec ne consente à s'engager sur la voie du libre-échange (et, par extension, sur celle de la mobilité) que s'il le choisit et dans le respect de ses conditions et de ses juridictions. C'est par conséquent dans l'exercice de sa pleine souveraineté qu'il a signé et mis en œuvre l'*Accord sur le commerce intérieur* (qui contient des dispositions relatives à la liberté de mouvement) et qu'il a signé des ententes bilatérales avec des provinces voisines comportant des dimensions de mobilité. C'est dans le même esprit que le Québec a toujours insisté pour être associé aux négociations des grandes ententes multilatérales commerciales et qu'il a exigé d'être en charge de leur mise en œuvre pour ce qui relève de ses compétences. Le corollaire de cette constatation est qu'il est certain que, toujours dans le prolongement de la logique de ses positions traditionnelles, le Québec n'accepterait pas de se voir imposer des contraintes auxquelles il n'aurait pas consenti et qui ne comporteraient pas, d'une façon ou une autre, des éléments de réciprocité.

Or, c'est peut-être ce qui s'annonce dans le cas de l'entente-cadre sur l'union sociale et de sa disposition relative à la liberté de mouvement. Un écart certain existe entre cette disposition de l'entente-cadre et la position traditionnelle du Québec explicitée antérieurement. L'analyse qui précède révèle que cet écart se manifeste principalement sur trois points, à savoir:

- *Le remplacement de la logique libre-échangiste par une logique sociale comme fondement de la liberté de mouvement.* En effet, alors que le Québec a toujours été en faveur de la mobilité comme accessoire aux grands instruments commerciaux, il n'a, à notre connaissance, jamais fait de la mobilité un cheval de bataille au sein de sa conception de ce que devait être l'union sociale canadienne. C'est donc dire que les positions traditionnelles du Québec à l'égard de la mobilité ne répondent pas à la nouvelle logique mise de l'avant par l'entente-cadre alors qu'il n'y a tout simplement pas de position traditionnelle à l'égard de la question de la mobilité dans un contexte social.
- *L'élimination des critères de résidence dans des secteurs où le Québec a pleine juridiction.* On a mentionné à quel point le Québec dans ses positions traditionnelles sur le libre-échange a tenu à protéger les secteurs qu'il considérait comme cruciaux, comme ceux de la culture de la langue ou des communications. Or, dans un contexte d'union sociale, des secteurs sociaux résolument provinciaux tels l'éducation, la santé, la formation professionnelle, les services sociaux et l'aide sociale se trouveront affectés par la clause de l'entente-cadre. S'agit-il de secteurs qui méritent une protection au moins égale à ceux qui, comme la

culture ou la langue dans le contexte du libre-échange, ont fait que le Québec a exigé de conserver une pleine souveraineté? S'il choisissait, dans l'exercice de sa souveraineté, d'éliminer les critères de résidence, il faudrait au moins que cela soit effectué dans la mesure de ses intérêts. Rappelons en outre que même si la *Charte canadienne des droits et libertés* impose, jusqu'à un certain point du moins, l'élimination des critères de résidence, il reste que le Québec n'y a jamais consenti, ni en 1982, ni par la suite.

- *L'entente-cadre pourrait, même si le Québec n'y souscrit pas, lui imposer des choix en matière de mobilité.* Au cœur des positions fondamentales du Québec se retrouve, on l'a vu, le principe que le Québec doit demeurer maître de ses choix. Or, par sa logique même, il est clair que les termes de certains instruments existants auxquels le Québec est déjà partie devront être amendés par ses partenaires canadiens. Il est par exemple clair que l'ACI devra être amendé pour tenir compte, par exemple, des nouveaux délais imposés relativement à la mise en œuvre de son chapitre VII. Il n'est par ailleurs pas exclu que les cosignataires du Québec dans certaines ententes bilatérales veuillent les renégocier pour prendre en compte certains des principes de l'entente-cadre. C'est donc dire qu'en bout de ligne, le Québec pourrait avoir à renégocier des ententes auxquelles il est partie à cause des effets de l'entente-cadre, et ce, même s'il a choisi de ne pas y adhérer.

L'écart entre les positions traditionnelles du Québec en la matière et la disposition de l'entente-cadre relative à la mobilité peut donc être potentiellement considérable. Il se peut par contre que, dans les faits, et par rapport au fond de la question, cet écart ne soit pas si significatif dans le cas où le Québec, dans le plein exercice de ses compétences constitutionnelles, estimerait que la pleine mobilité dans le secteur social est souhaitable.

Conclusion

De l'analyse qui précède, un certain nombre de grandes conclusions se dégagent. Disséminées au long du texte, on nous permettra de les reprendre en les résumant.

Tout d'abord, il est clair qu'il existe un *écart considérable entre la position initiale des provinces relative à la liberté de mouvement et la clause de l'entente-cadre qui a été adoptée à Ottawa au début de février 1999*. Cet écart se manifeste entre autres, au niveau de ce que nous avons convenu d'appeler les logiques en présence, de même qu'à l'égard des obligations qui sont imposées aux gouvernements signataires, notamment au chapitre de la modification des programmes sociaux existants et futurs.

Ensuite, il est manifeste *que les dispositions de l'entente-cadre relatives à la mobilité vont plus loin que les dispositions portant sur le même sujet que l'on retrouve dans les instruments existants* auxquels le Québec a consenti (l'ACI et les ententes bilatérales) et celui auquel il n'a pas consenti (l'article 6 de *la Charte canadienne des droits et libertés*). Il s'agit donc d'une clause qui, si elle était adoptée par le Québec, imposerait effectivement une couche normative supplémentaire au législateur et à l'administration québécoise. Il est cependant probable, on l'a vu, qu'on ne puisse dans les faits être en mesure de l'imposer au Québec sans son consentement.

Il est d'autre part significatif que la clause de l'entente-cadre *impose de nombreuses nouvelles contraintes aux gouvernements signataires.* Parmi celles-ci on note l'impossibilité pour les gouvernements de créer des nouveaux obstacles à la mobilité à l'occasion de la mise sur pied de nouvelles initiatives en matière de politique sociale, l'obligation pour les gouvernements d'éliminer toute politique ou pratique fondée sur des critères de résidence dans plusieurs secteurs sociaux d'importance, tels l'enseignement postsecondaire et l'aide sociale, l'obligation pour les ministres responsables de soumettre des rapports annuels qui inventorient les barrières à l'accessibilité fondées sur la résidence, la contrainte de respecter intégralement les dispositions de l'ACI relatives à la mobilité de la main-d'œuvre et l'imposition d'une échéance ferme, celle du 1er juillet 2001, pour ce faire.

Enfin, on l'a vu, les termes de l'entente-cadre présentent *un écart considérable par rapport aux positions traditionnelles du Québec* en matière de mobilité en imposant en quelque sorte un important changement de paradigme. Comme nous l'avons démontré, des secteurs névralgiques de l'action québécoise, dont les programmes sociaux et l'éducation, se trouveraient désormais sur la brèche lorsque les droits à la mobilité sont en cause.

Imputabilité publique et transparence

Ghislain Otis

Introduction

On nous demande de procéder à l'étude du Cadre visant à améliorer l'union sociale pour les Canadiens[1] dont ont convenu, à Ottawa le 4 février 1999, le gouvernement du Canada ainsi que les gouvernements provinciaux et territoriaux à l'exception de celui du Québec. Notre étude, qui portera plus particulièrement sur la problématique de l'imputabilité et de la reddition de compte, vise à comparer l'entente du 4 février 1999 aux positions adoptées successivement par le front commun des provinces à Saskatoon (le 6 août 1998) puis à Victoria (29 janvier 1999) de manière à mesurer l'écart, le cas échéant, entre la teneur de l'accord conclu à Ottawa et la position de départ des provinces. Nous évaluerons, dans un deuxième temps, l'entente du 4 février 1999 au regard des positions traditionnellement défendues par le Québec sur la question de l'imputabilité et de la reddition de compte.

Le chapitre 3 de l'entente d'Ottawa commandera ici une attention singulière puisque, comme nous le montrerons plus loin, il instaure un régime général d'imputabilité applicable à l'ensemble des programmes sociaux au Canada. Il s'avère cependant que le thème de l'imputabilité et de la transparence gouvernementale déborde d'emblée le chapitre 3 et qu'il a marqué les négociations sur l'union sociale canadienne de diverses manières. Il a dès lors paru nécessaire de faire porter notre analyse sur divers volets du corpus documentaire reflétant une préoccupation liée à l'imputabilité et la reddition de compte.

1. Aux fins du présent rapport, cette entente sera généralement désignée comme «l'entente du 4 février 1999».

Le corpus documentaire de base se compose évidemment des textes générés à chacune des trois grandes étapes de la négociation, à savoir :

- Le document de travail préparé par les ministres provinciaux responsables des négociations[1] le 12 juin 1998 et intitulé *Provincial-Territorial Consensus on Collaborative Approaches to Canada's Social Union*. Ce texte forme la base du consensus des premiers ministres intervenus à Saskatoon le 6 août 1998[2] ;
- Le document intitulé *Securing Canada's Social Union into the 21st Century*[3], ayant fait l'objet de l'accord des provinces à Victoria le 29 janvier 1999 ;
- Le *Cadre visant à améliorer l'union sociale pour les Canadiens.*

Nous avons en outre enrichi ce corpus en y ajoutant les documents qui énoncent les propositions du gouvernement fédéral pendant la période cruciale de négociation sur l'union sociale. Il nous a en effet semblé que ces textes viennent jeter une lumière précieuse sur l'évolution de la pensée des provinces et aident à mieux jauger l'infléchissement politique ayant abouti à la version finale de l'entente. Les documents fédéraux sont les suivants :

- *Œuvrer ensemble pour les Canadiens : une proposition fédérale en vue d'une entente-cadre sur l'union sociale du Canada*, Gouvernement du Canada, le 15 juillet 1998 ;
- *Œuvrer ensemble pour les Canadiens : une proposition fédérale en vue d'une entente-cadre pour renforcer l'union sociale du Canada*, Gouvernement du Canada, le 25 janvier 1999.

Conformément au mandat reçu, notre démarche consistera essentiellement à faire une étude textuelle et contextuelle des documents en fonction du cadre analytique prescrit. Il ne s'agit donc pas de proposer une interprétation procédant d'un cadre théorique particulier issu des sciences politiques ou de la théorie constitutionnelle. Le soussigné étant constitutionnaliste, le lecteur pourrait néanmoins voir poindre, ici et là, certains procédés intellectuels propres à cette discipline.

---

1. Pour alléger le texte de la présente étude, nous utiliserons normalement le terme « province » pour désigner également les territoires.
2. Ci-après souvent désigné par l'appellation « consensus de Saskatoon du 6 août 1998 ».
3. Ci-après souvent désigné par l'appellation « accord de Victoria du 29 janvier 1999 ».

Le présent rapport se divise en trois parties, la première est consacrée à l'exposé de certaines considérations analytiques de base alors que les autres correspondent aux deux grandes composantes du mandat, soit l'évolution de la position des provinces et l'examen de l'entente du 4 février à la lumière des positions traditionnelles du Québec.

Partie I: L'imputabilité et l'union sociale canadienne: quelques clefs analytiques

L'imputabilité verticale et l'imputabilité horizontale (intergouvernementale)

Il existe une corrélation fonctionnelle entre les différentes notions faisant l'objet de la présente étude. Ainsi, le devoir d'explication et de justification propre à la reddition de compte assure l'imputabilité qui permet l'attribution de la responsabilité et, dès lors, la sanction politique effective. La transparence, ayant pour corollaires le devoir d'information et de communication, fait elle-même figure de préalable à la reddition de compte et à l'imputabilité puisque *si les programmes ne sont pas transparents, il est difficile de déterminer qui en est responsable*[1]. Nous référerons souvent, au long de ce rapport, à l'imputabilité comme notion maîtresse et générique désignant l'ensemble des mécanismes de responsabilisation politique dans le contexte des programmes sociaux.

La problématique des relations Ottawa/provinces qui caractérise l'union sociale au Canada commande également que l'on explicite d'entrée de jeu la distinction entre l'imputabilité du gouvernement *à l'égard du citoyen*, qui se déploie donc sur un axe vertical, et la reddition de compte *entre gouvernements* au sein de l'organisation fédérale de l'État que l'on pourrait qualifier d'horizontale en raison de son jeu interne à l'appareil étatique. Alors que l'imputabilité verticale s'avère consubstantielle au fonctionnement de la démocratie représentative de type parlementaire, l'imputabilité intergouvernementale dans un domaine dont la responsabilité de principe est dévolue aux provinces commande une application modulée du précepte fédéral de la dualité souveraine des ordres étatiques. Une stratégie d'union sociale canadienne tendant vers le renforcement caractérisé de la reddition de compte par les provinces à l'intention

1. T.J. Courchene, Convention sur les systèmes économiques et sociaux du Canada, 1996, ministère des Affaires intergouvernementales, Ontario, p. 9.

du pouvoir central sera porteuse d'un germe uniformisateur voire même centralisateur.

L'étude des questions d'imputabilité posées par le projet d'union sociale au Canada nécessite en outre que l'on distingue deux stratégies ou procédés bien distincts en la matière. L'un s'attache à la répartition fondamentale des pouvoirs comme moyen systémique de clarification des voies de la responsabilité politique, l'autre se préoccupe de créer des mécanismes spécialisés, c'est-à-dire qui procèdent d'une démarche volontariste et particulièrement ciblée.

L'approche axée sur l'organisation du pouvoir: l'imputabilité systémique

L'enchevêtrement et la confusion des responsabilités créent une opacité organisationnelle au sein de l'État potentiellement génératrice de dysfonctionnements démocratiques. Dès lors, une clarification des rôles respectifs des ordres de gouvernement dans le domaine social, notamment par l'élimination des chevauchements et des doubles emplois, fortifiera l'imputabilité, les citoyens étant plus à même d'attribuer à un ordre ou l'autre de gouvernement la responsabilité politique eu égard au financement, à la conception, à la mise en place et à la prestation des programmes sociaux. Ils sauront alors de qui réclamer des comptes en ces matières de sorte que, *dans le contexte canadien actuel, améliorer la responsabilité revient à éclaircir les rôles respectifs des deux paliers de gouvernement sur la scène sociale*[1].

La simple rationalisation des responsabilités, y compris par l'affirmation de la compétence exclusive provinciale en matière sociale, ou le droit de retrait, est donc en soi source d'imputabilité verticale et démocratique. C'est pourquoi cette dimension des négociations ayant entouré l'union sociale ne peut être complètement escamotée dans la présente étude bien que notre mandat porte au premier chef sur les mesures spéciales et non systémiques d'imputabilité.

L'approche axée sur les mesures spéciales

Alors que la rationalisation des rôles étatiques favorise en soi la mobilisation des mécanismes généraux de responsabilité politique en démocratie parlementaire, les négociations sur l'union sociale canadienne ont aussi porté sur des mesures spéciales ou plus finalisées de reddition de compte. Ces mesures constituent en fait l'objet principal

1. *Ibid.*, p. 8.

de notre mandat. On peut, à titre d'exemple, mentionner différents types de procédés spécialisés pertinents aux fins de la présente étude:

L'évaluation (la mesure de résultats)

La mise en place de mécanismes spéciaux de mesure des résultats visera à favoriser l'imputabilité dans un contexte où la complexité de l'action étatique contemporaine rend difficile l'évaluation de l'efficacité des programmes sociaux par le citoyen. L'analyse de ces mesures exigera de bien comprendre le processus d'élaboration des normes de mesure, l'application de ces normes de même que les conséquences politiques de leur mise en œuvre au regard de la diversité fédérale et de l'autonomie provinciale.

L'information

Le principe d'information et de communication publique exigera notamment que l'on fasse connaître à la population ou aux autres gouvernements le résultat de l'évaluation des programmes, ou les règles de fonctionnement et de financement de ceux-ci. Ce devoir est donc lié, au plan fonctionnel, à la transparence gouvernementale. Dans la dynamique des rapports intergouvernementaux, ce souci de transparence peut aussi traduire un impératif de visibilité et de légitimation politique.

La consultation

La consultation des citoyens et des autres gouvernements dans l'élaboration et l'application des programmes sociaux amènera le gouvernement, non seulement à informer quant au contenu de ses projets ou décisions de politique sociale, mais à s'en justifier et à recevoir le jugement porté sur ces projets ou décisions.

La sanction

On peut aussi renforcer l'imputabilité en accordant au citoyen ou aux autres gouvernements la possibilité de mettre en branle une procédure de contrôle institutionnel des décisions en matière sociale. Un recours administratif en faveur de l'administré ou un mécanisme intergouvernemental de règlement des différends aura pour effet de contraindre les autorités à se soumettre au droit de regard, et peut-être même à la censure d'autrui, dans la conception et la prestation des programmes sociaux. Le caractère public des décisions, rapports ou recommandations de l'instance de règlement des différends, viendra renforcer la transparence et la possibilité de demander des comptes.

Partie II: L'évolution des positions provinciales en matière d'imputabilité: de Saskatoon à Ottawa

Il ressort clairement des documents soumis à notre analyse que le thème de l'imputabilité a imprégné de diverses manières le cheminement des provinces eu égard au projet d'union sociale canadienne. La pensée des provinces se fait jour à la faveur de plusieurs dispositions des textes à l'étude, lesquelles dispositions véhiculent une vision tant systémique que spécialisée de l'imputabilité.

L'imputabilité par la rationalisation des responsabilités

Le consensus de Saskatoon du 6 août 1998

Dans ses propositions du 15 juillet 1998, le gouvernement fédéral n'accorde qu'une importance très secondaire à l'évitement des chevauchements et à la promotion de l'imputabilité par la rationalisation des responsabilités. Ainsi, cette préoccupation est totalement absente de l'énoncé des grands buts et principes de l'union sociale. Ottawa se contente tout au plus d'appeler à l'harmonisation, au besoin, des activités des deux paliers de gouvernement lors de l'établissement de nouveaux programmes conjoints pancanadiens[1].

Cette banalisation caractérisée de l'imputabilité systémique contraste avec le consensus provincial arrêté à Saskatoon le 6 août à la faveur duquel les provinces s'entendaient sur la nécessité d'un renforcement de l'imputabilité par une meilleure délimitation des responsabilités respectives des ordres de gouvernements eu égard aux programmes sociaux.

Le chapitre I, qui sera analysé plus en détail plus loin, proposait une procédure d'échange d'information et de consultation préalable à la modification de programmes sociaux affectant l'autre palier de gouvernement. Ce mécanisme visait entre autres à détecter et parer les possibilités de dédoublement *(to ensure that the proposed change did not duplicate effort)*.

On disposait également, au chapitre II, que dans le contexte de la collaboration intergouvernementale relative à l'établissement et la modification des programmes pancanadiens dans les domaines de

1. Voir le chapitre 3 du document, p. 5.

compétence provinciale, les gouvernements devaient s'entendre pour définir *clear roles and responsabilities for each order of government* et pour respecter *a commitment to reduce and avoid overlap and duplication.*

C'est toutefois le chapitre III qui faisait de l'avancement de l'imputabilité par la clarification des responsabilités un objectif prioritaire et impératif de l'union sociale. On y déclarait que:

> *The practice of Canadian federalism has, over time, confused the roles and responsabilities of the two orders of government. This confusion undermines public accountability. Greater clarification would enhance collaboration between governments and increase the public's understanding of which order of government is responsible for the delivery of social programs.*

Le document portait d'ailleurs une mention indiquant que *a proposed process for clarifying roles and responsabilities is being reviewed by F/P/T officials.*

L'accord de Victoria du 29 janvier 1999

Alors que la pensée du gouvernement fédéral reste la même dans le document du 25 janvier 1999, le consensus formulé à Victoria exprime une adhésion encore plus forte des provinces à l'approche systémique. En effet, les gouvernements provinciaux réitèrent avec une fermeté nouvelle leur quête d'une plus grande imputabilité par la rationalisation de la répartition des responsabilités. Le chapitre 1 identifiant les valeurs canadiennes sous-jacentes à toute union sociale proclame que:

> *Canadians want and deserve governments working better together by clarifying responsabilities, eliminating overlap and duplication, and enhancing accountability... This agreement offers Canadians... more accountable government...*

De même, au chapitre 2 où sont exposés les principes directeurs qui guideront tous les gouvernements dans la conception et la mise en œuvre des politiques sociales, les provinces et les territoires revendiquent notamment la reconnaissance de leur préséance constitutionnelle en matière sociale:

> *Under the Constitution, provinces and territories are primarily responsible for social policy and the delivery of social programs.*
>
> *Government believe strongly in increasing accountability to the public and improving the effectiveness and efficiency of the social union. To this end, governments are committed to:*
>
> – *reducing and avoiding overlap and duplication;*

- *clarifying roles and responsibilities by assigning, where appropriate, responsability for areas of the Social Union to one order of government or the other; and,*
- *minimizing areas of joint responsability where this would improve the effectiveness and the efficiency of the social union.*

Governments are committed to working together in partnership where this would result in improved services to Canadians and explaining to Canadians their respective contributions to social programs.

Ainsi, en vue d'inscrire concrètement ces principes directeurs dans le fonctionnement effectif de l'union sociale, les provinces envisagent différentes voies de mise en œuvre. Elles confirment d'abord les dispositions du consensus de Saskatoon sur les points suivants:

- la procédure de préavis et de consultation pour la modification des programmes afin de prévenir les dédoublements.
- la démarche consensuelle devant s'appliquer aux dépenses fédérales en matière de modification et de création de nouveaux programmes pancanadiens, laquelle démarche reconnaît la nécessité de clarifier les responsabilités et de réduire ou éviter tant les chevauchements que les dédoublements.

Les provinces ajoutent cependant le chapitre 6 qui pourvoit à la création d'un mécanisme ministériel pour l'application d'un cadre de définition des responsabilités eu égard aux nouveaux programmes sociaux et de remaniement des responsabilités dans le cas des programmes existants:

> *Canadians need to know which order of government to hold responsible for specific decisions in areas of social policy. Clarifying roles and responsabilities in the management and delivery of social programs will enable Canadians to hold their governments are (sic!) accountable for decisions they make.*
>
> *The considerations identified in the graphic attached will guide the development of federal and provincial/territorial roles and responsabilities in new social programs.*
>
> *Within two years, sector Ministers will review current federal and provincial/territorial responsabilities, using considerations below, and, where agreed, take measures to align responsibilities in accordance with them.*
>
> *Sector Ministers will report annually to the Ministerial Council for Social Policy Reform and Renewal, on progress in realigning roles and responsabilities. The Ministerial Council will provide an annual public report to First Ministers, summarizing the progress made by sector Ministers.*

Les provinces et les territoires conjuguent partiellement l'approche systémique et les mesures spécifiques de transparence en exigeant un rapport public faisant état des résultats de la démarche de clarification des rôles et permettant dès lors à la population de juger des progrès réalisés dans la lutte aux chevauchements à l'enchevêtrement des responsabilités. On rejoint ici l'engagement des provinces à *explaining to Canadians their respective contributions to social programs.*

La position provinciale, parce qu'elle postule le primat de la responsabilité des provinces en matière de programmes sociaux, pouvait aider à contenir la présence fédérale sur ce terrain. Circonscrire plus clairement les responsabilités et juguler la tendance au foisonnement de politiques disparates peut signifier, dans ce contexte, que si un programme provincial existe, le fédéral devrait s'abstenir, ou que si une province veut agir, Ottawa devrait lui laisser le champ libre.

L'entente du 4 février 1999

L'entente intervenue entre le gouvernement fédéral et les neuf provinces laisse la portion congrue au thème de l'imputabilité par la définition claire des rôles et l'élimination des chevauchements. La nécessaire rationalisation des responsabilités n'apparaît nulle part parmi les principes sous-jacents de l'entente. L'affirmation de la préséance de principe du rôle des provinces en matière sociale est également introuvable.

La mention d'une possible optimalisation des rôles et des responsabilités se trouve au chapitre 4 sous la rubrique «Travailler en partenariat pour les Canadiens»:

> Les gouvernements conviennent donc [...]
>
> de coopérer à la mise en œuvre de priorités conjointes lorsque cela permet d'offrir des services plus efficaces et plus efficients aux Canadiens. Ceci pourrait inclure, s'il y a lieu, l'élaboration conjointe des objectifs et des principes, la clarification des rôles et des responsabilités, ainsi qu'une mise en œuvre souple des mesures afin de respecter la diversité des besoins et des situations, d'assurer une intervention complémentaire aux mesures existantes et d'éviter les dédoublements.

De même, les parties stipulent que l'introduction de certains nouveaux programmes fera préalablement l'objet de consultations intergouvernementales et que «les gouvernements qui participent à ces consultations auront l'occasion de repérer les possibilités de dédoublement et de proposer d'autres approches favorisant une mise en œuvre souple et efficace[1]». Il n'est pas question que ces consultations aboutissent nécessairement à l'absence de dédoublement.

La similitude entre l'entente du 4 février et les documents fédéraux successifs (juillet 1998 et janvier 1999) et le contraste avec l'accord de Victoria ressortent clairement. On ne peut d'abord manquer d'être frappé par l'absence de toute indication expresse de la part des gouvernements signataires qu'ils entendent lier la rationalisation des responsabilités à l'idéal démocratique d'imputabilité. La préoccupation explicite présidant aux énoncés reproduits ci-dessus semble plutôt être celle de l'efficacité et de l'efficience. Il en résulte une dilution des fondements politiques de la limitation des responsabilités conjointes, celles-ci pouvant devenir plus tolérables dès lors qu'elles ne desservent pas de manière démontrable l'efficience dans la prestation des programmes.

Contrairement à l'accord de Victoria, le cadre convenu à Ottawa ne prévoit aucun mécanisme ministériel organisant de manière systématique et formelle la délimitation et la restructuration des rôles à partir du postulat d'une responsabilité provinciale de principe. Loin d'être un impératif devant imprimer à l'union sociale son orientation future au nom de l'imputabilité démocratique, la clarification des responsabilités se présente comme une démarche qui peut être souhaitable dans certains cas s'il y a lieu.

Les mesures spéciales d'imputabilité

L'imputabilité verticale comme principe de base de l'union sociale

Le consensus de Saskatoon du 6 août 1998

Le document fédéral du 15 juillet contenait un chapitre portant sur l'imputabilité publique et la transparence qui se lisait comme suit:

> 4. L'interdépendance et la collaboration exigent que l'on porte une attention plus grande à la transparence, à la clarté et à l'imputabilité.
>
> Tous les gouvernements conviennent d'accroître la transparence et l'imputabilité à l'endroit des dépenses et des résultats.
>
> Les provinces et les territoires utiliseront le financement fédéral aux fins pour lesquelles il est prévu et feront profiter les Canadiens de toute hausse de ce financement.

1. Voir le chapitre 4 «Préavis et consultation réciproques» et le chapitre 5 «Dépenses fédérales directes».

> Chaque gouvernement contrôlera et évaluera les résultats et rendra compte régulièrement aux électeurs des dépenses et des résultats atteints.
>
> Les ministres sectoriels définiront des mesures comparables et des mécanismes indépendants appropriés, tels que la vérification sociale indépendante, afin de faciliter le contrôle et l'évaluation des dépenses et des résultats.
>
> Les gouvernements reconnaîtront et expliqueront publiquement les rôles et responsabilités de chacun ainsi que la contribution de chaque gouvernement au financement.

Bien que contenant plusieurs références aux dépenses fédérales, le document présentait l'imputabilité à l'égard des citoyens comme un principe directeur valant pour tous les programmes sociaux et non seulement ceux comportant un financement fédéral.

La proposition fédérale sur ce point n'avait aucun équivalent exact dans le document fondant le consensus provincial du 6 août même si la disposition liminaire mentionne que bien qu'ils ne fassent l'objet d'aucune disposition spécifique dans ce document, les principes directeurs et les règles de base constitueront des composantes essentielles d'un accord-cadre sur l'union sociale[1].

La préoccupation fédérale pour l'imputabilité verticale trouvait toutefois partiellement écho dans le chapitre 1 concernant la collaboration intergouvernementale dans les domaines de responsabilité conjointe ou lorsque les décisions d'un gouvernement en matière de politiques sociales sont susceptibles d'affecter substantiellement un autre gouvernement. Cette disposition prévoyait notamment que, dans ce contexte, *Governments could agree to measure key social policy outcomes with a view to reporting on their actions to the public*. Il importe toutefois de noter le caractère hypothétique et conditionnel de cette proposition puisque ces mesures font partie de ce que les provinces qualifient de *possible collaborative initiatives* et qu'il est mentionné que les gouvernements pourraient convenir d'une telle approche.

L'accord de Victoria du 29 janvier 1999

La proposition du gouvernement du Canada du 25 janvier 1999 réitérait tous les principaux éléments du document de juillet 1998 tout en accentuant l'intégration pancanadienne et le potentiel uniformisateur des mécanismes d'évaluation des programmes et de reddition

1. «This document does not speak to principles, ground rules and dispute settlement, which are also key elements of a Framework Agreement on the Social Union.»

de compte[1]. On ajoutait également des dispositions relatives aux voies de recours offertes aux citoyens en insistant sur la possibilité d'acheminer des plaintes en matière d'accès et de service.

L'accord de Victoria vient combler en partie l'écart entre les positions fédérale et provinciale. Le chapitre 5 de l'accord réitère le besoin de collaboration intergouvernementale dans les domaines de responsabilité conjointe ou lorsque les décisions d'un gouvernement en matière de politiques sociales sont susceptibles d'affecter substantiellement un autre gouvernement. La position des provinces est sur ce point moins hypothétique et conditionnelle qu'elle ne l'était dans le consensus du 6 août. L'engagement d'évaluer les résultats de programmes en vue d'en rendre compte à la population est maintenant ferme: *Governments agree to measure key social policy outcomes with a view to reporting on their actions to the public.*

Notons tout de même que l'engagement ne vaut, tout comme dans le document précédent, que pour les *key social policy outcomes*, c'est-à-dire les aspects les plus importants des programmes.

C'est cependant au chapitre 7 de l'accord de Victoria que se retrouve l'innovation la plus significative dans la perspective des provinces. Aux termes de ce chapitre intitulé *Accountability for Canadians*:

> *Canada's Social Union can be strengthened through enhancing each government's accountability to its constituents. Each government therefore agrees to:*
>
> *Clarify the roles of Governments and inform Canadians of the responsabilities of each government.*
>
> *Ensure that social programs are delivered in a fair and transparent way.*
>
> *Monitor and measure outcomes of their own social programs and report regularly to their constituents on how their social programs have performed.*
>
> *Share best practices to enable jurisdictions to develop their own outcome measures.*
>
> *Publicly report financial information to ensure Canadians understand the relative funding contributions of governments to programs.*
>
> *Publicly report on their respective commitments of providing stable and adequate funding for social programs.*
>
> ***Involvement of Canadians***

1. Voir les dispositions du chapitre 3, à la p. 5, confiant aux ministres sectoriels la responsabilité d'élaborer un cadre pancanadien complet d'évaluation, d'information et de reddition de compte.

Governments agree that Canadians should have appropriate opportunities for public input in developing priorities and objectives for social programs.

Canadians should have access to fair and transparent administrative processes in social programs. Accordingly, governments agree to:

- *Make publicly available eligibility criteria for their social programs.*
- *Have in place appropriate administrative mechanisms at the local level, that allow citizens to appeal when they believe they have been treated unfairly in the administration of a social program.*

À l'instar du gouvernement fédéral, les provinces inscrivent maintenant au cœur du fonctionnement de l'union sociale l'obligation générale des gouvernements de mesurer les résultats des programmes et de renseigner les citoyens relativement à ces résultats ainsi qu'au sujet des rôles et des responsabilités de chaque ordre de gouvernement. Ces engagements s'appliquent à l'ensemble des programmes sociaux au pays, qu'il s'agisse de programmes provinciaux, fédéraux ou conjoints.

Le chapitre 7 consacre au surplus le droit de participation du citoyen à l'élaboration des politiques et engagent les parties à mettre en œuvre ces politiques par le biais d'un processus administratif transparent et équitable.

Avec l'insertion de ce chapitre, les provinces et les territoires se rapprochent de la position fédérale, tout en marquant néanmoins une différence de vue sur certains aspects importants. La convergence est notable sur les points suivants:

i- Les gouvernements doivent contrôler et mesurer les résultats de leurs programmes et rendre compte régulièrement aux électeurs des résultats atteints;

ii- Les gouvernements renseigneront les citoyens relativement aux rôles et responsabilités respectifs de chaque ordre de gouvernement dans les programmes sociaux et relativement à la contribution respective de chaque ordre de gouvernement au financement de ces programmes.

iii- Les Canadiens devraient avoir une occasion raisonnable de participer à la définition des priorités et des objectifs des programmes sociaux.

Le consensus provincial diffère cependant des propositions fédérales eu égard à ce qui suit:

iv- Selon les provinces, bien que les gouvernements échangeront de l'information au sujet des pratiques exemplaires, chaque gouvernement élaborera ses propres instruments de mesure des résultats de ses programmes. De plus, chaque gouvernement ne pourra contrôler et vérifier que ses propres programmes *(their own social programs)* et n'informera ses citoyens que des résultats de ses programmes *(their social programs)*. Le document fédéral de janvier 1999 confie plutôt aux ministres sectoriels des provinces et du fédéral la tâche d'élaborer des moyens appropriés de mesurer les résultats, y compris des indicateurs comparables eu égard à la poursuite d'objectifs convenus, des évaluations sociales et des vérifications sociales indépendantes. Le processus décisionnel intergouvernemental s'étend, dans l'optique du fédéral, aux mécanismes de rapport annuel, à la répertoriation des pratiques exemplaires, aux modes de participation des citoyens et à l'information des citoyens quant aux rôles et contributions respectifs des gouvernements. La position fédérale, en plus de conférer une légitimité inexpugnable à la contribution normative d'Ottawa, fait sensiblement moins de place à l'action indépendante des provinces puisqu'elle emporte une intégration décisionnelle beaucoup plus grande et une dynamique d'uniformisation de l'évaluation qui n'est pas de nature à favoriser, à terme, la plus grande diversité dans la conception des programmes sociaux au pays. Elle laisse aussi aux gouvernements moins de marge de manœuvre quant aux modes de vérification et démultiplie potentiellement le poids de la reddition de compte en conférant un pouvoir de vérification à des groupes d'intérêts (souvent friands de normes et de programmes nationaux).

v- Alors que les provinces et les territoires s'engagent à informer les citoyens quant à la contribution et les responsabilités de chaque palier, le document fédéral énonce que les gouvernements reconnaîtront publiquement ces contributions et responsabilités. La volonté d'affirmer la légitimité de la présence des deux ordres de gouvernement dans le domaine social de compétence provinciale semble donc ressortir plus clairement du document préparé par Ottawa.

vi- La position fédérale engage les provinces et les territoires à utiliser le financement fédéral aux fins pour lesquelles il était prévu et à faire profiter les Canadiens de toute augmentation de ce financement. Cette injonction politique à l'encontre de tout détournement de fonds fédéraux par les provinces ne se retrouve pas dans l'accord de Victoria.

Le rapprochement entre le fédéral et les provinces sur la question de l'imputabilité verticale comme principe de base de l'union sociale reste donc relatif, les provinces étant nettement plus soucieuses de concilier l'affirmation des impératifs de transparence et de reddition de compte avec le respect de l'autonomie et de la diversité provinciales dans le choix des moyens de mise en œuvre de ces impératifs.

L'entente du 4 février 1999

L'entente du 4 février scelle, à son chapitre 3, l'accord du fédéral et des provinces signataires pour faire de l'imputabilité et de la transparence à l'égard du citoyen un principe de base de l'union sociale. Les dispositions pertinentes énoncent ce qui suit:

> L'union sociale du Canada peut être renforcée par une transparence et une imputabilité accrues de chacun des gouvernements envers leurs commettants. Chaque gouvernement s'engage donc à:
>
> **Atteindre et mesurer les résultats**
>
> – Suivre de près ses programmes sociaux, en mesurer le rendement et publier des rapports réguliers pour informer ses commettants du rendement obtenu;
> – Partager des informations sur les pratiques exemplaires adoptées pour mesurer les résultats, et travailler de concert avec les autres gouvernements pour mettre au point, à terme, des indicateurs comparables permettant de mesurer les progrès accomplis en regard des objectifs convenus;
> – Reconnaître et expliquer publiquement les contributions et les rôles respectifs des gouvernements;
> – Utiliser les transferts intergouvernementaux aux fins prévues et faire bénéficier ses résidents de toute augmentation;
> – Recourir à des tierces parties, s'il y a lieu, pour aider à évaluer les progrès réalisés par rapport aux priorités sociales.
>
> **Faire participer les Canadiens**
>
> – S'assurer que des mécanismes sont en place pour permettre aux Canadiens de participer à l'élaboration des priorités sociales et d'examiner les résultats obtenus à cet égard.

Pratiques équitables et transparentes

- Rendre publics les critères d'admissibilité et les engagements de service afférents aux programmes sociaux;
- Mettre en place des mécanismes appropriés permettant aux citoyens d'interjeter appel en cas de pratiques administratives inéquitables, et de déposer des plaintes relatives à l'accès et au service;
- Rendre compte publiquement des appels interjetés et des plaintes déposées tout en garantissant la confidentialité des démarches.

Sur la question du devoir d'évaluation des programmes et d'information des citoyens, les provinces ayant souscrit à l'entente se sont rangées pour l'essentiel au point de vue fédéral. Le texte du 4 février 1999 contient en effet non seulement les éléments de convergence précédemment relevés entre les propositions fédérales de juillet 1998 et l'accord de Victoria, mais la majorité des éléments mis de l'avant par Ottawa et auxquels les provinces n'avaient pas souscrit à Victoria.

Mentionnons d'abord que l'entente intervenue entre le fédéral et neuf provinces ajoute à l'engagement d'échanger des renseignements sur les pratiques exemplaires celui de:

> ...travailler de concert avec les autres gouvernements pour mettre au point, à terme, des indicateurs comparables permettant de mesurer les progrès accomplis en regard des objectifs convenus.

Il n'est plus question ici que chaque gouvernement mette au point, de manière indépendante et sans ingérence de l'autre palier, ses propres mécanismes d'évaluation de ses programmes. On crée une obligation de concertation intergouvernementale en vue de l'instauration d'indicateurs comparables, donc vraisemblablement peu différenciés, de performance au regard d'objectifs déterminés. On induit dès lors une logique de légitimation du rôle normatif du fédéral, une dynamique d'intégration des instruments de mesure et une tendance à la normalisation nationale des outils d'évaluation qui s'ajoute à l'uniformisation possible des objectifs (puisque le progrès que l'on cherchera à évaluer sera jaugé à l'aune d'objectifs convenus). Il s'agira de pouvoir comparer les performances respectives des différents gouvernements grâce à des paramètres qui pourront tendre à gommer les particularismes sociaux et politiques au pays.

Par ailleurs, tout comme le document fédéral du 25 janvier 1999, l'entente d'Ottawa comporte l'engagement de recourir à des tiers, s'il y a lieu, pour aider à évaluer les progrès réalisés par rapport aux priorités sociales. Cette disposition reste parfaitement compatible avec la volonté exprimée par le pouvoir central, tant en juillet 1998 qu'en janvier 1999, de créer des mécanismes d'évaluation sociale et de vérification sociale indépendante même si on ne va pas jusqu'à prescrire une définition intergouvernementale de ces mécanismes comme l'aurait voulu Ottawa. On pourrait donc s'acheminer vers une participation active des groupes d'intérêts dont plusieurs ont promu, dans le passé, un certain interventionnisme fédéral. On pourrait penser que la contrainte se trouve néanmoins relativisée par les termes "s'il y a lieu", mais on ne peut éluder le constat d'un accord des parties sur le principe de l'évaluation éventuelle par des tierces parties qui s'inscrit dans une logique de complexification des mécanismes d'imputabilité. On peut penser que les gouvernements pourront en fait difficilement désavouer toute idée de vérification sociale.

À l'instar du document fédéral de juillet 1998 et des propositions du 25 janvier 1999, l'entente finale sur l'union sociale enjoint les gouvernements à reconnaître et expliquer publiquement les contributions et les rôles respectifs des gouvernements, ce qui reflète la préoccupation fédérale pour une reconnaissance publique plus formelle d'une légitimité égale des deux ordres de gouvernements dans les sphères de compétence provinciale exclusive.

En outre, l'accord du 4 février reprend l'injonction, formulée par le pouvoir central dans ses documents successifs à l'encontre des possibles détournements des transferts intergouvernementaux. Si on ne mentionne plus explicitement que la disposition s'adresse aux provinces et aux territoires, nul ne peut douter de l'identité du destinataire de ce rappel.

Enfin, Ottawa et les neuf autres provinces confirment plusieurs éléments du consensus de Victoria pour ce qui concerne la participation des citoyens à l'élaboration des priorités sociales de même que l'administration transparente et équitable des programmes. Contrairement au texte de Victoria, le cadre final ne mentionne toutefois pas que les mécanismes d'appel administratif doivent se situer *at the local level*.

Par ailleurs, l'entente du 4 février 1999 ajoute aux contraintes relatives à la transparence et à l'imputabilité en intégrant plusieurs éléments proposés par Ottawa dans son texte du 25 janvier 1999. C'est ainsi que (1) l'on accepte un mécanisme d'examen public des résultats obtenus, (2) on exige la publication des engagements de service afférents aux programmes, (3) on autorise le dépôt de plaintes relatives à l'accès et aux services et (4) on oblige à rendre compte publiquement des appels interjetés et des plaintes déposées[1].

L'imputabilité dans le contexte des dépenses fédérales afférentes à des programmes pancanadiens

L'analyse des textes successifs révèle qu'avant d'être érigée en principe fondamental de l'ensemble des politiques sociales au Canada, l'imputabilité a d'abord été envisagée comme une donnée particulière du cadre d'intervention des dépenses fédérales dans les domaines de juridiction provinciale exclusive.

Le consensus de Saskatoon du 6 août 1998

Les provinces tiennent pour nécessaire la collaboration intergouvernementale dans l'établissement des priorités, des objectifs et des principes de base applicables aux dépenses fédérales dans les programmes pancanadiens. Dans cette optique, elles privilégient la flexibilité et le respect de la capacité des provinces de concilier les priorités des programmes pancanadiens et leur juridiction particulière dans le domaine. Elles en appellent donc au principe du consentement des provinces à toute dépense fédérale afférente à un nouveau programme pancanadien, ou à toute modification d'un tel programme existant, dans un champ de compétence provinciale.

Pour opérationnaliser cet encadrement des dépenses fédérales, on met de l'avant deux voies de collaboration formulées comme suit:

Step 1: Collaboration

1. *Joint priority setting on federal cash and tax expenditures on new or modified Canada-wide programs in areas of provincial jurisdictions.*
2. *Joint agreement on objectives and principles for new or modified Canada-wide programs, including:*
   - *program flexibility which respects provincial/territorial priorities*
   - *clear roles and responsabilities for each order of government, and,*
   - *a commitment to reduce and avoid overlap and duplication.*

---

1. On ne retrouve pas dans l'entente du 4 février la disposition de l'Accord de Victoria par laquelle les gouvernements convenaient de «publicly report on their respective commitments of providing stable and adequate funding for social programs».

3. *Agreement to develop, measure and publicly report on outcomes of new and modified Canada-wide programs, consistent with each government's roles and responsabilities.*
4. *Agreements should incorporate measures to ensure the adequacy and certainty of funding.*

Step 2: Flexibility

Where the collaborative approach in Step 1 does not achieve agreement, the following provisions will be invoked:

1. *Any new or modified Canada-wide program in areas of provincial jurisdiction requires the consent of a majority of provinces. The consent of the territories will be sought.*
2. *The federal government will provide full financial compensation to any provincial or territorial government that chooses not to participate in any new or modified Canada-wide program, providing it carries on a program or initiative that addresses the priority areas of the new or modified Canada-wide program.*

Federal spending in an area of provincial jurisdiction which occurs in a province or territory must have the consent of the province or territory involved. Agreements should incorporate measures to ensure adequacy and certainty of funding.

L'intérêt de ces deux modèles de collaboration intergouvernementale pour l'étude de l'imputabilité tient au fait que la première procédure pouvait comporter des exigences d'évaluation des programmes et d'information des citoyens quant aux résultats de ces évaluations.

Cette première procédure peut être qualifiée de purement consensuelle en ce qu'elle postule l'assentiment intégral ou unanime des gouvernements exprimant ainsi de manière optimale la règle du consentement provincial. La seconde procédure est quant à elle majoritaire puisqu'elle habilite une majorité de provinces à s'entendre avec Ottawa relativement aux priorités, principes et objectifs d'un programme pancanadien, nouveau ou révisé. En contrepartie, conformément à la règle du consentement provincial, cette deuxième procédure permet à un gouvernement de se retirer avec pleine compensation dans la mesure où il établit ou maintient un programme dans le domaine prioritaire visé par le programme pancanadien.

À défaut d'un accord entre tous les gouvernements en application de la première procédure, la deuxième voie pouvait être utilisée, c'est-à-dire un processus simplement majoritaire obéissant à des modalités spécifiques et ne comportant, quant à lui, aucun mécanisme d'imputabilité. Ainsi, aucune exigence d'imputabilité et de transparence ne pouvait être imposée à une province dans le cadre de la procédure majoritaire. Cela ressort d'ailleurs bien du fait que le droit de retrait avec pleine compensation ne soit assujetti qu'à une seule condition: savoir l'établissement ou le maintien d'un programme provincial dans le même domaine prioritaire. En définitive, pour les provinces, les mécanismes d'imputabilité ne pouvaient qu'être purement et intégralement consensuels dans le domaine des programmes pancanadiens touchant des questions de juridiction provinciale.

Mentionnons enfin que dans ses propositions de juillet 1998 relatives aux transferts sociaux fédéraux, Ottawa n'abordait pas la question de l'imputabilité. Il privilégiait de plus une conception purement majoritaire du processus devant autoriser une intervention fédérale dans un champ de compétence provincial. Le pouvoir central confinait par ailleurs le principe du consentement provincial majoritaire aux nouveaux programmes à frais partagés, se laissant le champ libre pour l'ensemble des autres initiatives fédérales dans un domaine provincial. Le droit de retrait avec compensation était par ailleurs subordonné à l'établissement de programmes équivalents ou comparables.

L'accord de Victoria du 29 janvier 1999

Les propositions fédérales du 25 janvier 1999 restent conformes au document de juillet 1998 quant au caractère purement majoritaire du consentement provincial requis pour une nouvelle initiative fédérale bien que le type précis d'initiative soumise à l'accord des provinces fasse l'objet d'une nouvelle définition[1]. Le nouveau document préparé par Ottawa comble cependant un vide laissé dans la version de juillet 1998 pour ce qui touche l'imputabilité. Les autorités centrales mettent désormais de l'avant l'idée d'assujettir les gouvernements à un cadre d'imputabilité:

> Le gouvernement du Canada et les gouvernements provinciaux et territoriaux s'entendront sur un cadre d'imputabilité relatif à ces nouvelles initiatives et nouveaux investissements sociaux. Le cadre comportera des engagements à l'endroit des résultats et du rendement

1. Le consentement sera nécessaire même dans le cas des initiatives autres que les programmes conjoints. En revanche, on limite l'obligation d'obtenir ce consentement aux seuls transferts «conditionnels».

> ainsi que des mécanismes pour faire rapport au public, échanger des renseignements et régler les différends. Tous les engagements pris dans l'entente-cadre s'appliqueront.
>
> Le financement sera accordé à tous les gouvernements provinciaux et territoriaux qui atteignent ou s'engagent à atteindre les objectifs pancanadiens convenus et conviennent de respecter le cadre d'imputabilité.

Ottawa est donc d'avis que le fédéral et une majorité de provinces doivent pouvoir exiger de toute province non participante l'atteinte des objectifs nationaux qu'ils auront définis mais aussi le respect d'un cadre d'imputabilité détaillé qu'ils auront élaboré.

Nonobstant ce nouveau positionnement fédéral en matière d'imputabilité, le point de vue des provinces est resté inchangé à Victoria quant à la dualité de procédures d'encadrement des dépenses fédérales. La disposition afférente à l'imputabilité comme composante de la procédure purement consensuelle demeure malgré l'ajout au consensus provincial des règles générales d'imputabilité et de transparence prévues chapitre 7. Il n'en résultait toutefois pas nécessairement de redondance. En effet, bien qu'elle ne tienne nullement pour nécessaire la conception conjointe d'indicateurs communs ou comparables, ou le recours à la vérification indépendante par des tiers, la disposition du chapitre 5 de l'accord de Victoria ne les écarte pas *a priori* comme c'est le cas du chapitre 7.

L'entente du 4 février 1999

Les provinces souscrivant à cette entente renoncent au modèle purement consensuel de collaboration pour ne retenir, conformément à la perspective des autorités fédérales, qu'une démarche majoritaire. L'assentiment majoritaire provincial ne sera d'ailleurs plus requis que pour les nouveaux programmes soutenus par des transferts intergouvernementaux. Il convient de reproduire les termes pertinents de l'entente, lesquels termes sont, pour ce qui concerne notamment l'imputabilité, clairement inspirés des dispositions correspondantes des propositions fédérales du 25 janvier:

Nouvelles initiatives pancanadiennes soutenues par des transferts aux provinces/territoires

> En ce qui concerne les nouvelles initiatives pancanadiennes pour les soins de santé, l'éducation postsecondaire, l'aide sociale et les services sociaux, financées au moyen de transferts aux provinces/territoires,

qu'il s'agisse de financement fédéral ou de programmes à frais partagés, le gouvernement du Canada s'engage à:

- travailler en collaboration avec tous les gouvernements provinciaux et territoriaux pour déterminer les priorités et les objectifs pancanadiens;
- ne pas créer de telles initiatives pancanadiennes sans le consentement de la majorité des provinces.

Chaque gouvernement provincial et territorial déterminera le type et la combinaison de programmes qui conviennent le mieux à ses besoins et à sa situation, afin d'atteindre les objectifs convenus.

Un gouvernement provincial ou territorial qui, en raison de sa programmation existante, n'aurait pas besoin d'utiliser l'ensemble du transfert pour atteindre les objectifs convenus, pourrait réinvestir les fonds non requis dans le même domaine prioritaire ou dans un domaine prioritaire connexe.

Le gouvernement du Canada et les gouvernements provinciaux et territoriaux s'entendront sur un cadre d'imputabilité relatif à ces nouvelles initiatives et nouveaux investissements sociaux.

Tous les gouvernements provinciaux et territoriaux qui atteignent ou s'engagent à atteindre les objectifs pancanadiens convenus et conviennent de respecter le cadre d'imputabilité recevront leur part du financement disponible.

On note que, reprenant la formulation du document fédéral du 25 janvier, les parties ne parlent nulle part explicitement d'un droit de retrait bien que la possibilité de maintenir ou de mettre en place un programme provincial parallèle à l'initiative fédérale découle nécessairement du fait que «tous» les gouvernements provinciaux se conformant aux conditions posées pourront recevoir le financement disponible alors même que seule une majorité de provinces auront accepté de participer au programme fédéral.

On retient également qu'Ottawa et les neuf provinces font désormais de l'imputabilité une donnée essentielle du cadre de collaboration intergouvernementale relatif aux dépenses fédérales. Mais cette donnée s'inscrit dans un contexte normatif qui s'avère, à plusieurs égards, différent des positions défendues par les provinces à Saskatoon et Victoria.

i- L'entente du 4 février, étant en cela parfaitement conforme au point de vue d'Ottawa, n'établit aucune dichotomie entre une approche consensuelle et une approche majoritaire quant à la mise en place d'un cadre d'imputabilité. Un tel cadre sera arrêté par «le gouvernement du Canada et les gouvernements provinciaux et territoriaux» conformément au principe du consentement d'une majorité des provinces. Ainsi, une province minoritaire ne souscrivant pas à une nouvelle initiative fédérale pancanadienne, et désireuse de maintenir ou de créer son propre programme, devra s'engager à respecter «le cadre d'imputabilité» arrêté par le fédéral de concert avec la majorité provinciale. Contrairement à ce qui était auparavant au cœur du consensus provincial, la province non participante ne sera nullement indemne de toute mesure contraignante d'imputabilité. Cette contrainte confère une dimension nouvelle à l'application au chapitre 5 de la procédure de prévention et de règlement des différends établie par le chapitre 6 puisque ce mécanisme pourra être enclenché lorsqu'on estimera qu'une province ne se conforme pas au cadre d'imputabilité.

ii- L'expression «cadre d'imputabilité» utilisée dans le texte du 4 février peut renvoyer à une vaste gamme de contrôles incluant tant des mesures verticales d'imputabilité que des mesures intergouvernementales. Le chapitre 3 de l'entente énonce déjà un engagement en faveur de mesures d'imputabilité verticales à caractère universel, c'est-à-dire applicables à l'ensemble des programmes sociaux au pays, qu'ils soient provinciaux, fédéraux, conjoints, pancananadiens ou non. Il aurait par conséquent été inutile de réitérer ce principe général au chapitre 5. L'intention des parties est donc de permettre une reddition de compte intergouvernementale. La nature des mécanismes d'imputabilité susceptibles d'être mis en place peut aller au-delà de l'évaluation des programmes en vue de l'information des citoyens. Rappelons que les documents de Saskatoon et de Victoria se limitaient explicitement à un engagement de coopérer avec le fédéral dans le but de *publicly report on outcomes of new and modified Canada-wide programs*. Avec l'entente d'Ottawa, le fédéral et une majorité de provinces auront suffisamment de latitude pour accorder au pouvoir central un droit de regard sur les programmes provinciaux qui dépasse ce qui est requis pour lui permettre de rendre compte à ses commettants de l'usage des deniers publics.

iii- La portée de l'obligation d'imputabilité sera considérablement élargie du fait que la reddition de compte eu égard aux programmes d'une province non participante ne visera pas simplement la conformité des «priorités», mais l'atteinte effective des «objectifs» pancanadiens précis fixés par la majorité tel que le préconisait le fédéral dans son texte de janvier 1999.

En définitive, l'entente du 4 février atteste d'un repli significatif des neuf provinces qui acceptent l'idée des autorités fédérales d'imposer, dans le cas des provinces non participantes, un cadre d'imputabilité plus contraignant et potentiellement limitatif de leur autonomie vis-à-vis du palier central. Elles n'obtiennent, en contrepartie, aucun engagement d'Ottawa de leur rendre compte relativement à l'ensemble des interventions fédérales dans les domaines de juridiction provinciale.

La transparence et l'obligation d'explication: la consultation intergouvernementale

Le consensus de Saskatoon du 6 août 1998

Le consensus des premiers ministres de Saskatoon s'est concrétisé sur la base d'un document élaboré en juin 1998 par les ministres provinciaux responsables des négociations. Ce document organisait au plan opérationnel le principe directeur de la coopération ou du partenariat intergouvernemental. Il s'agissait de favoriser l'efficacité de la coopération intergouvernementale par la transparence, l'explication, voire même la justification, des politiques en matière sociale. On obligeait ainsi chaque gouvernement à aviser par écrit les autorités de l'autre palier de tout changement de politique sociale susceptible d'avoir une incidence sur cet autre palier. Il fallait au surplus que cet avis soit accompagné d'une description écrite suffisamment détaillée des changements envisagés pour permettre à l'autre gouvernement de l'évaluer correctement:

> *Each order of government could be required to give the other written notice of any major change proposed to a social policy or program in any area in which the actions of one government significantly affect another government. At the same time that notice of the proposed social policy or program change is given, written information about the change would be provided in sufficient detail to enable the receiving government to assess it adequately.*

Le document allait plus loin en ajoutant à l'obligation d'information, un devoir de consultation de l'autre palier:

> *The government initiating the change could be required to engage in meaningful consultation, including consideration of alternative initiatives, with the other government to ensure that the proposed change did not duplicate effort or operate in a counterproductive manner. Consultation could result in further collaborative action.*

La conduite du fédéral au cours des dernières années tend à indiquer que ces dispositions étaient de nature à prémunir au premier chef les provinces contre la modification inopinée et unilatérale des règles du jeu par le pouvoir central. Il en aurait aussi découlé, cependant, des contraintes pour les provinces dans la conduite de leurs politiques sociales dans un contexte d'imbrication étroite des actions provinciales et fédérales.

Rappelons que dans le cas des programmes pancanadiens dans la sphère des compétences provinciales, leur modification était en plus subordonnée, selon le consensus provincial, au consentement unanime ou au moins majoritaire (avec droit de retrait) des provinces. Si l'obligation d'informer et de consulter envisagée par les provinces ne vise que la modification des programmes existants, c'est apparemment parce que les nouvelles initiatives fédérales étaient couvertes, pour l'essentiel, par les procédures exigeant que la mise en place des programmes pancanadiens reçoive l'aval de toutes les provinces ou d'une majorité d'entre elles (avec droit de retrait).

Signalons enfin qu'à Saskatoon les provinces gardent leurs distances par rapport à la position exprimée dans les propositions fédérales du 15 juillet 1998, laquelle position consistait à exiger un préavis à tout changement majeur de politique sociale sans toutefois aller jusqu'à prescrire la consultation de l'autre palier. Le devoir de consultation ne valait, dans l'optique fédérale, que pour la mise en œuvre de nouvelles politiques et de nouveaux programmes susceptibles d'avoir une incidence sur d'autres gouvernements ou sur l'union sociale. En limitant l'obligation d'informer aux seuls changements importants et en excluant toute obligation de consulter, Ottawa démontrait qu'il tenait pour particulièrement importante la liberté d'action en matière de modification des politiques et des programmes établis[1].

L'accord de Victoria du 29 janvier 1999

À l'instar d'Ottawa qui, dans son texte de janvier 1999, ne fait que réaffirmer le contenu des propositions de juillet 1998, les provinces

1. Le chapitre 3 du document fédéral de juillet 1998 se lisait comme suit: «Préavis et échanges de renseignements: Chaque gouvernement donnera un préavis avant d'effectuer tout changement important au niveau de sa politique sociale qui risque d'avoir une incidence sur un autre gouvernement. Ces préavis devront être suffisamment détaillés pour permettre aux gouvernements qui les recevront d'évaluer la mesure proposée; Consultations: Les gouvernements se consulteront avant de mettre en œuvre de nouvelles politiques et de nouveaux programmes qui risquent d'avoir une incidence sur d'autres gouvernements ou sur l'union sociale en général.»

confirment globalement leur position à quelques nuances près. L'accord se fait d'abord impératif en remplaçant l'expression *should be* par *shall.* Si le consensus de Saskatoon envisageait de n'appliquer l'obligation d'informer et de consulter qu'aux seuls changements majeurs de politique, la nouvelle position provinciale se veut plus générale et renvoie à *any change proposed to a social policy or program*. En revanche, le préavis et la consultation ne s'imposeraient désormais que lorsque la modification mise de l'avant aurait une incidence significative *(significantly affect)* sur l'autre palier.

L'entente du 4 février 1999

Le chapitre 4 de cette entente est ainsi libellé:

> Les mesures prises par un gouvernement ou un ordre de gouvernement ont souvent une incidence importante sur les autres gouvernements. D'une façon qui respecte les principes de notre système de gouvernement parlementaire et du processus d'élaboration du budget, les gouvernements conviennent ainsi de:
>
> – Se donner un préavis avant la mise en œuvre de tout changement majeur à une politique ou à un programme qui aura tout probablement une incidence importante sur un autre gouvernement;
>
> – Offrir de consulter avant de mettre en œuvre de nouvelles politiques et de nouveaux programmes sociaux qui risquent d'avoir une incidence importante sur d'autres gouvernements ou sur l'union sociale en général. Les gouvernements qui participent à ces consultations auront l'occasion de repérer les possibilités de dédoublement et de proposer d'autres approches favorisant une mise en œuvre souple et efficace.

Force est de constater que cette disposition est largement calquée sur les documents fédéraux. Elle s'avère en fait encore plus permissive que les propositions fédérales antérieures quant à la modification des programmes établis puisqu'on ne fait plus mention d'aucune exigence quant au caractère suffisamment détaillé de ce préavis. L'impératif de transparence se trouve de la sorte amenuisé.

Pour ce qui est des nouveaux programmes, l'entente reprend l'obligation de consulter en mentionnant que les consultations pourront viser à détecter les possibles dédoublements et à proposer des solutions de rechange. Sur ce point, le document reflète un peu mieux que les propositions fédérales une préoccupation exprimée dans les consensus provinciaux.

Il n'en demeure pas moins que les neuf provinces se sont pour l'essentiel ralliées au fédéral qui insiste pour préserver la plus grande marge de manœuvre possible dans la modification des programmes et des politiques existants. On abandonne largement la logique de transparence et de reddition de compte inhérente à l'obligation d'informer, d'expliquer et de justifier. Si on retient l'hypothèse que le consensus des provinces exprimé à Saskatoon et Victoria avait pour but de contenir l'unilatéralisme fédéral en favorisant une certaine reddition de compte dans la modification des programmes existants, on ne peut que conclure à un recul provincial.

La transparence et l'imputabilité en matière de règlement des différends

Sans vouloir présenter une analyse détaillée de ce volet de l'union sociale, il paraît opportun d'en résumer certains aspects qui se rapportent à la reddition de compte et à l'imputabilité.

Le consensus de Saskatoon du 6 août 1998

Le gouvernement fédéral proposait dans son document de 15 juillet la mise en place de mécanismes visant à éviter les différends entre les gouvernements. Ces mécanismes devaient comprendre des «enquêtes conjointes en vue d'établir les faits» de même que «l'obligation de tenir des discussions et des consultations intergouvernementales, auxquelles pourraient participer des tiers au besoin».

Tout en convenant, dans la disposition liminaire du consensus de Saskatoon, de la nécessité d'une procédure de prévention et de règlement des différends, les provinces n'avaient pas encore complété leur réflexion quant à la nature et au mode de fonctionnement d'un tel mécanisme.

L'accord de Victoria du 29 janvier 1999

Le chapitre 8 de l'accord formule la position des provinces concernant la nature et le mode de fonctionnement d'un mécanisme de prévention et de règlement des différends. En présence d'un différend, on privilégie une solution négociée. L'atteinte d'une telle solution devra être facilitée, si nécessaire, par l'intervention d'une tierce partie qui sera, dans un premier temps, un médiateur et, en cas d'échec de la médiation, un individu ou un comité de trois membres chargé de faire rapport et de proposer une solution. Les parties devront alors tenter de s'entendre sur la base du rapport.

Soulignons que le seul fait, pour un gouvernement, de devoir soumettre son action à l'examen et l'évaluation d'un tiers participe de la dynamique de la reddition de compte intergouvernementale, chaque partie devant alors prendre acte des constatations de ce tiers et en tenir compte dans son rapport avec l'autre palier. Les provinces ont toutefois voulu ajouter une puissante logique d'imputabilité verticale dans l'hypothèse d'une impasse persistante entre les gouvernements. L'accord de Victoria prévoyait en effet que:

> *If a negotiated solution is again not reached, the report will be made public and the governments are to be advised by the report and will have to publicly justify their respective positions.*

Les gouvernements sont donc tenus de rendre compte publiquement auprès de la population et de justifier leurs actions. L'électorat sera à même de porter jugement sur le comportement des élus et d'attribuer les responsabilités politiques le cas échéant. On peut penser qu'étant donné l'importance des programmes sociaux pour la population canadienne, la pression politique en faveur du respect des recommandations formulées dans le rapport rendu public sera forte.

En plus de faire ainsi du peuple un acteur direct dans le processus en lui réservant la sanction ultime de l'incapacité des gouvernements de régler leurs différends, les provinces prescrivent des normes de transparence et d'imputabilité verticale applicables en toute circonstance relativement aux résultats obtenus à la faveur du processus:

> ***Reporting to Canadians***
>
> *Governments agree that the involvement of Canadians will help insure the mechanism is effective. Canadians will be involved in a number of ways, including:*
>
> Outcomes reporting: *Ensuring that all Canadians are informed on outcomes of the dispute settlement mechanism.*
>
> Annual public reporting: *Annual reporting on the operation of the mechanism, its goal, performance and effectiveness in helping to avoid and resolve disputes.*

En habilitant de la sorte les citoyens à surveiller le fonctionnement du processus, les provinces souhaitent en faire les gardiens de son efficacité. Les gouvernements provinciaux étaient assez clairement d'avis que l'imputabilité constituait un facteur clé dans la mise au point d'une procédure apte à favoriser le plus grand respect possible des engagements pris en matière de dépenses fédérales, de stabilité et de suffisance du financement des programmes. Cette stratégie n'est probablement pas étrangère à un souci de contrebalancer une certaine inégalité entre les parties dans un contexte de déséquilibre financier et fiscal en faveur d'Ottawa.

L'entente du 4 février 1999

La nouvelle version des propositions fédérales datant du 25 janvier 1999, bien que beaucoup plus détaillée sur plusieurs aspects, n'accorde guère d'importance à la question de la transparence. Ottawa se contente de stipuler que «les gouvernements rendront compte publiquement chaque année de la nature des différends intergouvernementaux et de la façon dont ils sont résolus».

Le principe de transparence se trouve dilué dans l'entente du 4 février par rapport au consensus de Victoria, les parties se rapprochant en cela du modèle fédéral. Précisons d'abord que le gouvernement fédéral et les neuf provinces retiennent une formule généralement moins contraignante que celle de l'accord de Victoria. Ainsi, les ministres sectoriels sont simplement conviés à utiliser le mécanisme décrit «comme guide et d'une manière appropriée». Les négociations, de niveau purement ministériel, seront fondées sur «des enquêtes conjointes pour établir les faits» comme l'indiquait le document fédéral du 15 juillet 1998. Les parties peuvent s'entendre pour faire intervenir un tiers qui aidera à établir les faits ou pour recourir à un médiateur. On note que le recours à un tiers reste à la discrétion des parties ce qui reprend la position fédérale mais s'éloigne du texte de Victoria où les provinces rendaient obligatoire cette démarche. Autre différence, il n'est pas question que l'enquête aboutisse à la formulation de recommandations, le rapport ne pouvant être que factuel.

Quant à la transparence et la reddition de compte, il est convenu que le rapport factuel ainsi que le rapport du médiateur, le cas échéant, pourront être rendus publics mais seulement si une des parties le demande:

> À la demande d'une des parties en cause, les rapports de médiation et ceux visant à établir les faits seront rendus publics.

Les protagonistes peuvent donc, d'un commun accord, assurer le secret complet du processus. Si le rapport établissant les faits est effectivement publié, il pourrait ne pas émaner d'un tiers et ne contiendra pas de recommandations, ce qui risque peut-être de rendre plus difficile l'évaluation des faits par l'électorat. Rappelons que les provinces avaient prévu, dans l'entente du 29 janvier, que la publication du rapport et des recommandations interviendrait seulement en cas d'impasse mais qu'elle serait alors obligatoire. L'accord de Victoria imposait également dans ce cas aux gouvernements le devoir de justifier publiquement leurs positions respectives. On ne retrouve pas dans l'entente du 4 janvier cette obligation explicite de justification publique suite à la publication du rapport, bien que l'on puisse supposer que, selon la teneur du rapport, les gouvernements pourront être amenés spontanément à s'expliquer auprès de la population.

Est également introuvable dans l'accord conclu avec Ottawa l'obligation prescrite à Victoria de faire rapport annuellement aux citoyens relativement au fonctionnement général du mécanisme, ses objectifs, son rendement et son efficacité. Le gouvernement fédéral et les neuf provinces s'engagent seulement à rendre compte publiquement chaque année de la nature des différends intergouvernementaux et de la façon dont ils ont été résolus. L'information devant être transmise à la population pourra par conséquent être moins complète.

Si le texte du 4 janvier 1999 se montre moins pointilleux en matière d'imputabilité verticale, il ajoute cependant un élément de reddition de compte intergouvernementale en disposant que le Conseil ministériel recevra «les rapports des divers gouvernements sur les progrès réalisés à l'égard des engagements en vertu de l'entente-cadre sur l'union sociale».

Synthèse de l'évolution de la position des provinces

Il convient de résumer ici l'écart entre la position de départ des provinces formulée dans le consensus de Saskatoon et le résultat final de la négociation que l'on retrouve dans les dispositions de l'entente du 4 février 1999.

La promotion de l'imputabilité par la clarification des responsabilités

Les neuf autres provinces ont accepté, le 4 février 1999, de renoncer en grande partie au consensus de Saskatoon et à l'accord de Victoria qui faisaient clairement du renforcement de l'imputabilité par la rationalisation des responsabilités un objectif démocratique et fonctionnel cardinal.

C'est plutôt la philosophie du pouvoir central qui l'emporte puisque la diminution et la prévention des enchevêtrements de responsabilités, en accord avec le primat du rôle des provinces en matière sociale, ne figure pas parmi les valeurs fondamentales et les principes effectifs de fonctionnement de l'union sociale établie à Ottawa.

Les chevauchements et doubles emplois actuels sont en quelque sorte cautionnés par les neuf provinces qui renoncent à tout mécanisme ministériel spécial de réorganisation des responsabilités eu égard aux programmes existants. En présence d'une nouvelle initiative fédérale dans leurs champs de compétence autre qu'un programme pancanadien soutenu par des transferts intergouvernementaux, elles n'obtiennent que la faculté de «repérer les possibilités de chevauchement» et de proposer des solutions de rechange.

L'imputabilité verticale comme principe général de l'union sociale: le chapitre 3

Le consensus de Saskatoon se distinguait substantiellement des propositions fédérales de juillet 1998 en ce qu'il ne contenait aucune disposition d'application générale traitant de l'imputabilité à l'égard des citoyens. On s'en remettait alors largement aux mécanismes habituels de reddition de compte en démocratie parlementaire. L'accord de Victoria reflétait pour sa part, à son chapitre 7, un rapprochement relatif entre les provinces et le fédéral quant à l'obligation générale des gouvernements d'évaluer l'efficacité de leurs programmes et d'informer les électeurs des résultats ainsi que des rôles et de la contribution financière de chaque ordre de gouvernement. Le rapprochement devient pratiquement total dans l'entente d'Ottawa alors que les neuf provinces abandonnent l'approche de Victoria qui valorisait l'autonomie et l'action indépendante des gouvernements quant à l'élaboration des instruments de mesure des résultats de leurs propres programmes.

En plus d'accepter une procédure intergouvernementale d'élaboration des instruments de mesure et des objectifs légitimant un rôle normatif fédéral et tendant vers la normalisation nationale des programmes, les provinces conviennent de confier éventuellement un rôle à des tiers dont l'intervention ne favorisera pas d'emblée le maintien de la diversité des politiques. Elles se rallient à la préoccupation fédérale pour une «reconnaissance publique» du rôle des deux gouvernements dans les domaines de compétence provinciale et se soumettent volontiers à l'injonction souhaitée par Ottawa à l'encontre de tout détournement des fonds fédéraux. Enfin, les gouvernements provinciaux font leur deuil de l'idée d'obliger les gouvernements à faire rapport publiquement de leur engagement en faveur d'un financement stable et suffisant des programmes.

Le fossé s'avère par contre moins grand entre le consensus provincial de Victoria et le chapitre 3 de l'entente d'Ottawa en ce qui a trait à la participation des citoyens à la définition des priorités sociales et au droit des administrés de disposer de recours administratifs équitables et transparents. Le gouvernement fédéral et les neuf provinces viennent en fait accentuer la logique de transparence et d'imputabilité déjà présente dans la position provinciale énoncée à Victoria notamment en prévoyant, par exemple, un mécanisme d'examen public des évaluations des programmes et en obligeant notamment les gouvernements à rendre compte publiquement des appels interjetés et des plaintes déposées. Il appert que les provinces n'aient guère perdu de terrain du point de vue de leur aptitude à concevoir leurs mécanismes particuliers de contrôle administratif.

L'imputabilité dans le contexte des dépenses fédérales afférentes à des programmes pancanadiens

Tant à Saskatoon qu'à Victoria, les provinces ont adopté la position voulant que les mécanismes d'imputabilité ne puissent qu'être intégralement consensuels dans le domaine des programmes pancanadiens touchant les sphères de juridiction provinciale. Se trouvait de la sorte exclue la possibilité qu'une province soit assujettie contre son gré à une quelconque forme de reddition de compte alors qu'elle n'adhérait pas à un programme pancanadien. Or l'entente du 4 février annonce un revirement fondamental dans l'attitude des neuf provinces qui consentent maintenant à ce que le fédéral et une majorité des provinces établissent conjointement un cadre d'imputabilité auquel une province non participante ne saurait se soustraire sans se voir nier le droit à une compensation financière.

De plus, alors que les documents de Saskatoon et de Victoria envisageaient uniquement des mécanismes consensuels d'imputabilité verticale destinés à rendre compte aux citoyens, rien dans l'entente du 4 février 1999 n'empêche Ottawa et une majorité de provinces de s'entendre sur une imputabilité intergouvernementale conférant un véritable droit de regard au gouvernement central dans la conception et la conduite par une province des politiques sociales relevant de ses attributions constitutionnelles exclusives.

Non seulement les neuf provinces ne s'opposent-elles pas à la possibilité d'une reddition de compte intergouvernementale, mais elles sont également d'accord pour étendre cette imputabilité au contrôle de l'«atteinte» effective des objectifs pancanadiens fixés par Ottawa et une majorité de provinces.

La transparence par la consultation intergouvernementale lorsqu'une décision affecte l'autre palier

Le consensus des provinces exprimé à Saskatoon et à Victoria aurait pu contribuer à freiner l'unilatéralisme fédéral dans la modification des programmes existants en contraignant Ottawa à faire preuve de transparence à l'égard des provinces, à s'expliquer auprès d'elles et à tenir compte de leur point de vue avant de mettre en œuvre une quelconque modification. Les autorités fédérales s'étaient pour leur part montrées soucieuses de préserver une marge de manœuvre relativement aux programmes existants en n'envisageant l'obligation de tenir des consultations que lorsqu'un nouveau programme était créé.

Mais en donnant leur accord au texte du 4 février 1999, lequel ne fait que prescrire un préavis général sans exiger de consultation en cas de modification des programmes existants, les neuf provinces se sont essentiellement rangées à l'avis du pouvoir central. Elles bénéficieront certes elles aussi de la liberté de modifier leurs propres programmes sans consultation obligatoire, mais il s'agit d'une latitude à laquelle elles avaient d'emblée consenti à renoncer à Saskatoon et à Victoria en échange du droit d'amener Ottawa à agir de façon transparente et à justifier tout changement unilatéral des programmes existants ayant une incidence sur leurs politiques sociales.

L'imputabilité en matière de règlement des différends

Il ressort des termes de l'entente du 4 février 1999 que les neuf provinces ont dilué leur position par rapport à l'accord de Victoria sur la question de la transparence et l'imputabilité verticale en matière de règlement des différends. Le rapport d'enquête susceptible d'être divulgué à la population ne contiendra pas de recommandations quant aux moyens d'assurer le respect de l'entente-cadre et les gouvernements n'auront pas l'obligation explicite de rendre compte publiquement de leur incapacité à trouver une solution. L'entente d'Ottawa élimine également le devoir de faire rapport annuellement à la population sur le fonctionnement du mécanisme de règlement des différends et sa capacité de promouvoir la conformité de l'action gouvernementale aux engagements convenus.

Mais si les provinces acceptent de diminuer les mesures spéciales d'imputabilité verticale qui auraient pu leur servir de levier pour atténuer un rapport de force défavorable en matière financière, elles n'y renoncent pas totalement. En vertu de l'accord d'Ottawa, il sera loisible aux gouvernements d'exiger la publication du rapport factuel ou du rapport de médiation avant qu'une impasse ne se cristallise. Cette mesure sera susceptible d'amener un gouvernement à s'expliquer publiquement.

En somme, l'évolution de la position des provinces de Saskatoon à Ottawa aboutit, sur plusieurs fronts, à un fléchissement indéniable en faveur du point de vue fédéral: l'impératif de renforcement de l'imputabilité par la réduction systématique des dédoublements s'estompe largement, la faculté d'action autonome des provinces en matière d'évaluation des programmes n'est pas admise, une province devra s'astreindre à un cadre d'imputabilité imposé par la majorité si elle veut pouvoir éviter de participer à un nouveau programme pancanadien sans priver sa population des transferts fédéraux, et Ottawa n'a à peu près pas à rendre compte de la modification des programmes existants.

Partie III: L'entente du 4 février 1999 au regard de la position traditionnelle du Québec

La position historique du Québec en matière d'imputabilité et de reddition de compte

La position générale du Québec relativement à l'organisation des pouvoirs dans le domaine social

Les gouvernements successifs du Québec se sont longtemps opposés, dans la foulée de la Deuxième Guerre mondiale, aux dépenses fédérales afférentes à des programmes sociaux dans les domaines de compétence provinciale exclusive. Reconnaissant toutefois aux autres provinces la liberté de recevoir plus favorablement l'interventionnisme fédéral, ils ont revendiqué le droit pour le Québec de se retirer sans condition, et avec pleine compensation fiscale, des programmes établis par Ottawa à des fins provinciales. Il s'agissait pour le Québec de réclamer un partage plus équilibré des ressources fiscales apte à garantir sa capacité d'exercer, en toute indépendance financière par rapport au pouvoir central, des attributions constitutionnelles tenues pour indispensables à la sauvegarde et la promotion du particularisme québécois[1].

Les grandes manœuvres constitutionnelles de 1987 et 1992 ont toutefois amené le Québec à accepter des compromis significatifs

1. Voir de manière générale le document intitulé: Position historique du Québec sur le pouvoir de dépenser 1944-1998, Secrétariat aux Affaires intergouvernementales canadiennes, 1998 (ci-après «le document du SAIC»).

dans le contexte de négociations plus larges que l'on estimait de nature à satisfaire diverses revendications historiques. Ainsi, le gouvernement québécois souscrit en 1987 à l'Accord du lac Meech dont l'article 7 portait sur une modification constitutionnelle obligeant le gouvernement du Canada à accorder une juste compensation à une province se retirant d'un nouveau programme national cofinancé dans un domaine de compétence provinciale dans la mesure où cette province appliquait un programme «compatible avec les objectifs nationaux[1]». Il n'en résultait qu'un encadrement bien partiel des dépenses fédérales sans que la province non participante échappe complètement aux contraintes découlant d'objectifs nationaux[2].

L'entente de Charlottetown reconduisait ce compromis quant aux programmes cofinancés, mais en confortant quelque peu le rôle fédéral par une référence à l'article 36 de la Loi constitutionnelle de 1982 relatif aux engagements du pouvoir central en matière de péréquation et de développement social et économique[3]. L'entente, qui consacrait l'engagement politique des gouvernements à préserver et développer l'union sociale notamment sur la base des grandes normes nationales en matière de santé[4], comportait également un mécanisme d'encadrement général des dépenses fédérales dans des secteurs de compétence provinciale. Par ce mécanisme applicable à l'ensemble des programmes fédéraux nouveaux ou existants, le fédéral et les provinces devaient s'assurer de minimiser les chevauchements, respecter les priorités provinciales tout en favorisant «la réalisation d'objectifs nationaux». Le consentement préalable des provinces et le droit de retrait avec compensation ne figuraient pas

1. La disposition constitutionnelle proposée se lisait comme suit: 106A. (1) Le gouvernement du Canada fournit une juste compensation au gouvernement d'une province qui choisit de ne pas participer à un programme national cofinancé qu'il établit après l'entrée en vigueur du présent article dans un secteur de compétence exclusive provinciale, si la province applique un programme ou une mesure compatible avec les objectifs nationaux. (2) Le présent article n'élargit pas les compétences législatives du Parlement du Canada ou des législatures des provinces.

2. De plus, comme le souligne le professeur André Tremblay, l'Accord du lac Meech confirme ou, à tout le moins, présuppose l'existence d'un pouvoir fédéral de dépenser à des fins provinciales: «L'objectif de l'article ne consistait donc pas à reconnaître le pouvoir de dépenser ou à délimiter son étendue avec précision, quoique l'article supposât et confirmât l'existence du pouvoir du Parlement fédéral d'établir, dans les sphères de compétence provinciale, des programmes de subventions conditionnelles définissant des objectifs nationaux». Voir A. Tremblay, La réforme de la constitution au Canada, Thémis, 1995, p. 129-130.

3. Voir le nouvel art. 106A proposé.

4. Voir le nouvel art. 36.1 proposé.

parmi les paramètres explicites d'encadrement des initiatives fédérales bien qu'il eût apparemment été possible d'en convenir à la faveur des négociations politiques intergouvernementales[1]. Ces dispositions tendaient à confirmer, tout en le balisant, le principe de dépenses fédérales dans des domaines de juridiction provinciale exclusive.

En outre, l'accord de Charlottetown envisageait le retrait négocié du fédéral du domaine du développement et de la formation de la main-d'œuvre, assorti d'une juste compensation à la province demandant le retrait fédéral[2]. Ce retrait ne concernait toutefois que les programmes fédéraux «visant la province» et cette dernière devait veiller à ce que ses programmes soient globalement compatibles avec les objectifs nationaux élaborés conjointement par le gouvernement fédéral et les provinces[3].

Il ressort des épisodes de Meech et de Charlottetown que le Québec s'est montré disposé, dans le contexte de négociations constitutionnelles historiques de portée plus générale, à s'accommoder d'un droit de retrait en contrepartie duquel il devait rendre ses programmes sociaux compatibles avec des objectifs pancanadiens élaborés par Ottawa, dans le cas des nouveaux cofinancés, ou par une instance intergouvernementale dans les autres cas. Même s'il ne faut pas faire abstraction de la complexité des enjeux, notamment dans le cas de Charlottetown, et bien que les autorités québécoises aient par la suite exprimé des opinions plus défavorables aux normes ou objectifs nationaux, il faut compter les positions adoptées en 1987 et 1992 parmi les diverses expressions de l'attitude du Québec en matière d'organisation des pouvoirs dans le domaine des politiques sociales.

La position du Québec envisagée sous l'angle de l'imputabilité et la reddition de compte

Quelle analyse peut-on faire de l'attitude du Québec eu égard à la question de l'imputabilité des gouvernements relativement aux programmes sociaux? Faisons d'abord remarquer que le thème de l'imputabilité et de la transparence n'a pas traditionnellement occupé la place qui lui est aujourd'hui dévolue dans le discours politique et constitutionnel entourant la répartition des responsabilités gouvernementales dans le secteur social. Il ne faut cependant pas en

2. Voir l'article 93B.
3. Voir l'article 93C.

déduire que la logique d'imputabilité et de transparence est totalement absente de la perspective québécoise.

L'imputabilité intergouvernementale

La question de la reddition de compte à Ottawa et des contrôles administratifs apparaît rapidement comme l'un des motifs d'insatisfaction du Québec à l'égard des dépenses fédérales conditionnelles dans les champs de compétence provinciale. Dès 1960, le premier ministre du Québec lie son rejet des dépenses fédérales conditionnelles à un désir d'éviter les contrôles administratifs:

> L'expérience démontre que souvent ces programmes conjoints ne permettent pas aux provinces d'utiliser leurs propres revenus comme elles l'entendent et de tenir suffisamment compte des conditions locales. De plus, elles soulèvent aussi des difficultés administratives qui signifient perte d'efficacité ou double emploi et des frais plus élevés. Les provinces doivent avoir à leur service un personnel spécialement chargé de faire rapport à Ottawa de l'exécution de ces programmes et le gouvernement fédéral doit à son tour engager des fonctionnaires pour voir à ce que les conditions exigées par Ottawa soient remplies par les provinces[1].

C'est notamment pour minimiser les contrôles administratifs que le gouvernement du Québec privilégie le retrait avec compensation fiscale plutôt que monétaire[2]. Les procédures de contrôle ont évolué au gré des changements dans l'administration des programmes de transferts fédéraux. Par exemple, sous l'empire du Régime d'assistance publique du Canada, l'administration provinciale devait communiquer le contenu de son programme au gouvernement fédéral préalablement à l'octroi du financement en plus de devoir transmettre à Ottawa les données afférentes aux dépenses engagées pour obtenir le versement des fonds. Dans le cadre du Transfert canadien en matière de santé et de programmes sociaux, seul un rapport annuel relatif aux programmes financés est transmis à l'administration centrale.

Bien qu'il ait convenu, dans le cadre des accords de Meech et de Charlottetown, de s'astreindre à assurer la compatibilité de ses programmes avec des objectifs nationaux, le gouvernement québécois

1. Voir l'étude du SAIC. Discours prononcé par le premier ministre Lesage lors de l'ouverture de la conférence fédérale-provinciale d'Ottawa, 25-27 juillet 1960. Voir également les propos tenus par le premier ministre Bourassa en 1971 lors de la conférence des premiers ministres, à Ottawa, les 15-17 novembre 1971, reproduits à la p. 28.
2. Voir le discours de M. Bourassa, *ibid.*

n'y a pas modifié son attitude quant à la reddition de compte. Il n'y a pas davantage renoncé à sa prédilection pour un abattement de points d'impôt. Les dispositions pertinentes des accords constitutionnels de 1987 et 1992 ne précisaient d'ailleurs pas les modalités de versement de la juste compensation qui serait accordée aux provinces désireuses de se soustraire aux programmes fédéraux. On ne subordonnait pas non plus l'octroi de la compensation à l'engagement de la province de se conformer à un quelconque cadre constitutionnel d'imputabilité et de reddition de compte quant à la compatibilité de ses programmes aux objectifs nationaux[1].

Dans sa pratique récente, le Québec a consenti, aux fins d'ententes particulières avec le gouvernement fédéral dans le domaine de l'emploi, à appliquer des cadres d'imputabilité comportant certaines démarches conjointes et la transmission à Ottawa de différents types de renseignements ou de rapports. Ainsi, dans le chapitre 5 de *l'Entente de mise en œuvre Canada-Québec relative au marché du travail*, le Québec accepte de «discuter» et d'«échanger» avec Ottawa relativement à l'établissement, au suivi et à la révision des cibles de résultats, de transmettre au Canada les résultats des indicateurs (5.2.3.2.) ainsi que les données requises pour le calcul de ces résultats. En outre, Québec s'engage à discuter avec Ottawa du cadre d'évaluation que la province élaborera (5.3.1), à transmettre au fédéral les rapports d'évaluation dès qu'ils seront approuvés (5.3.3.), à déposer un rapport financier portant attestation du Vérificateur général du Québec notamment quant à la conformité de l'usage des fonds aux fins prévues par l'entente (5.5.) et, enfin, à fournir au Canada un rapport détaillé concernant la perception et l'affectation des trop-payés dans les activités visées par l'entente (5.6.). L'*Entente d'aide à l'employabilité des personnes handicapées*, sans être identique, obéit à une logique semblable.

La pratique récente donne à penser que le Québec peut s'accommoder de certaines formules de reddition de compte intergouvernementale, destinées notamment à faciliter l'imputabilité d'Ottawa envers ses propres commettants, lorsqu'il estime conserver la maîtrise exclusive de tous les aspects essentiels des programmes.

---

1. Certaines des modifications constitutionnelles envisagées dans les accords de Meech et de Charlottetown, plus particulièrement l'article 106A concernant les nouveaux programmes cofinancés, auraient en revanche conféré au gouvernement fédéral le droit d'enclencher à l'encontre d'une province une procédure de contrôle judiciaire de constitutionnalité en vue de faire statuer sur la conformité des programmes provinciaux aux objectifs nationaux.

L'imputabilité verticale

L'opposition traditionnelle des gouvernements québécois à l'immixtion d'Ottawa dans le domaine social provincial par le biais des dépenses fédérales procède non seulement d'une quête autonomiste séculaire, mais aussi d'une volonté de rationalisation des responsabilités en vue d'éliminer les interventions contradictoires ou faisant double emploi des deniers publics. La justification la plus usitée de cette lutte au chevauchement et à l'enchevêtrement des programmes semble toutefois viser l'utilisation efficiente des ressources fiscales plutôt qu'une préoccupation de transparence organisationnelle et d'imputabilité envers les citoyens[1]. Les considérations se rapportant au renforcement de la confiance du public par une organisation plus rationnelle des programmes ne sont par contre pas totalement absentes du discours québécois[2].

En préconisant le retrait du fédéral et la reconnaissance des compétences exclusives de la province, le Québec s'est inscrit tout naturellement dans la logique d'une clarification des responsabilités propice à l'imputabilité envers l'électorat. L'acceptation d'un droit de retrait conditionnel dans les accords de Meech et de Charlottetown ne déroge pas à cette logique. De même, la demande traditionnelle du Québec que le droit de retrait d'un programme soutenu par des dépenses fédérales soit assorti d'une compensation de nature fiscale plutôt que financière tend à favoriser l'imputabilité en faisant en sorte que le gouvernement qui dépense les deniers publics soit aussi celui qui les perçoit.

Par ailleurs, il semble que le Québec n'ait pas, dans le passé, préconisé la mise en place des mesures spéciales d'imputabilité verticale applicables à l'ensemble des politiques sociales.

---

1. Voir l'étude du SAIC. Dans un mémoire sur la question constitutionnelle présenté à une conférence intergouvernementale tenue à Ottawa les 5-7 février 1968, le gouvernement du Québec déclarait «si le gouvernement du Québec insiste tant pour reprendre la pleine maîtrise de la sécurité sociale, c'est pour deux raisons principales. D'abord parce que la coexistence de deux gouvernements dans ce domaine empêche une planification efficace de la sécurité sociale, permet la contradiction entre les divers programmes et mène au double emploi administratif et au gaspillage...». Voir également la déclaration du ministre Castonguay en 1970, à la p. 26 et celle du premier ministre René Lévesque en 1978, à la p. 29. Le premier ministre Daniel Johnson tenait le même discours en 1994 pour s'opposer aux chevauchements créés par la présence fédérale dans les domaines de compétence provinciale exclusive, voir la lettre adressée à M. Marcel Massé le 15 février 1994, à la p. 37.
2. Voir, par exemple, la lettre transmise par le premier ministre Daniel Johnson à M. Marcel Massé, *ibid.*

On peut retenir de ce survol de la position du Québec qu'il a en général cherché à éviter que les cadres intergouvernementaux de reddition de compte entravent l'efficacité et l'autonomie des politiques sociales québécoises. Il a aussi revendiqué l'exclusivité de la responsabilité du domaine social, ce qui en soi favorise la clarification des rôles dans ce secteur et donc l'imputabilité envers les citoyens.

L'entente du 4 février au regard de la position traditionnelle du Québec

L'imputabilité par l'organisation des pouvoirs

L'entente du 4 février s'éloigne clairement de la position traditionnelle du Québec du fait que, contrairement aux consensus provinciaux, elle ne valorise pas de manière systématique la rationalisation des responsabilités et la lutte contre les chevauchements et les enchevêtrements de programmes; elle ne comporte aucun engagement à mettre en place une quelconque instance chargée d'organiser et de mener à bien un programme de révision des rôles respectifs des gouvernements au nom de la transparence et de l'imputabilité.

Elle s'en distancie d'autant plus que le chapitre 5 limite la faculté de non-participation d'une province aux seules nouvelles initiatives pancanadiennes soutenues par des transferts intergouvernementaux ouvrant ainsi la porte à la perpétuation de double emploi résultant de programmes fédéraux existants et de nouvelles initiatives non visées par le droit de retrait et qui ne seront assujetties qu'à une simple consultation (subventions directes, etc.).

L'imputabilité verticale comme principe de base de l'union sociale

La position traditionnelle du Québec a été de traiter ses programmes sociaux comme l'ensemble des politiques gouvernementales pour ce qui concerne la reddition de compte aux citoyens, c'est-à-dire en conformité avec la panoplie des mécanismes usuels de contrôle et d'imputabilité qui caractérisent la démocratie parlementaire. Le chapitre 3 de l'entente du 4 février se distingue de cette approche en introduisant des mesures spéciales d'évaluation et d'information pour le cas particulier des programmes sociaux.

Alors que le Québec a constamment revendiqué de pouvoir mener de manière autonome ses propres politiques au nom de sa spécificité culturelle et sociale, l'entente engage les gouvernements provinciaux et fédéral à évaluer tous leurs programmes en fonction d'indicateurs convergents élaborés conjointement et corrélés à des objectifs convenus entre les gouvernements. Ce cadre d'évaluation de type intégrationniste s'étend aux programmes purement provinciaux, ce qui n'est guère conciliable avec le point de vue historique du Québec.

L'entente favorise en outre la participation formelle de tierces parties à l'évaluation des programmes, ce qui pourrait permettre à des groupes d'intérêts parfois peu sensibles aux aspirations différentialistes du Québec d'exercer une influence accrue sur l'orientation des programmes provinciaux. Enfin, les provinces conviennent dans l'accord d'Ottawa de reconnaître et d'expliquer publiquement la contribution et le rôle du fédéral dans les champs de compétence provinciale. Une telle mobilisation obligée des provinces dans la consécration formelle de la présence fédérale dans leurs domaines en principe réservés cadre mal avec le discours traditionnel de Québec.

L'imputabilité dans le contexte des dépenses fédérales afférentes aux programmes pancanadiens

Aux termes du chapitre 5 de l'entente du 4 février 1999, le gouvernement fédéral et une majorité de provinces pourront imposer à une province ne souhaitant pas participer à un nouveau programme pancanadien l'obligation, non seulement d'atteindre les objectifs nationaux qu'ils fixeront, mais aussi de respecter un cadre d'imputabilité. Ce cadre sera pancanadien et non adapté à la situation singulière du Québec comme c'est le cas des mesures d'imputabilité purement consensuelles insérées dans les ententes particulières avec le Québec en matière d'emploi. Il n'est en effet pas prévu que la province désireuse de se soustraire au programme fédéral avec pleine compensation pourra négocier un cadre d'imputabilité modelé en fonction de ses spécificités.

Si dans les accords du lac Meech et de Charlottetown le Québec avait souscrit au principe de compatibilité de ses programmes avec des objectifs nationaux, il ne s'était pas lié au point de devoir assurer l'atteinte effective des objectifs précis applicables. Il n'était pas non plus allé jusqu'à accepter à l'avance qu'un cadre national d'imputabilité auquel il n'aurait nullement souscrit puisse lui être opposable de manière à le contraindre de se soumettre aux évaluations et aux vérifications permettant de démontrer l'atteinte effective des objectifs établis. Dans le passé, les gouvernements du Québec ont plutôt cherché à minimiser les redditions de compte et les contrôles administratifs en préconisant les compensations fiscales plutôt que les transferts de fonds.

Par ailleurs, le pouvoir central et une majorité de provinces auront toute la latitude voulue pour négocier des règles de reddition de compte intergouvernementales donnant un droit de regard important au fédéral et aux autres provinces sur l'administration et l'évaluation des programmes, y compris les programmes des provinces non participantes. En effet, rien ne permet de dire que le rôle du fédéral sera confiné, en vertu du cadre d'imputabilité prévu par l'entente du 4 février, à celui qui lui revient aux termes des ententes particulières avec le Québec.

Conclusion

Il n'y a pas lieu de répéter ici dans le détail les conclusions formulées dans les pages qui précèdent, sinon de rappeler que l'écart entre la position de départ des provinces et le résultat final des négociations paraît globalement important pour ce qui concerne la question de l'imputabilité. De manière générale, on peut discerner un affaiblissement de la volonté de responsabiliser les gouvernements en éliminant les dédoublements et de sauvegarder la liberté d'action des provinces en matière d'imputabilité verticale et intergouvernementale. Le fédéral, quant à lui, s'en tire sans avoir véritablement à rendre de compte aux provinces d'un grand nombre de ses interventions dans leurs champs de compétence.

Le fossé paraît encore plus grand entre l'entente du 4 février 1999 et l'attitude historique du Québec pour qui le droit de retrait de toutes les initiatives fédérales a depuis longtemps été une condition essentielle de la rationalisation des responsabilités et qui, jaloux de son autonomie, n'a jamais prisé qu'on lui impose, dans la conduite de ses programmes, des mécanismes intergouvernementaux d'évaluation et de reddition de compte.

Travailler en partenariat pour les Canadiens

Alain-G. Gagnon

Introduction

Le présent document vise à faire le point sur l'ensemble des dispositions pertinentes proposées par le front commun des provinces, d'abord dans le consensus de Saskatoon du 6 août 1998, puis dans la proposition de Victoria du 29 janvier 1999, en regard de l'établissement d'un partenariat visant à améliorer l'union sociale du 4 février 1999. Pour bien mesurer l'ampleur des changements, nous procéderons dans une première partie à l'analyse de l'évolution de la position des provinces à ces trois étapes clés du processus de négociation en établissant les demandes initiales des provinces et les résultats obtenus à la fin du processus. Certains avanceront qu'il s'agit ici d'un processus et que les choses peuvent toujours évoluer de façon inattendue. Quoi qu'il en soit, nous sommes d'avis que l'analyse de l'évolution de la position des provinces quant à l'établissement ou non de pratiques partenariales est révélatrice de grandes tendances et non de courants et constitue un point de repère important pour l'avenir constitutionnel et politique du Canada. Dans une deuxième partie, nous évaluerons l'écart entre les positions constitutionnelles défendues par le gouvernement du Québec et le résultat final de la négociation eu égard à un partenariat entre les ordres de gouvernement dans l'établissement de l'union sociale canadienne.

Mise en contexte

Le projet d'union sociale et économique s'inscrit dans la foulée des réformes administratives annoncées pour répondre aux attentes de l'ensemble des citoyens canadiens à la suite des échecs constitutionnels de Meech (1990) et de Charlottetown (1992). Il devenait impératif pour les provinces de mieux affirmer leurs rôles dans la fédération canadienne à la suite de l'élection fédérale de 1993 qui portait les libéraux du premier ministre Jean Chrétien au pouvoir. Les premiers ministres provinciaux profitèrent d'ailleurs de leur rencontre annuelle pour faire avancer leurs positions communes dans plusieurs domaines, par exemple dans l'établissement d'un marché commun intérieur le moins contraignant possible, dans l'affirmation du rôle clairement identifié des provinces dans leurs champs de compétences exclusives et dans leur volonté expresse de mieux encadrer le pouvoir fédéral de dépenser dans ces mêmes champs.

Les élections fédérales de 1993 et de 1997 sont venues redéployer les liens d'autorité établis dans l'ensemble canadien puisque, d'une part, Ottawa a cherché à négliger les rencontres fédérales-provinciales contrairement à la pratique antérieure et que, d'autre part, les provinces ont cherché à faire des rencontres annuelles des premiers ministres provinciaux un lieu de consensus en vue d'établir leurs préférences politiques. L'importance de ces rencontres n'est pas sans rappeler les initiatives provinciales de Jean Lesage et John Robarts au cours des années 1960 alors que le Canada avait atteint un point de rupture.

L'élection fédérale de 1993 a eu comme répercussion de ramener le Canada une décennie en arrière en portant au pouvoir un gouvernement central peu à l'écoute des provinces. On se rappellera que c'est d'ailleurs en partie pour leur faible volonté de conciliation que les libéraux fédéraux, s'étant aliéné les provinces canadiennes qui avaient, pour la plupart, porté au pouvoir des gouvernements conservateurs au début des années 1980, avaient été défaits à l'élection fédérale de 1984. Les conservateurs de Brian Mulroney, qui avaient pris l'engagement de réintégrer le Québec avec honneur et enthousiasme dans la fédération et de mettre fin aux confrontations fédérales-provinciales, balayaient alors le pays.

La décision des leaders provinciaux de mieux arrimer leurs positions communes n'est pas sans conséquence puisque, si menée à terme, elle rend dans la pratique les menaces d'intervention unilatérale du gouvernement central impossibles. Naturellement, Ottawa possède une arme fort importante pour miner le consensus éventuel des provinces, celle de son pouvoir de dépenser. Nous verrons plus loin comment dans le cas de la présente négociation de l'union sociale, le gouvernement central, sous la gouverne de Jean Chrétien, n'a pas hésité à utiliser les deniers publics pour y faire adhérer les provinces hors Québec. Donc, retour à la case de 1984. Pour ce faire, il privilégie les mesures budgétaires, donnant ainsi aux Canadiens une vision comptable de la fédération canadienne. C'est ainsi que depuis 1993, le gouvernement central a imposé les grandes orientations gouvernementales au moment du dépôt du budget, négligeant même de chercher des accommodements avec les gouvernements provinciaux à l'extérieur de ce cadre. Le forum de la Rencontre des premiers ministres canadiens est présenté par Ottawa comme un lieu de discorde alors qu'il constitue simplement un haut lieu de délibération démocratique entre l'ensemble des représentants des communautés politiques canadiennes.

C'est dans ce contexte qu'il nous faut situer le projet de loi C-76 déposé le 27 février 1995 et adopté le 6 juin de la même année et portant sur le Transfert canadien en matière de santé et de programmes sociaux. En rupture avec la pratique fédérale qui est de consulter les provinces dans les champs relevant de leurs compétences, avant de procéder à des changements de priorités pouvant avoir une incidence significative sur la gestion de ces secteurs, le gouvernement central a choisi de revoir unilatéralement les méthodes de calcul et la façon de procéder aux paiements de transfert aux provinces. Les personnes et les groupes qui se sont présentés devant le Comité des finances (Ottawa) ont, à quelques exceptions près, dénoncé la façon cavalière et arrogante du gouvernement central de procéder et ont dénoncé aussi le manque flagrant de transparence dans l'établissement des nouvelles priorités. On est bien loin de la volonté exprimée par Ottawa, tant dans le Discours du Trône que dans les budgets successifs du ministre des Finances, Paul Martin, d'établir d'un commun accord avec les provinces les principes en vue de doter le Canada d'une union sociale. Cela est assurément révélateur du type de partenariat que souhaite imposer le gouvernement central aux provinces. C'est sur quoi nous nous pencherons maintenant en faisant le point sur l'évolution des relations fédérales-provinciales au cours des dernières années.

De l'union économique à l'union sociale

Le concept d'union sociale est mal connu des Québécois et encore peu dans le reste du Canada. L'idée d'une union sociale canadienne a initialement fait son entrée au moment des discussions constitutionnelles entourant *Les propositions fédérales* de septembre 1991, à la veille de mettre sur pied la Commission Castonguay-Dobbie qui sera relayée par la Commission Beaudoin-Dobbie, et l'entente de Charlottetown. On se souviendra que l'entente elle-même ne traitait pas d'une union sociale; on y faisait plutôt référence à une union économique pancanadienne. Plusieurs éléments de la gauche canadienne-anglaise y voyant un oubli majeur dans leur projet d'une nation pancanadienne choisirent d'ailleurs de s'opposer carrément à l'entente de Charlottetown.

Si l'on analyse plus en détail les propositions fédérales de 1991, on constate une volonté clairement exprimée de mettre à contribution les territoires et les provinces. Le gouvernement de Brian Mulroney y fait même la suggestion de créer un Conseil de la fédération qui serait appelé à trouver des façons d'améliorer le fonctionnement de l'union économique canadienne, d'harmoniser et de coordonner les politiques financières et de s'entendre sur l'emploi à faire du pouvoir fédéral de dépenser dans de nouveaux programmes cofinancés. Les décisions du Conseil de la fédération exigeraient l'appui du gouvernement central et d'au moins sept provinces représentant 50 % de la population canadienne.

L'idée d'un intrafédéralisme plutôt que celle d'un partenariat véritable entre les membres de la fédération et le gouvernement central est au cœur des délibérations souhaitées dans le document de travail. Mais, soulignons-le, pas question de la part du gouvernement central de se contenter d'une simple majorité des provinces pour procéder à des changements dans les champs concernant les provinces; le gouvernement insiste pour que cet appui soit fixé à un minimum de 50 % de la population canadienne.

Il n'a pas été fréquemment question d'union sociale lors des réunions des premiers ministres provinciaux, tout au moins jusqu'à celle tenue au mois d'août 1996, huit mois à peine après le référendum québécois sur le projet de partenariat proposé par le gouvernement du Québec en vue de trouver une solution à la crise constitutionnelle canadienne. C'est d'ailleurs juste avant la réunion annuelle que le gouvernement de l'Ontario a retiré le document de travail, élaboré par l'économiste Thomas J. Courchene pour le compte du ministère des Affaires intergouvernementales et intitulé *Convention sur les systèmes économiques et sociaux du Canada*, qu'il souhaitait déposer afin de proposer un rééquilibrage de la fédération canadienne et qui aurait pu répondre à certaines demandes du Québec. Notons toutefois qu'à la suite de vives oppositions de certains premiers ministres provinciaux, le gouvernement de l'Ontario a souhaité ne pas rendre public ce document de travail à ce moment, allant même jusqu'à avancer qu'il ne représentait pas nécessairement la position du gouvernement.

Ce document, inspiré en partie par la position provinciale exprimée dans le *Rapport des premiers ministres de 1995*, constitue toutefois un point de départ utile pour présenter la façon dont les provinces envisageaient l'avenir de la fédération canadienne sur la base d'un partenariat entre les divers ordres de gouvernement. Il est d'ailleurs fait état que, contrairement à d'autres fédérations comme l'Allemagne, la Suisse et l'Australie, le Canada n'a jamais cherché à faire intervenir directement les provinces dans le fonctionnement du marché interne, indiquant jusqu'à quel point le gouvernement central a négligé de mettre à contribution les États-membres de la fédération.

Deux des principaux objectifs défendus dans le document sont le maintien et la consolidation de l'union économique et sociale. Ayant constaté les réductions majeures dans les transferts aux provinces dans l'éducation et les politiques sociales en particulier depuis l'élection des libéraux en 1993, les Premiers ministres provinciaux souhaitaient, en priorité, pouvoir en garantir la pérennité. Soulignons que de 1995 à 1997, les paiements de transfert aux provinces ont été coupés de 6 milliards de dollars, ce qui a forcé les provinces à entreprendre une réforme sans précédent dans les secteurs de la santé et de l'éducation.

Le document préparé par l'économiste Courchene avance plusieurs propositions intéressantes. Premièrement, on y propose de mettre fin à l'habitude prise par Ottawa de fixer les normes et d'imposer un marché commun interne. L'idée de convention avancée par l'Ontario suggère d'établir soit des partenariats fédéraux-provinciaux, soit, ce qui est vu comme préférable, des ententes interprovinciales laissant ainsi une marge de manœuvre significative aux provinces en vue de l'atteinte d'une plus grande efficacité dans l'accomplissement d'une union interne. Tout accord de partenariat fédéral-provincial en vue d'une union économique et sociale devrait miser sur les principes suivants: la responsabilité, la transparence, l'efficacité, l'équité, les droits des citoyens, la subsidiarité, le principe fédéral, la souplesse fédérale quant au pouvoir de dépenser, l'application d'une convention d'égal à égal entre Ottawa et les provinces à l'intérieur de laquelle il reviendrait aux provinces de faire pleinement reconnaître leurs droits, le principe du traitement provincial calqué sur celui que l'on retrouve dans l'Accord de libre-échange et, finalement, le maintien du *statu quo* là où des changements n'auront pas pu être atteints.

Le document de l'Ontario parle aussi de deux étapes de mise en place des formules partenariales entre les provinces, de même qu'entre ces dernières et le gouvernement central, consistant à adopter un modèle provisoire, puis un modèle plus exhaustif et permanent en vue de réaliser l'union économique et sociale. Le document insiste pour qu'au cours de la phase provisoire, les engagements suivants soient maintenus ou pris selon le cas: les principes fondamentaux identifiés à la *Loi canadienne sur la santé*, le transfert aux provinces de la responsabilité attenante à la formation de la main-d'œuvre, l'établissement de balises au pouvoir fédéral de dépenser, la création d'un organisme fédéral-provincial relevant des premiers ministres pour veiller au bon fonctionnement de l'union économique et sociale et l'établissement d'un Comité d'experts pouvant prendre en délibéré les plaintes qui pourraient lui être soumises.

Le modèle permanent proposé dans le document de l'Ontario indique clairement que les provinces doivent en exclusivité assurer la conception et la prestation des services de santé, d'aide sociale et d'éducation. Il est suggéré de procéder à des transferts de points d'impôt péréqués pour répondre aux dépenses additionnelles. L'avantage d'une telle démarche permettrait aux provinces d'échapper à la menace constante d'Ottawa de procéder à des compressions ou à des réajustements budgétaires. Cette idée exige par ailleurs une volonté provinciale marquée de vouloir gérer ces nouveaux points d'impôt d'autant que la volonté fédérale fait défaut.

La notion d'union sociale a été récupérée par les libéraux fédéraux de Jean Chrétien dans leur infatigable quête d'une identité singulière pour le Canada. On a d'ailleurs pris soin de recentrer la définition du concept de l'union sociale en déplaçant le centre de gravité d'une politique initialement fondée sur la redistribution vers une politique distributive. L'initiative fédérale ne se limite pas aux paiements de transfert aux provinces, elle s'adresse aussi aux organismes privés et aux individus, tout en étant sujette aux soubresauts de la politique budgétaire du gouvernement central. On est donc loin de la Charte sociale réclamée à cor et à cri par plusieurs des opposants à l'entente de Charlottetown. On y décèle de la part du gouvernement libéral de Jean Chrétien une tentative de récupération, uniquement symbolique toutefois, d'une revendication sociale majeure des forces progressistes au pays.

L'évolution de la position des provinces concernant l'établissement de pratiques partenariales

Le consensus de la Conférence annuelle des premiers ministres provinciaux d'août 1998 à Saskatoon

La rencontre des 5, 6 et 7 août 1998 à Saskatoon donne le ton à ce qui se voulait un bras de fer entre les provinces et le gouvernement fédéral quant aux négociations sur l'union sociale canadienne. Les premiers ministres provinciaux s'entendent sur l'établissement d'un partenariat plus solide entre les deux principaux ordres de gouvernement au Canada en vue de sauvegarder les programmes sociaux dont le financement, depuis l'établissement du Transfert social canadien en 1995, a été sévèrement affecté.

Les premiers ministres provinciaux rappellent qu'il est primordial de s'assurer de la plus grande collaboration possible tout en maintenant l'engagement que chaque ordre de gouvernement s'en tiendra à ses responsabilités propres. Le communiqué publié à la fin de la conférence annuelle fait état de la nécessité de convenir d'une formule de collaboration eu égard aux engagements financiers du gouvernement fédéral dans les domaines de compétence provinciale – entre autres, la santé, l'éducation et les services sociaux – et souhaite la création d'un mécanisme impartial de règlement des différends pour veiller au bon fonctionnement de la fédération. Il s'agit ici d'un élément novateur, prometteur même, pour le Québec qui pourrait, en cas de conflits, faire appel à cette nouvelle instance et faire la démonstration des arguments justifiant ses revendications. Cela offrirait une occasion additionnelle pour le Québec, à défaut de convaincre ses partenaires canadiens, de faire le point auprès de ses propres commettants.

L'objectif recherché d'un partenariat plus solide ne doit pas se faire au détriment du fédéralisme, et c'est pour cela d'ailleurs que les premiers ministres provinciaux ont mis l'accent sur l'idée qu'une province puisse se retirer de tout nouveau programme social ou programme modifié pancanadien dans les secteurs de compétence provinciale/territoriale avec pleine compensation en autant qu'un programme ou une initiative dans les mêmes domaines prioritaires que ceux identifiés par le programme pancanadien soit proposé en contrepartie. Les premiers ministres prenaient soin de souligner la volonté fédérale exprimée à cette étape de la négociation de reconnaître un droit de retrait possible de la part des provinces. Cette demande s'inscrivait dans le sillon de l'entente sur le lac Meech qui, elle, stipulait à l'article 7 que «Le gouvernement du Canada fournit une juste compensation au gouvernement d'une province qui choisit de ne pas participer à un programme national cofinancé qu'il établit après l'entrée en vigueur du présent article dans un secteur de compétence exclusive provinciale, si la province applique un programme ou une mesure compatible avec les objectifs nationaux.»

Les premiers ministres provinciaux, conscients des dangers que représente un financement fédéral instable, insistent en outre pour qu'un équilibre entre les revenus et les responsabilités gouvernementales soit trouvé afin de ne pas mettre en péril les programmes existants. Dans le but de ne pas voir affaiblie leur position de négociation, les provinces s'entendent pour ne pas adhérer à une entente-cadre tant que toutes les parties de l'entente n'auront pas été négociées et acceptées.

En somme, il s'agit d'un document de nature réactive plutôt que proactive de la part des premiers ministres provinciaux. Le gouvernement du Québec y a toutefois vu plusieurs de ses demandes traditionnelles respectées, dont celles attenantes au respect des compétences constitutionnelles, au bilatéralisme et au droit de retrait avec pleine compensation dans ses champs de compétence exclusifs. Le Québec ne s'est pas inquiété à cette étape de la négociation de l'établissement d'un nouveau mécanisme pour prévenir ou résoudre les différends, entre les ordres de gouvernement, découlant de la définition conjointe des nouvelles prorités sociales pancanadiennes puisque l'exercice d'un véritable droit de retrait lui avait été assuré, si là était sa préférence.

Le projet d'entente déposé par les provinces le 29 janvier 1999 à Victoria: Securing Canada's Social Union into the 21st Century

Le document déposé par les provinces le 29 janvier 1999, *Securing Canada's Social Union into the 21*st Century, reprend certaines exigences provinciales et avance de nouvelles dispositions dans le but de reprendre l'initiative.

Le dépôt du document des provinces précède de quelques jours la présentation du budget fédéral: les provinces canadiennes sont inquiètes, les paiements de transfert dans les champs provinciaux de la santé, de l'éducation et des services sociaux ayant été coupés de façon draconnienne au cours des cinq dernières années. Les parties en présence disposent donc de très peu de temps pour en arriver à une entente sur un projet d'union sociale de grande envergure.

Quoi qu'il advienne dans les négociations avec les provinces, le gouvernement fédéral, sans qu'un vrai débat public n'ait eu lieu, pourra choisir de se montrer généreux ou non. Révolu, semble-t-il, le temps où les Canadiens pouvaient voir leurs premiers ministres débattre des mérites respectifs des propositions fédérales et provinciales, comme lors de la tenue des conférences fédérales-provinciales retransmises par les grands réseaux de télévision. Il faudra se contenter de discussions derrière des portes closes.

Les éléments touchant le partenariat dans le projet d'entente-cadre déposé le 29 janvier à Victoria se résument aux initiatives de collaboration en général, à l'élaboration d'une politique de collaboration concernant le pouvoir fédéral de dépenser dans les programmes sociaux pancanadiens et, de façon moins importante, aux efforts de collaboration sur une base territoriale plus circonscrite. Ces trois secteurs sont toutefois encadrés par des principes généraux mais pas moins structurants pour autant. C'est ainsi, par exemple, que les cinq principes (intégralité, universalité, transférabilité, gestion publique et accessibilité) de la *Loi canadienne sur la santé* sont réaffirmés, et ce, même si le gouvernement du Québec n'a jamais reconnu la compétence fédérale dans le domaine. On suggère aussi un élargissement de la notion de partenariat en l'étendant aux rapports entre ordres de gouvernement, collectivités, organismes bénévoles, entreprises, syndicats, familles et individus. Cela suggère que les gouvernements central et provinciaux sont tout autant avisés de prendre des initiatives de partenariat entre eux qu'ils le sont avec l'un ou l'autre des organismes et des citoyens identifiés ci-dessus. Le sens que les premiers ministres provinciaux avaient donné au partenariat juisqu'ici, soit celui de privilégier les relations fédérales-provinciales, était modifié de façon significative.

Les initiatives de collaboration en général

On y fait amplement allusion à la nécessité qu'ont les gouvernements de collaborer à la mise sur pied de l'union sociale. On y reconnaît une responsabilité première aux provinces et aux territoires dans ce domaine, tout en précisant que le gouvernement fédéral a un rôle important à jouer dans ce même champ. Dans le but de faciliter l'élaboration et la mise en place des politiques, il est exigé que les instances gouvernementales émettent des avis avant de procéder à tout changement et qu'elles procèdent à l'échange d'informations. Le gouvernement mettant de l'avant un projet doit s'engager dans un processus de consultation avec ses partenaires.

L'obligation formelle qui est faite au Québec, par exemple, présente au moins deux difficultés dans les domaines couverts par l'union sociale: d'une part, elle contraint le Québec à ne pas lancer de nouvelles initiatives sans avoir bien sensibilisé les partenaires dans la fédération des tenants et des aboutissants; d'autre part, cette obligation semble enlever aux États-membres de la fédération la possibilité de prendre seuls les devants dans leurs propres champs de compétence (e.g. assurance-médicament, etc.). La raison officielle est que si les provinces devaient agir sans consulter le gouvernement fédéral (et les autres provinces), cela pourrait conduire à des dédoublements dans la mise sur pied de nouveaux programmes. En clair, il faut y voir une désincitation à l'innovation provinciale.

L'élaboration d'une politique de collaboration concernant le pouvoir fédéral de dépenser dans les programmes sociaux pancanadiens

C'est assurément la principale clause du chapitre portant sur le partenariat. D'entrée de jeu, les rédacteurs du document, s'appuyant sur le précédent fédéral portant sur *La prestation nationale pour enfants*, confirment la possibilité pour Ottawa de poursuivre ce type d'initiatives dans d'autre secteurs d'activités. Soulignons que l'idée d'établir un programme de prestation pour enfants revient aux provinces; le gouvernement fédéral l'a récupéré par la suite en cherchant à en faire un programme pancanadien. Pour les provinces, à l'exception du Québec, ce programme constitue un précédent intéressant à partir duquel il est possible d'élaborer conjointement des initiatives sociales pancanadiennes, rejetant au même moment l'idée de se voir imposer des initiatives fédérales unilatérales comme celle des bourses d'études du millénaire par laquelle Ottawa a placé les provinces devant un fait accompli.

Les rédacteurs souhaitent la collaboration des provinces et des territoires et se disent prêts à accepter une certaine asymétrie dans l'application des politiques gouvernementales. L'option privilégiée est celle de la collaboration et se traduit par l'établissement d'une table conjointe en vue de convenir des transferts d'argent dans de nouveaux programmes ou des programmes modifiés s'appliquant à l'ensemble canadien dans les domaines de compétence exclusive aux provinces. Les provinces reconnaissent donc la présence fédérale au chapitre de l'établissement des priorités et des choix politiques. Ici, il y a toutefois là un problème important pour le Québec puisque l'on fait nommément référence au programme de *La prestation nationale pour enfants* en le présentant comme un modèle à suivre. Or, le Québec a rejeté ailleurs cette façon de procéder. En appuyant le projet de l'entente de Victoria, les provinces donnent de la légitimité à ce type d'initiatives fédérales.

Là où le Québec a l'impression de faire des gains potentiels avec le projet de partenariat proposé, c'est dans le cas où la collaboration fédérale-provinciale échoue. Il s'agit, selon nous, du plus probable des scénarios pour le Québec si l'on se fie aux expériences précédentes. En pareil cas, des dispositions sont prévues de façon concomitante. D'une part, un mécanisme selon lequel le consentement majoritaire des provinces est requis (on ne précise pas toutefois le pourcentage de la population qui est exigé) et, d'autre part, le gouvernement fédéral est tenu d'accorder pleine compensation aux provinces qui choisiraient de ne pas appuyer le programme en autant qu'un programme ou une initiative respectant les secteurs prioritaires du programme pancanadien nouvellement institué ou récemment modifié soit mis en place. Cette disposition recèle deux problèmes pour le Québec. Le fait de ne pas avoir stipulé un pourcentage minimal (e.g. 50 % de la population canadienne) sans lequel un projet pancanadien ne pourrait être mis de l'avant vient légitimiter le principe selon lequel les provinces sont égales les unes aux autres et procure, par surcroît, une surreprésentation aux provinces les moins peuplées. Le principal avantage pour le Québec que l'on décèle dans le projet d'entente du 29 janvier 1999 se situe au chapitre du droit de retrait qui permettait éventuellement à la province d'établir ses priorités, tout en cherchant à harmoniser ses politiques avec celles de l'ensemble des provinces canadiennes.

Les efforts de collaboration sur une base territoriale plus circonscrite

Il s'agit uniquement ici d'encadrer le pouvoir fédéral de dépenser lorsqu'il est question d'une intervention fédérale dans un champ de compétence provinciale. Une telle intervention, sujette d'ailleurs à un mécanisme de résolution des différends, pourra être effectuée seulement avec l'assentiment de la province ou du territoire touché. L'utilisation d'un mécanisme de résolution des différends représente une avancée intéressante pour les États-membres de la fédération canadienne en autant que les parties y soient adéquatement représentées et que la neutralité du processus soit assurée. Le Québec aurait d'ailleurs vu certains mérites à la mise sur pied de ce mécanisme lors de la rencontre des ministres fédéral, provinciaux et territoriaux de la Santé tenue en septembre 1998.

En somme, la proposition du 29 janvier 1999 laissait entrevoir une certaine flexibilité de la part du gouvernement fédéral et laissait présager la possibilité d'en arriver à des ententes adaptées à chaque province.

Un cadre visant à améliorer l'union sociale pour les Canadiens, le 4 février 1999

Notons tout d'abord qu'au chapitre des principes, l'entente-cadre du 4 février proposée par Ottawa et rejetée par le Québec, à l'unanimité des partis représentés à l'Assemblée nationale, met l'accent sur l'égalité des chances alors que le principe n'apparaît pas dans le document du 29 janvier. Il y a là un ajout significatif puisqu'il n'est pas question de veiller à la promotion de l'égalité des conditions chère au gouvernement du Québec. Paradoxalement, alors que le gouvernement fédéral dit souhaiter une plus grande équité entre les citoyens, il maintient le cap sur l'égalité des chances par le biais de la mobilité des travailleurs, par exemple, ou d'autres politiques du même genre. Le gouvernement fédéral se propose, de plus, d'offrir à ceux qui sont dans le besoin une aide appropriée. Il s'agit ici d'une belle intention, mais qui constitue une intrusion dans les champs de compétence exclusive des provinces. Cela laisse donc présager des conflits avec les gouvernements provinciaux qui assument la pleine responsabilité dans le champ de l'aide sociale. Voici deux aspects (égalité des chances par le biais de la mobilité des travailleurs et intervention dans le champ de l'aide sociale) sur lesquels les gouvernements d'Ottawa et de Québec pourront difficilement s'entendre.

La section portant directement sur le partenariat recèle des changements importants par rapport au projet d'entente du 29 janvier. Les trois types d'initiatives proposées pour affirmer le partenariat avec les provinces se retrouvent maintenant sous la rubrique traitant spécifiquement du pouvoir fédéral de dépenser. Par un simple jeu d'ascenseur, tout découlerait maintenant de la reconnaissance du pouvoir fédéral de dépenser puisque seules les provinces qui le reconnaîtraient pourraient avoir accès à la manne fédérale. Il n'est pas loisible aux provinces d'exercer leur droit de retrait avec pleine compensation à moins que des conditions précises soient rencontrées.

Aussi, Ottawa se réserve le droit de contribuer aux budgets provinciaux à la condition que les provinces: a) s'engagent à atteindre les objectifs pancanadiens définis par Ottawa dans les nouvelles initiatives (plutôt que dans les programmes cofinancés comme c'était le cas pour Meech) pour les soins de santé, l'éducation postsecondaire, l'aide sociale et les services sociaux, tous des secteurs de compétence exclusifs des provinces, et b) acceptent de respecter fidèlement le cadre d'imputabilité convenu entre les provinces et Ottawa, à l'exception du Québec. Le droit de retrait, si cher aux gouvernements du Québec depuis le début des années 1960, est présenté comme un droit d'inclusion (le *forcing in* plutôt que l'*opting out*). C'est ainsi qu'une fois que le gouvernement central aura obtenu l'assentiment de six provinces, les autres seront liées, malgré elles, à l'atteinte des objectifs nationaux. Le droit de retrait constituerait, pour l'essentiel, qu'une vue de l'esprit puisque le gouvernement qui n'appuierait pas une initiative devrait mettre sur pied un programme respectant les objectifs poursuivis par Ottawa. Il n'est donc pas vraiment loisible à une province de se retirer des initiatives fédérales à moins d'être prête à faire payer deux fois à ses commettants pour les services dispensés. Aussi, en adhérant à l'entente-cadre, les provinces canadiennes hors Québec viennent avaliser le pouvoir fédéral de dépenser, permettant à Ottawa d'empiéter davantage sur les pouvoirs reconnus aux provinces.

Le gouvernement fédéral élargit aussi la définition de partenariat pour inclure les personnes et les organisations qui œuvrent dans les secteurs des soins de santé, de l'éducation postsecondaire, de l'aide sociale et des services sociaux en proposant de leur faire des transferts directs. Il appartiendra aux provinces, selon la position fédérale, de relever les dédoublements pouvant survenir et de les indiquer aux instances fédérales. Toute modification dans ce domaine sera sujette à un préavis d'au moins trois mois. Le gouvernement central s'engage à lancer de nouvelles initiatives directes auprès des personnes et des organisations afin de faire la promotion de l'égalité des chances et de favoriser la mobilité et l'atteinte d'autres objectifs pancanadiens à préciser en utilisant son pouvoir de dépenser. La seule clause limitative est celle voulant qu'un préavis d'au moins trois mois soit donné aux provinces et qu'une offre de consultation leur soit faite. Dans le cadre des nouvelles initiatives pancanadiennes appuyées par des transferts aux provinces et aux territoires, le gouvernement central acceptera de verser les sommes disponibles prévues à la condition que les gouvernements provinciaux et territoriaux respectent le cadre d'imputabilité imposé par Ottawa, de même que les objectifs pancanadiens. Il s'agit donc d'un cadre d'intervention fort contraignant puisque les provinces sont mises devant un fait accompli et qu'il est tout simplement impossible pour les provinces de saisir leurs commettants de l'impact réel des décisions prises.

Il y a donc eu des modifications majeures de la part du gouvernement fédéral entre le projet d'entente du 29 janvier et l'entente-cadre du 4 février 1999, document qui ramène essentiellement au bon vouloir d'Ottawa toute entente de partenariat avec les provinces, les particuliers ou les divers établissements ciblés et qui exige au surcroît des provinces qu'elles reconnaissent officiellement le pouvoir fédéral de dépenser dans le domaine social, avançant même que la nouvelle union sociale est le produit du pouvoir fédéral de dépenser. Le gouvernement central pose les pierres de l'union sociale telle qu'il la conçoit en misant sur plusieurs principes non fédéraux, dont l'uniformité dans les programmes mis en place, le contournement des provinces dans l'élaboration du projet d'ensemble et l'accès direct à des partenaires (individus, familles, collectivités, organismes bénévoles, entreprises et syndicats, etc.) sans tenir compte des responsabilités provinciales dans ces domaines de compétence exclusive. D'un partenariat mieux défini avec les provinces dans l'entente du 29 janvier 1999, Ottawa opte pour l'élargissement de la notion de partenaires, avec lesquels il serait d'autant plus facile de transiger que ces derniers ne sont pas imputables aux citoyens comme le sont évidemment les élus provinciaux.

En contrepartie, le gouvernement fédéral insiste pour qu'un rôle plus formel soit reconnu au Comité ministériel dont on sait encore peu de choses. Le partenariat proposé par Ottawa semble fonctionner à sens unique toutefois puisque ce sont les provinces qui doivent fournir l'information devant conduire à la mise en œuvre de priorités conjointes dans les champs de compétence exclusifs des provinces. Ottawa s'arroge donc du droit de donner un préavis, tout en pouvant faire appel au secret entourant le processus budgétaire pour se soustraire à son engagement de préavis prévu par l'entente sur l'union sociale. Le gouvernement fédéral choisira, s'il le juge à propos, d'offrir de consulter avant de mettre de l'avant de nouvelles politiques ou de nouveaux programmes sociaux pouvant avoir des conséquences sur l'union sociale. Naturellement, les provinces seront libres de chercher ou non à influencer les choix du gouvernement fédéral. Quoi qu'il en soit, les politiques mises de l'avant par l'une ou l'autre des provinces seront proposées à l'ensemble des provinces dans le but d'éviter que des différences n'apparaissent entre les provinces canadiennes. Ce qui, pour ainsi dire, vient mettre fin à la diversité caractérisant les services offerts par chacune des provinces canadiennes, principe à la base de toute fédération.

La proposition de partenariat avancée par le gouvernement fédéral aux provinces a une durée de trois ans puisque les gouvernements disent vouloir s'engager dans une évaluation formelle de l'entente-cadre à compter du début de la troisième année. Cela constitue une arme à deux tranchants pour le gouvernement fédéral. D'une part, il pourrait vouloir se faire le grand défenseur de tous les Canadiens à la veille de la prochaine élection fédérale et chercher à utiliser son pouvoir de dépenser pour atteindre ses objectifs politiques. D'autre part, il se pourrait aussi que les provinces les plus affirmationnistes, le Québec étant le modèle principal, utilisent la présente entente-cadre pour faire la démonstration que la vision qui se dégage du document s'inspire davantage des régimes unitaires que des régimes politiques d'inspiration fédérale.

L'entente du 4 février 1999 aura assurément des répercussions sur les rapports Québec-Ottawa. Qui plus est, *Le projet d'Accord en matière de santé*, lui aussi d'une durée de trois ans, et auquel le gouvernement du Québec a refusé de donner son aval, tout comme les autres provinces d'ailleurs, s'appliquera quand même aux États-membres de la fédération. Le gouvernement Bouchard a trouvé acceptable les objectifs généraux poursuivis par le projet d'accord et s'est engagé à réinvestir intégralement, dans le secteur de la santé, les fonds additionnels qui lui seraient consacrés par la voie du Transfert social canadien dans la foulée du consensus établi à Saskatoon en août 1998. Trois grands objectifs sont poursuivis par le projet d'Accord, soit a) le maintien, la protection et l'amélioration de la santé, b) l'accès à des services de santé comparables et efficaces axés sur les besoins et non sur la capacité de payer et c) la garantie de la pérennité du financement.

La notion de partenariat utilisée dans le projet d'Accord pose problème par ailleurs puisque les rédacteurs y parlent de la santé comme étant une responsabilité partagée entre la société, les collectivités et les individus, tout en indiquant qu'il existe déjà un large consensus gouvernemental, consensus qui s'appuierait sur les orientations adoptées par les ministres de la Santé au Canada en septembre 1998. On sait par ailleurs que le Québec n'a jamais donné son aval aux orientations générales retenues lors de cette rencontre, mais que cela ne semble pas poser problème à Ottawa ou dans les capitales provinciales. Il importe de relever au moins deux autres difficultés pour le Québec puisque l'entente doit être interprétée, à la fois, dans le contexte d'un cadre visant à améliorer l'union sociale canadienne et en gardant à l'esprit qu'elle vient avaliser les principes sur lesquels se fonde *la Loi canadienne sur la santé*. Ce qui ne peut entrer par la grande porte serait-il en train d'emprunter la porte arrière?

Le gouvernement du Québec a sûrement vu dans *l'Accord en matière de santé* un moyen d'augmenter sa marge de manœuvre financière d'autant plus que les nouveaux fonds promis doivent y être réinvestis en fonction des priorités provinciales, ce qui ne pouvait que plaire au Québec.

Commentaires généraux

Ce bref retour sur l'évolution des relations fédérales-provinciales – du consensus de Saskatoon en août 1998 à l'entente-cadre du 4 février 1999 – permet de faire des constats importants sur l'imposition de nouveaux verrous par Ottawa concernant les compétences exclusives des provinces dans les domaines des soins de santé, de l'éducation postsecondaire, des services sociaux et de l'aide sociale.

Signalons qu'à l'origine de la réforme qui a conduit à l'union sociale, les provinces cherchaient à assurer la pérennité des programmes sociaux existants, à garantir la stabilité du financement, à réduire la duplication de services et, surtout, à encadrer le pouvoir fédéral de dépenser fréquemment utilisé pour réorienter les priorités provinciales dans leurs champs de compétence exclusifs. Le résultat final est bien loin des objectifs que poursuivaient les provinces puisqu'elles se voient imposer la reconnaissance du pouvoir fédéral de dépenser, que le financement est rattaché au processus budgétaire et qu'il peut être diminué avec peu d'avertissement et, enfin, qu'il devient de plus en plus facile pour le gouvernement fédéral de s'immiscer dans les champs provinciaux.

La présente entente-cadre, rappelons-le toutefois, n'échappe pas à la Constitution canadienne même si on fait comme si elle n'existait pas. Enfin, les autochtones se voient quant à eux assurer du bout des lèvres de la collaboration fédérale afin de trouver des solutions pratiques à leurs demandes urgentes.

L'écart entre les positions constitutionnelles défendues par le Québec et l'imposition du cadre de l'union sociale canadienne

Il est devenu une habitude au Québec de faire le point sur les modifications constitutionnelles en les évaluant en fonction des demandes traditionnelles des gouvernements, tant fédéralistes que nationalistes, qui se sont succédé à Québec. Cela permet de mesurer les changements en ayant toujours à l'esprit les positions communes défendues par ces mêmes gouvernements. Cette démarche a par ailleurs deux faiblesses puisqu'elle ne nous permet pas de bien cerner les nouveaux domaines d'intervention et qu'elle nous offre peu d'indices quant à l'évolution de la nature du fédéralisme lui-même et des forces en présence. Toutefois, savoir que telle ou telle demande traditionnelle du Québec n'a pas été respectée constitue un point de départ essentiel même si cela nous apprend insuffisamment sur les grandes tendances caractérisant l'évolution des relations de pouvoir.

Nous présenterons, dans cette section, les principales assises de la position québécoise en matière constitutionnelle et sa contrepartie canadienne, de même que les avenues à explorer par le gouvernement du Québec pour protéger ses droits constitutionnels et affirmer sa vision du fédéralisme.

Les principales assises de la position québécoise

Au cœur de la vision québécoise du fédéralisme cohabitent six grands éléments: le dualisme, l'autonomie provinciale, le respect des compétences provinciales, l'imputabilité, l'égalité des conditions et la cohésion sociale. Ces éléments composent simultanément la toile de fond sur laquelle se jouent les relations Québec-Canada depuis le milieu des années 1940.

Le dualisme

Le premier grand principe sur lequel se fonde la vision québécoise du fédéralisme est assurément la coexistence de deux peuples fondateurs avec leurs traditions spécifiques, leurs habitudes de vie, leurs institutions et leurs cultures respectives. C'est sur le principe du dualisme que s'est construite la théorie du pacte entre Canadiens anglais et Canadiens français, pacte à l'origine même du Canada.

Cette thèse a été constamment affirmée par les gouvernements du Québec et plusieurs fois par ceux d'Ottawa, comme lors de la création de la Commission Laurendeau-Dunton en 1963 par Lester B. Pearson, pour situer les rapports Québec-Canada. C'est le juge Thomas-Jean-Jacques Loranger qui, au début des années 1880, a le plus contribué à l'élaboration de la théorie du pacte. Le juge Loranger la résumait sous la forme de trois propositions principales:

1. la Confédération canadienne est la résultante d'un pacte entre les provinces (colonies britanniques) et le Parlement impérial de l'époque;
2. les provinces adhèrent au pacte fédératif avec leurs anciennes constitutions, leurs pouvoirs législatifs dont elles acceptent de se départir en partie en faveur du gouvernement central tout en conservant le droit de jouir du plein exercice des pouvoirs non cédés; et,
3. les pouvoirs des provinces sont le résidu de pouvoirs antérieurs à la confédération et en aucune façon doivent-ils être vus comme étant des pouvoirs conférés par l'instance fédérale.

Cette vision du Canada comme étant la résultante d'un pacte en les États-membres et, par extension, les nations fondatrices a été invoquée lors de la publication de *Partenaires au sein de la confédération*, document publié par la Commission royale sur les peuples autochtones en 1993 (voir à la page 23), pour faire valoir les droits inhérents des nations autochtones. Parfois méconnu, sinon ignoré, il n'en demeure pas moins que c'est la reconnaissance du principe du dualisme qui a conduit les Canadiens français et les Canadiens anglais à coexister sur un vaste espace en Amérique du Nord. Le respect de cette dualité s'est traduit de maintes façons au cours des années, qu'il nous suffise de mentionner ici la coalition Macdonald-Cartier à l'origine de la confédération canadienne, le principe de l'alternance des leaders au Parti libéral du Canada et la tenue de la Commission Laurendeau-Dunton au milieu des années 1960. Plus près de nous, le rapport de la Commission Pepin-Robarts, le rapport de la Commission Spicer en 1991 et, tout récemment en 1998, le renvoi à la Cour suprême eu égard au droit du Québec de faire sécession ont confirmé les fortes assises de cette thèse comme fondement de la fédération canadienne.

Le respect du principe du dualisme n'a toutefois jamais empêché les gouvernements qui se sont succédé à Québec de se montrer ouverts à une application asymétrique des préférences constitutionnelles au Canada en autant que les parties contractantes y soient consentantes. Ce qui nous amène au deuxième principe, celui de l'autonomie provinciale.

L'autonomie des provinces

L'autonomie des provinces constitue le deuxième pilier de la position constitutionnelle québécoise depuis son entrée dans la Confédération. Ce principe met l'accent sur l'idée que le Québec doit pouvoir jouir d'une marge de manœuvre significative dans le cadre fédéral s'il souhaite protéger et améliorer les conditions de vie politique, culturelle et sociale de ses citoyens. On retrouve ce principe exprimé avec différentes intensités au cours de l'histoire du Québec. Pensons quelques instants aux prises de position de Honoré Mercier, de Maurice Duplessis et de Jean Lesage. Ces premiers ministres ont tous en commun d'avoir défendu l'idée d'une plus grande autonomie pour le Québec dans la fédération canadienne afin de répondre le plus adéquatement possible aux attentes des citoyens et de la communauté politique.

Le principe de l'autonomie provinciale est clairement établi dans le rapport de la Commission royale d'enquête sur les problèmes constitutionnels (Le rapport Tremblay, 1956) document constitutionnel québécois donnant la réplique au rapport de la Commission royale entre le Dominion et les provinces (Le rapport Rowell-Sirois, 1940). Le rapport Tremblay met au surcroît l'accent sur l'autonomie fiscale pour répondre aux revendications du Québec. Un court extrait du rapport suffira à illustrer le propos: «pas de fédéralisme sans autonomie des parties constituantes de l'État, et pas de souveraineté des divers gouvernements sans autonomie fiscale et financière.» (volume 3, pages 302 et 303). Pour les auteurs du rapport Tremblay les deux ordres de gouvernement doivent exercer leurs responsabilités en respectant pleinement la réalité sociologique, celle des deux peuples fondateurs, sur laquelle chacun fonde sa légitimité.

Le rapport Tremblay a aussi apporté son appui au principe de la subsidiarité en établissant que le gouvernement qui se situe le plus près des citoyens et des corps constitués doit être celui qui assume les responsabilités. La notion de la subsidiarité a été utilisée différemment ces dernières années dans le contexte de la construction européenne. Jacques Delors et certains autres penseurs européens, dans le but de légitimer leur quête d'un plus grand ensemble, ont fait l'éloge à la fois de la «subsidiarité vers le bas» en réponse aux critiques exprimées contre la centralisation et de la «subsidiarité vers le haut» pour proposer des modes d'intervention plus efficaces.

Ce concept qui était essentiellement perçu comme décentralisateur revêt donc de nos jours plusieurs formes. Notons toutefois que le document du gouvernement de l'Ontario qui devait être déposé lors de la réunion annuelle des premiers ministres provinciaux au mois d'août 1996 interprétait la notion de subsidiarité dans son sens originel, convergeant ainsi avec le sens que le gouvernement du Québec lui a toujours donné. Stipulons toutefois que le gouvernement du

Québec n'a jamais fait vraiment sienne officiellement la notion de subsidiarité, conscient qu'elle pourrait être interprétée différemment par les parties en présence et qu'elle pourrait ouvrir la porte à un nouveau partage des pouvoirs pouvant être défavorable pour le Québec.

Le respect des compétences provinciales

Au diapason avec les grands auteurs sur le fédéralisme, au premier chef Kenneth C. Wheare, la position constitutionnelle du Québec s'est de tout temps fondée sur l'idée que les États-membres de la fédération et l'État central devaient pouvoir excercer leurs fonctions dans leurs champs respectifs en évitant les chevauchements et les dédoublements. Cela présume cependant une coordination importante entre les ordres de gouvernement.

L'idée d'exercer en toute quiétude ses pouvoirs constitutionnels a toujours constitué un élément central de la vision québécoise du projet fédéral auquel les représentants politiques du Québec ont adhéré volontairement en 1867 mais, soulignons-le, sans toutefois renoncer aux pouvoirs qui n'auraient pas été inclus dans le *BNA Act de 1867* ainsi que le reconnaît la thèse dualiste.

Pour la plus grande partie des années s'étendant de la Confédération de 1867 jusqu'à son remplacement, par Ottawa, par la Cour suprême en 1949, c'est le *Conseil privé* de Londres et, au premier plan, les premiers ministres du Québec et de l'Ontario qui ont constitué les principaux remparts contre les velléités d'Ottawa de s'immiscer dans les champs de compétences des provinces, intervenant maintes fois pour s'assurer – dans le cas du *Conseil privé* de Londres – qu'Ottawa respecte le partage des pouvoirs au nom du principe fédéral de la non-subordination des pouvoirs, stipulant qu'aucun des deux ordres de gouvernement ne pouvait être soumis à l'autre dans leurs domaines exclusifs de responsabilité.

Depuis le début des années 1960 surtout, le Québec a de plus fait valoir sa volonté d'exercer ses compétences provinciales tant sur les plans interne qu'externe en se fondant sur la doctrine Gérin-Lajoie, d'après le nom de l'ancien ministre de l'Éducation sous Jean Lesage. En somme, il s'agissait ici de reconnaître formellement au Québec le droit d'affirmer sa présence internationale dans les domaines de sa compétence, comme le sont la culture, l'éducation et les politiques sociales. Cela a conduit parfois à des différends entre les gouvernements de Québec et d'Ottawa, ce dernier y voyant une tentative par le gouvernement du Québec de lui porter ombrage.

L'imputabilité

La notion d'imputabilité fait référence à l'obligation d'un gouvernement de rendre des comptes à ses commettants en faisant preuve de la plus grande transparence possible. Il s'agit d'une notion essentielle à la bonne marche de toute fédération en ce qu'elle s'oppose à ce que des interventions directes soient tentées par les gouvernements dans les domaines ne relevant pas de leurs compétences. Sous-jacente à la question de l'imputabilité, on retrouve l'utilisation du pouvoir fédéral de dépenser. Il s'agit là assurément du sujet le plus décrié par tous les premiers ministres du Québec depuis la tenue de la Commission royale entre le Dominion et les provinces à la fin des années 1930. Des unionistes de Maurice Duplessis, aux libéraux de Robert Bourassa, de Claude Ryan et de Daniel Johnson, aux souverainistes de René Lévesque, Pierre-Marc Johnson, Jacques Parizeau et de Lucien Bouchard, tous partagent une aversion semblable à l'égard de son utilisation. Le *livre beige* de Claude Ryan en 1980 se fait d'ailleurs fort éloquent sur le sujet. Il en va de même dans l'entente du lac Meech et dans celle de Charlottetown, toutes deux proposaient de mieux encadrer le pouvoir fédéral de dépenser en lui imposant des balises pour permettre un plus grand respect du partage des pouvoirs.

L'égalité des conditions

Avec l'avènement de la Révolution tranquille et la montée de l'État-providence qui lui a été concomitante, le Québec a, plus que tout autre État-membre de la fédération canadienne, affirmé sa volonté de poursuivre des objectifs d'équité plutôt que de se contenter des principes libéraux inspirés par le volontarisme. Dans le but de redresser les déséquilibres historiques qui avaient avantagé les anglophones québécois, le gouvernement du Québec a mis de l'avant un vaste programme de rattrapage dans les secteurs de l'éducation, de la santé et des services sociaux, des transports, entre autres, afin de doter le Québec d'infrastructures économiques, politiques et sociales de premier plan.

Le rattrapage entrepris au début des années 1960 au Québec a eu tôt fait d'inscrire une vision sociale fondée sur l'égalité des conditions plutôt que sur l'égalité des chances. Cela ne signifie pas toutefois que le gouvernement du Québec ait complètement tourné le dos aux politiques économiques dites libérales depuis quarante ans, mais plutôt qu'il a privilégié les politiques économiques et sociales misant sur la redistribution de la richesse collective. Soulignons, à cet égard, que le référendum du 30 octobre 1995 a mis en présence les tenants d'une vision sociale redistributive (les forces favorables à la souveraineté) et ceux proposant prioritairement une vision économique fondée sur l'économie de marché (les forces favorables au maintien du *statu quo*).

La cohésion sociale

De tout temps, le gouvernement du Québec a misé sur l'élaboration de politiques gouvernementales permettant de donner la plus grande cohésion possible au développement d'une communauté politique nationale spécifique en Amérique du Nord. Plusieurs politiques ont été instaurées pour atteindre cet objectif. Pensons à la décision du premier ministre Robert Bourassa de faire du français la seule langue officielle du Québec en 1974 et de promulguer, en 1975, la Charte québécoise des droits de la personne. Soulignons la décision du premier ministre René Lévesque de doter, en 1977, le Québec d'une Charte de la langue française. Notons, subséquemment, la volonté du premier ministre Jacques Parizeau de faire du français la langue commune de tous les Québécois, de même que la décision découlant du Sommet économique sur l'emploi de mars et de novembre 1996, à l'initiative du premier ministre Bouchard, d'établir une nouvelle politique familiale, misant entre autres, sur l'établissement d'un système de garderies à 5 $ en vue de donner une plus grande marge de manœuvre aux parents souhaitant retourner sur le marché du travail. Cette recherche constante d'établir un lien social mieux ancré a maintes fois été exprimée par le passé à travers, par exemple, les travaux de la Commission Bélanger-Campeau. C'est d'ailleurs dans ce contexte que fédéralistes, autonomistes et souverainistes revendiquaient solidairement plus de pouvoirs pour le Québec.

Collision frontale entre les principes défendus par le gouvernement du Québec et ceux avancés par le gouvernement central

Il importe maintenant d'évaluer jusqu'à quel point les principes défendus par les gouvernements successifs du Québec, aussi bien fédéralistes que souverainistes, ont été éconduits ou appuyés par le gouvernement central. En somme quel a été le sort réservé aux six principes présentés ci-dessus par l'entente sur l'union sociale convenue entre neuf provinces, les territoires et le gouvernement central à l'encontre de la volonté du gouvernement du Québec.

Le dualisme

L'accord sur l'union sociale n'a que faire du principe du dualisme qui a donné naissance au Canada. Ironiquement toutefois, le rejet de la proposition fédérale sur l'union sociale par le gouvernement du Québec a le mérite d'exprimer à nouveau le principe de la dualité canadienne et d'indiquer une volonté ferme de ne pas se soustraire à ce principe fondateur de la fédération canadienne auquel les forces politiques à l'extérieur du Québec souhaitent lui substituer le principe de l'égalité des provinces. L'objectif poursuivi est clair: faire du Québec une province comme les autres dans l'ensemble canadien.

Il n'est pas anodin que la formule envisagée pour entreprendre des initiatives pancanadiennes stipule qu'elles ne pourront être entreprises sans le consentement de la majorité des provinces, c'est-à-dire un minimun de six provinces, représentant dans le pire des scénarios à peine 15 % de la population canadienne. Ottawa se sert du pouvoir de dépenser pour modifier les responsabilités établies par la Constitution, remettant en question les assises sur lesquelles la fédération canadienne a été imaginée.

L'autonomie provinciale

Le gouvernement central, à l'aide de son pouvoir de dépenser, cherche à contourner le principe fédéral de l'autonomie provinciale en imposant aux États-membres qui souhaiteraient s'exclure de l'entente sur l'union sociale les mêmes objectifs pancanadiens que ceux qui seront déterminés de concert avec la majorité des provinces. L'imposition d'une vision pancanadienne uniforme a pour objectif non pas d'encourager l'innovation, mais de contraindre les provinces à évoluer à l'intérieur du même cadre, réduisant de la sorte l'éventail des possibilités. L'accord sur l'union sociale constitue un assaut sans précédent à l'autonomie provinciale qui est vue comme contreproductive par le gouvernement central. Ottawa reproche, semble-t-il, à l'autonomie provinciale d'entraver la mobilité des personnes et d'aller à l'encontre de l'égalité des chances. Le gouvernement central, dans son document du 4 février 1999, utilise l'appellation de «traitement équitable» pour discuter de la mise sur pied de politiques publiques similaires, suggérant que la mise en place de politiques sociales de nature asymétrique conduirait à l'inéquité.

Du côté québécois, les gouvernements successifs ont défendu de haute lutte le droit à l'autonomie provinciale malgré les assauts répétés de le faire disparaître puisqu'ils y voient une avenue importante d'innovation et la possibilité d'affirmation de la communauté politique.

Il est pertinent de soulever rapidement l'incidence que l'Union européenne, avec ses projets d'intégration économique et sociale, a eu sur les conditions de vie des Européens. Ce que nous en savons, c'est que les États-membres de l'Union européenne ont de moins en moins de marge de manœuvre pour arrêter leurs politiques et que ces politiques ont tendance à s'approcher du plus petit dénominateur commun. Cela contribue à améliorer l'économie de marché, mais en même temps réduit généralement les conditions de vie des citoyens.

Le respect des compétences provinciales

L'entente sur l'union sociale frappe de plein fouet le partage des pouvoirs en ce qu'elle permet au gouvernement central d'empiéter, avec l'assentiment des provinces hors Québec, sur les champs de compétence exclusifs des provinces. Il n'y a rien dans l'entente qui puisse laisser croire à une politique de "donnant, donnant". Seul le gouvernement central sort gagnant sur le plan politique alors que, tout au plus, les provinces voient leurs revenus augmenter quelque peu alors qu'ils avaient été réduits de façon importante, notamment à la suite de l'établissement du Transfert canadien en matière de santé et de programmes sociaux.

On note aussi, au chapitre du respect des compétences, que le gouvernement central a réussi à imposer de nouveaux blocages en imposant aux provinces la nouvelle obligation de l'en informer avant même d'entreprendre toute nouvelle initiative dans leurs champs exclusifs de compétence pouvant avoir une incidence sur un autre gouvernement. Nous sommes loin des principes de base du fédéralisme qui supposent le respect des préférences de chaque ordre de gouvernements. Encore une fois, il s'agit ici d'une initiative contraignante pouvant avoir des incidences fort négatives pour les citoyens et les gouvernements qui souhaiteraient, par exemple, se doter de politiques redistributives avant-gardistes d'implanter des programmes en vue d'accentuer les liens sociaux entre les membres d'une communauté politique spécifique.

Le gouvernement central va de l'avant, sans égard d'ailleurs pour la Constitution canadienne, et cherche à faire des politiques sociales une responsabilité partagée en utilisant le pouvoir de dépenser comme moyen de persuasion. Jouissant d'un surplus financier important, le gouvernement central détermine l'ordre du jour, impose ses priorités, empiète dans les domaines de responsabilités constitutionnellement reconnus aux provinces et contraint celles qui souhaiteraient exercer leur droit de retrait dans la mise sur pied de certains programmes à s'en tenir aux objectifs pancanadiens arrêtés d'avance par Ottawa.

L'imputabilité

La notion de l'imputabilité est centrale à tout système fédéral puisqu'elle permet de garantir aux citoyens que leurs représentants sont dans l'obligation de rendre compte de leurs actions. Il importe donc que les rôles de chaque ordre de gouvernements soient bien définis. Qu'en est-il dans le cas de l'entente du 4 février 1999 sur l'union sociale?

Les déclarations faites par les leaders des principaux partis politiques au Québec nous permettent de dégager une similarité frappante au sujet des dangers que l'entente sur l'union sociale fait courir au respect du principe de l'imputabilité. Le leader du parti libéral du Québec, M. Jean Charest, est d'avis que les partenaires fédératifs auraient dû profiter de l'occasion pour mieux préciser les rôles et responsabilités respectifs du fédéral et des provinces dans les secteurs touchés par l'accord, et auraient dû nettement reconnaître la prépondérance et la maîtrise d'œuvre aux provinces là où leurs compétences fondamentales étaient les plus évidentes ou risquaient le plus d'être affectées (*La Presse*, 16 février 1999, p. B-3). Il n'y a rien dans l'accord qui puisse permettre de croire qu'Ottawa souhaite rendre les provinces pleinement imputables. Notons que le préavis de trois mois qu'Ottawa propose pour ses nouvelles initiatives pancanadiennes auprès des personnes et des organismes responsables pour l'aide sociale et les services sociaux, la santé, l'éducation postsecondaire, va dans le sens de la déresponsabilisation des instances politiques provinciales, imputables au premier chef de ces champs de compétence. L'idée qu'Ottawa puisse intervenir par le biais de nouveaux programmes pancanadiens en y allant de contributions directes et unilatérales à des organismes bénévoles, des entreprises, des étudiants, des familles, des syndicats, des individus, des collectivités, etc., dans les domaines provinciaux couverts par l'entente sur l'union sociale est loin de garantir le respect du principe d'imputabilité et va à l'encontre des principes fédératifs. En cherchant à s'immiscer ainsi dans les champs de compétence exclusifs aux provinces, le gouvernement central ouvre la porte à tous les dédoublements possibles et à la surenchère. Le Canada s'engage dangereusement sur la voie du fédéralisme concurrentiel, identifiée généralement à l'ère Trudeau.

L'égalité des conditions

L'entente du 4 février 1999 sur l'union sociale est en rupture avec la position prépondérante ayant cours au Québec depuis le début des années 1960. À l'encontre de l'approche inspirée par l'égalité des conditions, le gouvernement central, influencé en partie par les idées néolibérales prévalant dans les provinces situées à l'ouest de l'Outaouais (et qui ont amené le parti libéral à effectuer un déplacement idéologique vers la droite), se fait maintenant le grand défenseur du principe de l'égalité des chances alors qu'il avait lui-même défendu les valeurs de la *société juste* chères à la formation politique entre 1968 et 1993.

L'entente du 4 février 1999 rejette toute politique étatique pouvant, de quelque façon que ce soit, porter atteinte à la mobilité des Canadiens, et ce, même si ces politiques sont établies en tenant compte des limites raisonnables existant dans tout régime démocratique, limites inscrites dans la Charte canadienne des droits et libertés de 1982. Le respect des limites raisonnables est présenté comme étant insuffisant puisque, comme l'on peut lire dans le document du 4 février 1999, les politiques établies doivent de façon concomitante respecter les principes sous-tendant l'entente-cadre elle-même. Cela ferait donc de l'entente-cadre un document qui aurait préséance sur *l'Acte constitutionnel de 1982*! Tous les gouvernements, sans exception, ont trois ans pour obtempérer.

L'accord-cadre ne tient pas compte des conditions particulières à chacune des provinces. À cet égard, on aurait pu s'attendre à ce que soit pris en considération l'impact négatif que peut avoir la poursuite du principe de la mobilité pour la société québécoise. Or, on y va d'une politique générale condamnant toutes mesures pouvant nuire à la mobilité, sachant fort bien qu'une telle politique ne peut qu'avoir des effets déstructurants pour l'économie québécoise. C'est en s'appuyant sur cet argument que le gouvernement du Québec, fort d'un large consensus auprès des corps constitués, a obtenu une première entente sur la formation de la main-d'œuvre et qu'il a conclu avec Ottawa une entente en matière d'immigration.

La cohésion sociale

La poursuite d'un objectif aussi inclusif que celui de la mobilité – le gouvernement central en faisant même un élément essentiel de la citoyenneté canadienne – n'est pas sans remettre en question les politiques québécoises dans des domaines aussi diversifiés que l'éducation (frais de scolarité différenciés, le régime québécois d'aide financière aux étudiants), l'immigration (critères d'admissibilité), la santé (soins à domicile et soins communautaires, assurance-médicaments), la famille (la prestation nationale pour enfants), etc. Toutes les politiques provinciales, selon l'entente-cadre du 4 février 1999, devront respectées les principes qui la sous-tendent. Rappelons, toutefois, que le Québec n'ayant pas signé l'Accord du 4 février 1999, Ottawa peut difficilement en imposer les termes et obligations au Québec.

La seule voie disponible au Québec pour se soustraire aux velléités fédérales serait de faire la démonstration devant la Cour suprême du Canada, doit-on supposer, que ses politiques et ses pratiques sont raisonnables. De toute évidence, l'entente-cadre survenue entre le gouvernement central et les neuf provinces et les territoires, à l'exception du Québec, indique que les pouvoirs du gouvernement du Québec ont été dramatiquement érodés dans le système fédéral actuel et qu'il lui sera difficile de mettre en œuvre des mesures novatrices comme celles que l'on retrouve dans le discours inaugural de la 36e législature de l'Assemblée nationale du Québec. Ainsi, comment le gouvernement du Québec pourra-t-il mettre sur pied un programme de congés parentaux respectant les critères de la mobilité et de l'égalité des chances si les autres gouvernements ne souhaitent pas faire de même?

Comment le gouvernement du Québec pourra-t-il maintenir et bonifier sa politique de garderies à 5 $ sans être pris à partie par les autres provinces et le gouvernement central? Les provinces ont, selon l'entente-cadre, trois ans pour éliminer les distinctions fondées sur le critère de résidence. Dès lors, comment le gouvernement du Québec pourra-t-il mettre sur pied ses nouveaux programmes, programmes qui sont, par définition, établis en se fondant sur un critère de résidence. Au lieu d'encourager les nouvelles initiatives, le gouvernement central en vient à contraindre les provinces dans leurs propres champs de compétences, remettant en question la raison d'être même du fédéralisme qui milite en faveur du respect de la diversité comme moyen d'intégration. Or, le gouvernement central a choisi d'encourager l'uniformité, niant aux États-membres de la fédération le droit à la diversité. Ce droit à la diversité est vu par Ottawa comme un élément discrimant qu'il faut éliminer.

Conclusion

Le rééquilibrage proposé de la fédération canadienne dans l'entente-cadre du 4 février 1999 soulève des questions de fond pour le gouvernement du Québec. Il est inquiétant de voir le gouvernement central imposer à l'ensemble des gouvernements provinciaux et territoriaux sa présence dans des domaines où il n'a pas compétence constitutionnelle. Signalons que les six grandes assises de la position québécoise par rapport à sa place dans la fédération canadienne sont systématiquement remises en question par l'entente-cadre. Le dualisme et l'autonomie provinciale sont carrément rejetés par l'entente. Quant au respect des compétences provinciales, l'entente exige que les provinces souscrivent à l'existence du pouvoir fédéral de dépenser dans leurs propres champs de compétence malgré le fait qu'elles ont longtemps et fréquemment exprimé le souhait d'abolir ou, à tout le moins, d'encadrer ce pouvoir. Les efforts déployés par les deux ordres de gouvernement depuis plusieurs années en vue de faire de l'imputabilité un principe fondamental de la gouverne au Canada sont aussi remis en question par l'entente puisqu'elle ouvre la porte à de nombreux dédoublements. Le principe de l'égalité des conditions défendu par les gouvernements successifs à Québec est tout simplement rejeté comme allant à l'encontre du principe de l'égalité des chances qui vise à réduire au maximum les différences au chapitre des préférences politiques des communautés politiques nationales, régionales et provinciales au Canada. Enfin, les objectifs poursuivis par le gouvernement du Québec pour doter sa population de liens sociaux porteurs, pouvant donner à la communauté politique québécoise une plus grande cohésion, sont tout simplement vus comme contraire à la vision homogénéisante imposée par le gouvernement central.

Le gouvernement du Québec se retrouve donc plus à l'étroit que jamais dans la fédération canadienne. Il se doit donc de tabler, autant que faire se peut, sur ses propres leviers politiques pour affirmer sa différence. Le gouvernement du Québec pourra, s'il le juge à propos, faire appel aux mécanismes de consultation et de règlements des différends prévus dans l'entente-cadre du 4 février 1999. Toutefois, même si cela procure au Québec un forum additionnel pour faire valoir sa position, il n'y a aucune garantie quant au résultat final. Enfin, le gouvernement du Québec, malgré des risques évidents, pourrait être contraint, nous semble-t-il, à faire appel à la Cour suprême du Canada pour faire reconnaître son droit d'établir ses propres priorités dans ses champs de compétence et d'obtenir une compensation équitable, le cas échéant.

Pouvoir fédéral de dépenser

André Tremblay

Le Secrétariat aux Affaires intergouvernementales canadiennes m'a confié l'étude du chapitre 5 de l'entente sur l'union sociale intervenue le 4 février 1999 entre le gouvernement du Canada et les gouvernements provinciaux et territoriaux (à l'exception du Québec), et intitulée *Un cadre visant à améliorer l'union sociale pour les Canadiens*. Ce chapitre a pour titre *Le pouvoir de dépenser – améliorer les programmes sociaux des Canadiens*. Plus spécifiquement, vous me demandez d'effectuer l'étude en regard de toutes dispositions pertinentes proposées par le front commun des provinces, d'abord dans le consensus de Saskatoon du 6 août 1998 et dans la proposition de Victoria du vendredi 29 janvier 1999, et vous précisez dans le mandat que le but de l'étude est:

1- de mesurer l'évolution de la position des provinces à ces trois étapes clés (août 1998, janvier 1999, février 1999) du processus de négociation et de cerner l'écart entre la position de départ des provinces et le résultat final de la négociation;
2- de cerner l'écart entre le résultat final de la négociation et la position traditionnellement mise de l'avant par le Québec.

Je vous ai exposé verbalement le vendredi 19 février 1999 les orientations générales de l'étude que je préciserai ci-après:

1- L'appareil administratif me semble avoir joué correctement son rôle de conseil auprès du gouvernement du Québec qui disposait d'un éclairage adéquat sur les positions traditionnelles du Québec et les enjeux concernant le pouvoir fédéral de dépenser.
2- Les enjeux des négociations relatives à l'union sociale (protection et promotion des programmes sociaux, encadrement obligé du pouvoir fédéral de dépenser) justifiaient amplement le premier ministre Bouchard à participer aux négociations dans la mesure où les positions mises de l'avant par le Québec

étaient favorablement accueillies. En d'autres termes, les conditions québécoises devaient être satisfaites globalement avant de s'arrimer à la table de négociations.

3- Non seulement le contexte politique prévalant avant la Conférence des premiers ministres provinciaux (août 1998) semblait-il propice à un accueil favorable des positions québécoises mais le communiqué final de la conférence relatif à l'entente-cadre sur l'union sociale canadienne concordait avec nos revendications traditionnelles au chapitre du pouvoir de dépenser.

4- La position commune des ministres responsables du dossier, adoptée à Victoria le 29 janvier, améliorait le consensus de Saskatoon et reprenait en substance l'une des meilleures positions mises de l'avant par le Québec.

5- L'entente du 4 février entre le gouvernement du Canada et les gouvernements provinciaux et territoriaux, à laquelle le Québec n'a pas souscrit, se situe aux antipodes du consensus de Saskatoon (août 1998) et de la position commune des provinces (janvier 99), ne répond aucunement à nos revendications traditionnelles et ne devait pas recevoir l'agrément du Québec.

6- L'entente du 4 février implique non seulement rejet d'une position de défense et de protection de nos champs de compétences et de nos politiques, mais aussi renforcement et consolidation des pouvoirs et politiques fédéraux peu conciliables avec notre spécificité.

7- Le Québec doit envisager un ensemble de moyens juridiques et politiques pour protéger ses attributions constitutionnelles, harmoniser les champs fiscaux avec les responsabilités constitutionnelles et s'assurer que le fédéral respecte la Constitution et ses engagements.

Le rôle joué par l'appareil administratif et les positions traditionnelles du Québec

Je ne crois pas devoir m'arrêter longuement sur un aspect des responsabilités du Secrétariat aux affaires intergouvernementales canadiennes qui consiste, d'une part, à préparer les études et documents nécessaires à la participation du gouvernement à la négociation d'accords intergouvernementaux et, d'autre part, à conseiller le gouvernement et à engager les discussions et pourparlers bilatéraux ou multilatéraux au niveau intergouvernemental en vue d'assurer le succès des négociations.

Il me semble légitime de se demander si le gouvernement actuel a bénéficié de l'éclairage et d'un soutien adéquats pour être en mesure de suivre de près le dossier intergouvernemental de l'union sociale et, le cas échéant, d'y participer. Les quelques documents mis à ma disposition et l'information reçue me permettent de dire que, au chapitre du pouvoir de dépenser, la branche politique du gouvernement disposait d'une information plutôt complète. Je me servirai en bonne partie d'un document public pour appuyer mon point de vue: *Position historique du Québec sur le pouvoir fédéral de dépenser 1944-1998*; il s'agit d'une étude de juillet 1998 réalisée par votre Direction des politiques institutionnelles et constitutionnelles.

Position historique du Québec sur le pouvoir fédéral de dépenser

J'insiste au départ sur un point essentiel que certains commentateurs semblent perdre de vue: une position historique du Québec sur une question constitutionnelle ou sur un dossier intergouvernemental ne devient pas démodée ou périmée avec l'écoulement du temps ou avec l'avènement des phénomènes de la mondialisation et de l'interdépendance des peuples et des gouvernements. La préservation de notre identité et de notre spécificité québécoises de même que la protection des pouvoirs de l'Assemblée nationale restent des principes fondamentaux de l'action politique du gouvernement du Québec. La position des différents gouvernements du Québec peut difficilement être différente à moins de vouloir renoncer à notre identité et à notre autonomie.

Comme certains commentateurs et intervenants ne semblent pas avoir compris les enjeux, les implications et les inconvénients du pouvoir fédéral de dépenser, il ne sera pas inutile de rappeler certaines données et caractéristiques de cet instrument d'intervention fédéral. Avec ce rappel qui servira en même temps de cadre d'analyse, on pourra comprendre plus facilement les raisons du refus québécois de l'entente sur l'union sociale.

Le gouvernement du Québec a toujours recherché le respect de la Constitution de 1867 qui attribue des pouvoirs exclusifs aux gouvernements fédéral et provinciaux. Or, avec son pouvoir de dépenser, Ottawa peut unilatéralement lancer des initiatives de dépenses, au moyen de programmes cofinancés, de programmes entièrement financés par lui, ou de versements directs à des individus ou institutions, dans des sphères qui relèvent entièrement des responsabilités des provinces. Pratiquement laissé sans supervision judiciaire, l'exercice du pouvoir de dépenser veut dire que le fédéral peut modifier unilatéralement à son avantage, pour assurer surtout sa visibilité auprès des citoyens, la Constitution des pays.

Quelle que soit la modalité d'exercice choisie par le fédéral (programmes entièrement de financement fédéral ou dépenses directes), son effet sur les pouvoirs provinciaux est le même: intrusion et empiètement dans nos champs, définition des priorités provinciales et perturbation de nos propres programmes. Au plan budgétaire, l'impact est particulièrement lourd lorsqu'il s'agit de programmes cofinancés ou à frais partagés: la province, qui ne peut à la fois perdre l'argent et voir l'impôt de ses citoyens financer le programme dans les autres provinces, accepte donc de dépenser dans le secteur visé et aux conditions fixées par le fédéral; si la contribution fédérale diminue, elle devra augmenter ses dépenses tout en respectant les conditions ou normes fédérales. Lorsque, par ailleurs, le programme fédéral repose entièrement sur du financement fédéral ou fonctionne au moyen de versements (en argent ou en crédits d'impôt) à des personnes ou à des institutions, l'effet est aussi pervers en ce qu'il implique chevauchement ou dédoublement, et contraint la province de réajuster ou modifier ses propres programmes ou politiques.

Ce dysfonctionnement du régime fédéral s'explique par l'inadéquation entre les ressources fiscales des gouvernements et leurs responsabilités constitutionnelles. Le fédéral occupe depuis la Deuxième Guerre le haut du pavé au plan fiscal et dispose de revenus fiscaux qui dépassent largement les responsabilités qui lui incombent en vertu du partage des compétences législatives. Tant que cette question ne sera pas réglée, la crise du fédéralisme canadien perdurera. Dans la mesure où le pouvoir de dépenser est devenu la clef de voûte de l'architecture fédérale, le règlement de la question paraît plutôt éloigné.

Pourtant, les inconvénients qui résultent du pouvoir de dépenser sont nombreux et sérieux. Tous nos premiers ministres québécois les connaissaient, y compris le premier ministre actuel, et la haute administration publique du gouvernement n'a, sans doute, jamais fait défaut de les exposer à ses mandants politiques. Énumérons les principaux inconvénients:

- absence de respect de la Constitution de 1867, les pouvoirs provinciaux exclusifs étant devenus des pouvoirs concurrents assujettis aux normes fédérales;
- encadrement des pouvoirs provinciaux et orientations de leur exercice par le fédéral;

- perversion du fédéralisme canadien où le gouvernement fédéral s'érige maintenant en gouvernement supérieur, tutélaire ou unitaire;
- empêchement de l'avènement d'un fédéralisme asymétrique et flexible, le pouvoir de dépenser servant d'instrument d'uniformisation des politiques (notamment en matières sociales) et de négation de la spécificité québécoise;
- augmentation de la centralisation législative, subordination des provinces et dépérissement de l'autonomie des provinces;
- stérilisation du partage des compétences législatives;
- multiplication des programmes de toutes sortes où s'installent les chevauchements, les contradictions, la surenchère, les conflits et le gaspillage d'argent et d'énergie;
- obligation pour les provinces de modifier leurs priorités et de réajuster leurs programmes;
- obstacle à une planification efficace et à un contrôle des budgets par les provinces, en particulier dans les cas de désengagement unilatéral par le fédéral dans le financement des programmes;
- frein à la responsabilité fiscale et à l'imputabilité des gouvernements, puisqu'il devient difficile de savoir qui est responsable de l'initiative ou de l'action gouvernementale dans bien des cas;
- négation du principe de subsidiarité qui veut que le gouvernement le plus proche des citoyens et le mieux placé s'occupe d'un problème particulier;
- absence de confiance chez les provinces dans la Constitution écrite, le fédéralisme issu du pouvoir de dépenser se situant en marge de la Constitution et sans supervision judiciaire.

Dans un tel contexte, la réaction normale et logique du Québec a été et reste une position défensive: le respect de la Constitution de 1867 et un encadrement du pouvoir fédéral de dépenser. La demande, constante, a porté sur l'essentiel: l'équilibre fiscal ou l'adéquation des ressources fiscales aux compétences législatives (les responsabilités). La demande étant ignorée, le Québec n'a jamais eu d'autre choix que de dénoncer les empiétements ou les intrusions dans ses champs et d'affirmer sa volonté de choisir ses propres priorités puisqu'il est mieux placé que le gouvernement fédéral pour répondre aux besoins de ses citoyens dans les domaines que la Constitution du Canada lui attribue. En réalité, ce refrain constant de nos premiers ministres n'a pas empêché, loin de là, le fédéral de lancer, depuis 1950, des dizaines et des dizaines d'initiatives ou de programmes de toutes sortes avec la conséquence que nos propres champs ont été envahis et laminés par le fédéral.

Ce qu'on a trouvé de mieux pour atténuer les effets de cette présence envahissante du fédéral a été le retrait compensé, ou l'*opting out* accompagné de compensation financière ou fiscale. En gros, disons que durant les 50 dernières années, chaque fois que le fédéral lançait, par son pouvoir de dépenser, une initiative ou un programme dans nos champs, tous les premiers ministres du Québec ont demandé que le fédéral se retirât, qu'il nous laissât gérer nos propres affaires et qu'il versât au Québec une compensation, savoir les sommes qu'il aurait autrement dépensées si l'initiative ou le programme s'était appliqué à la province. Aucun premier ministre n'a dérogé à cette position classique et incontournable.

Le problème, comme on le sait, provient du fait que ces demandes de retrait ou d'*opting out* avec compensation ont rarement reçu l'aval du gouvernement fédéral comme le rapporte bien l'étude de la Direction des politiques institutionnelles et constitutionnelles: le Québec a réussi à marquer des points au début des années 1960 (subventions aux universités, allocations scolaires, prêts aux étudiants, régime des rentes et financement des programmes établis 1964-1977), mais par la suite la concrétisation de l'*opting out* va se faire rare. Or, quand il n'y a pas d'*opting out*, la province est contrainte de participer et de laisser faire: sinon, elle prive ses citoyens du financement fédéral qui leur appartient et en même temps participe au financement du service ou du programme dans les autres provinces. Personnellement, je n'ai eu aucune hésitation à dénoncer vigoureusement le pouvoir fédéral de dépenser qui institue un fédéralisme dominateur et prédateur (A. Tremblay, *La Réforme de la Constitution au Canada*, Thémis, Montréal, 1995).

Même si la position québécoise n'est au fond que défensive et ne constitue pas une réforme en profondeur de la Constitution de 1867, elle n'est partagée ni par les autres provinces ni par le fédéral. Nos partenaires canadiens perçoivent plutôt la position québécoise comme une tentative d'agression visant à détruire le régime fédéral tel qu'il fonctionne ou comme une théorie démodée ou anachronique du fédéralisme mise de l'avant par des séparatistes québécois ou des experts constitutionnels issus de l'ère des dinosaures. De fait, un bon nombre de provinces, pour ne pas dire leur majorité, se sentent à l'aise avec le *spending* fédéral et ne voient pas de nécessité d'en restreindre l'utilisation: elles en veulent même davantage.

Le Québec a fait cavalier seul très souvent, pour ne pas dire presque toujours, sur le terrain du *spending* fédéral quel que soit le gouvernement en place à Québec. L'épisode des bourses du millénaire s'explique par ce problème fondamental et par des conceptions ou approches pratiquement irréconciliables du fédéralisme canadien.

Le Québec devait participer aux négociations de l'entente sur l'union sociale dans la mesure où ses positions recevaient un accueil favorable

La négociation de l'entente a débuté en février 1998 et le Québec n'en a pas été, au départ, un participant actif. Je comprends que ce dossier a été suivi de près par le Secrétariat aux affaires intergouvernementales canadiennes et que la branche politique du gouvernement a disposé des rapports usuels et périodiques de l'administration publique concernant l'avancement des pourparlers.

Les enjeux d'un tel projet d'entente étaient majeurs. D'une part, il fallait du côté des gouvernements provinciaux protéger les programmes sociaux, et surtout assurer leur stabilité, permanence et solidité contre d'autres décisions unilatérales du gouvernement fédéral de se désengager de leur financement. Toutes les provinces ayant été touchées dans les dernières années par les coupes sévères du fédéral dans les transferts d'argent aux provinces dans les domaines de la santé, l'aide sociale et l'éducation, on peut aisément comprendre que l'objectif premier des provinces consistait à préserver et promouvoir les programmes sociaux et se prémunir contre l'incertitude et les fluctuations du financement fédéral. En somme, il fallait, en ce sens, améliorer l'union sociale canadienne.

Cet objectif louable ne représente toutefois qu'un volet de l'entreprise, l'autre volet des discussions devant être, pour le Québec, la délimitation de la présence fédérale dans l'établissement, la planification, le financement et la mise en œuvre des programmes sociaux pour lesquels le Québec a toujours revendiqué une compétence première et exclusive. Lorsque la Conférence annuelle des premiers ministres des provinces crée, en août 1996, un conseil fédéral-provincial-territorial sur la refonte des politiques sociales avec mandat d'étudier notamment la question de la prestation nationale pour enfants ainsi que le rôle des provinces dans la définition de normes nationales, le Québec ne peut souscrire et participer à une démarche qui consacrerait la légitimité de la présence fédérale dans nos sphères de compétence exclusive: le premier ministre du Québec rappelle donc à cette occasion une revendication centrale du Québec, savoir le retrait du fédéral du champ de la politique sociale et l'affirmation de la capacité pour le Québec de fixer ses priorités avec ses propres impôts (voir Communiqué de presse, *Programmes sociaux: le Québec refuse la proposition des provinces de centraliser à Ottawa les pouvoirs du Québec en matière sociale*, 23 août 1996). Les autres provinces parlent alors de rééquilibrage des rôles et responsabilités d'Ottawa et des provinces (dans des domaines de compétence provinciale) alors que le premier ministre du Québec se fait le défenseur de l'intégrité des pouvoirs provinciaux contre une démarche centralisatrice:

> Le gouvernement n'a ni l'intention ni le mandat d'abandonner quelque dimension des compétences constitutionnelles du Québec, que l'opération envisagée soit de nature constitutionnelle ou administrative [...] Les gouvernements du Québec, depuis longtemps et indépendamment de leur option quant au statut du Québec, ont cherché à raffermir ses compétences de manière à favoriser la maîtrise par le peuple québécois de son développement social, économique et culturel ainsi que de ses institutions politiques. Ce que nous offrent les provinces, c'est une centralisation, un recul, la négation du cheminement historique des Québécois [...]
>
> Le Québec ne peut s'engager sur la voie d'un rééquilibrage dont les orientations générales et les mesures particulières mènent à l'abandon des revendications fondamentales du Québec et à l'érosion graduelle de ces dernières par des moyens intergouvernementaux et administratifs. Ce que l'on propose au Québec, c'est la construction d'un gouvernement canadien plus puissant, d'un Canada plus centralisé et moins respectueux des volontés des Québécois.
>
> (Communiqué de presse, *Le rééquilibrage des rôles et des responsabilités d'Ottawa et des provinces: une autre avenue de centralisation*, 23 août 1996).

La prudence élémentaire commandait alors au gouvernement du Québec de ne pas s'impliquer activement dans de tels pourparlers et plutôt d'en suivre l'évolution, à distance.

Lors de la Conférence annuelle des premiers ministres des provinces de St-Andrews, en août 1997, le Québec maintient sa position avec d'autant plus de vigueur qu'il vient de se faire imposer par le fédéral sans possibilité de retrait la prestation nationale pour enfants (élément important d'une politique familiale) et que les autres provinces acceptent le concept d'un mécanisme intergouvernemental pour élaborer conjointement avec le fédéral des normes nationales pour les programmes sociaux:

> Le Québec entend demeurer maître de ses choix de priorités et de ses orientations en matière de politiques sociales, comme son gouvernement l'a démontré récemment par sa politique familiale, par l'implantation de son régime d'assurance-médicaments ou encore par la mise en place d'un système de perception des pensions alimentaires. Le gouvernement du Québec demeure le gouvernement le mieux placé pour répondre aux besoins spécifiques des Québécoises et des Québécois.
>
> Un mécanisme intergouvernemental chargé d'élaborer des normes nationales applicables aux programmes sociaux porterait directement atteinte aux prérogatives et responsabilités actuelles du Québec quant à la définition et la gestion de ses politiques sociales, exercées en vertu de sa compétence exclusive en la matière. Dans les faits, un tel mécanisme compromettrait la marge de manœuvre du Québec, c'est-à-dire sa capacité actuelle de déterminer lui-même les orientations, les priorités et les modalités de ses programmes sociaux financés par les contribuables québécois.
>
> Un tel mécanisme aurait aussi pour conséquence de reconnaître au gouvernement fédéral des responsabilités dans la définition des politiques sociales que ne lui reconnaît pas la Constitution. Il aurait pour effet de légitimer les prétentions fédérales de longue date en cette matière et ce, en contournant carrément la Constitution (Propos du premier ministre Bouchard dans le document *Union sociale canadienne: La position du Québec*, 23 août 1996, p. 2).

Les propos m'apparaissent adaptés aux circonstances et je ne crois pas d'ailleurs que, en termes de légitimité de l'action gouvernementale, M. Bouchard ait le mandat de déroger à des lignes de conduite qu'un citoyen raisonnablement informé attend normalement de son premier ministre.

Quelques mois plus tard, M. Bouchard déclare à la Conférence des premiers ministres tenue à Ottawa en décembre 1997 que le gouvernement du Québec serait disposé à participer à un groupe de travail sur l'union sociale si les provinces souscrivaient à trois conditions principales mises de l'avant par les gouvernements du Québec à l'égard du pouvoir fédéral de dépenser:

1. Les participants expriment leur intérêt pour la reconnaissance d'un droit de retrait inconditionnel avec pleine compensation, pour une province qui le souhaiterait, à l'égard de toute mesure ou matière susceptible d'avoir un impact dans un champ de compétence d'une province, et conviennent

que la définition de ce droit de retrait sera un objectif majeur des discussions sur l'accord cadre;

2. Pendant la période où un tel accord cadre sera en discussion, tous les participants, y compris le gouvernement fédéral, conviennent d'un moratoire sur toute nouvelle initiative ou mesure du gouvernement fédéral susceptible d'avoir un impact sur un champ de compétence d'une province [...]
3. Cette proposition du Québec ne doit être aucunement interprétée comme une reconnaissance directe ou indirecte d'un pouvoir fédéral de dépenser ou d'un quelconque rôle du gouvernement fédéral en matière de politique sociale, le Québec réaffirmant sa position historique quant au respect de ses compétences.

(Déclaration de M. Lucien Bouchard, *Conférence des premiers ministres*, Ottawa, 12 décembre 1997).

Cette proposition sera rejetée.

En mars 1998, le Conseil ministériel fédéral-provincial-territorial se réunit pour entreprendre des négociations à propos d'une éventuelle entente-cadre sur l'union sociale.

Le mois suivant, les ministres responsables des négociations se réunissent à Toronto et le ministre délégué aux Affaires intergouvernementales canadiennes y rappelle avec l'accord préalable et explicite du Conseil des ministres la position québécoise énoncée en décembre 1997 par le premier ministre Bouchard et affirme:

> Le Québec estime que l'élaboration, la planification et la gestion des programmes sociaux relèvent de sa seule responsabilité [...]. Le gouvernement du Québec est le gouvernement le plus près des Québécoises et Québécois et le mieux placé pour respecter leurs aspirations et répondre à leurs besoins et priorités. C'est pour ces raisons que le Québec a toujours exigé qu'il puisse se retirer avec pleine compensation fiscale ou financière de toute initiative du gouvernement fédéral financée par son pouvoir de dépenser. Le Québec considère qu'il doit être le seul maître d'œuvre des initiatives sociales qu'il définit en fonction de sa façon de faire et de sa réalité spécifique [...].
>
> Cette position est claire: le Québec demande que l'entente-cadre sur l'union sociale reconnaisse sa position historique en prévoyant un droit de retrait inconditionnel avec pleine compensation financière à l'égard de toute nouvelle initiative ou nouveau programme fédéral cofinancé ou non dans les secteurs des programmes sociaux qui relèvent de la responsabilité des provinces. Cette position est conforme aux lignes directrices que le gouvernement du Québec s'est données

en décembre dernier pour la conduite de ses relations intergouvernementales canadiennes.

Sans la possibilité d'un tel retrait inconditionnel avec compensation financière, le Québec ne saurait souscrire en aucune façon à quelque projet d'entente-cadre sur l'union sociale négociée entre le gouvernement fédéral et les autres gouvernements. Ne pas reconnaître au Québec le droit de se retirer avec compensation financière de toute initiative fédérale en matière de politiques sociales, c'est refuser de reconnaître clairement au Québec sa réalité spécifique, son caractère distinct et c'est confirmer que la reconnaissance du caractère unique du Québec, mise de l'avant par la Déclaration de Calgary, n'est que purement symbolique.

La garantie d'un droit de retrait avec pleine compensation financière constitue une condition incontournable de la participation du Québec aux négociations relatives à un éventuel projet d'union sociale.

Quoique je ne dispose pas des documents d'appui explicites sur le sujet, je comprends que les provinces, à l'exception du Québec, ont continué leurs discussions et, après deux mois, ont réussi à définir une position commune sur la question de l'encadrement du pouvoir fédéral de dépenser qui se rapproche de la position historique du Québec (*Position historique du Québec sur le pouvoir fédéral de dépenser 1944-1998*, document Web, p. 37). Il y avait donc un consensus; ce consensus s'est développé parmi les provinces et s'est concrétisé en juin 1998 dans le cadre d'une réunion interprovinciale des ministres responsables de la négociation de l'entente sur l'union sociale à Toronto.

En juin 1998, les conditions étaient donc réunies pour que le Québec participe activement aux négociations relatives à un projet d'union sociale.

La position des premiers ministres des provinces à Saskatoon : prometteuse et acceptable

C'est donc dans ce contexte que le premier ministre Bouchard se rend à Saskatoon, au début du mois d'août 1998, à la 39e Conférence annuelle des premiers ministres provinciaux : contexte d'ouverture des provinces (non du fédéral) aux demandes québécoises (Le fédéral a fait connaître sa proposition aux provinces le 16 juillet 1998).

De fait, le communiqué de la conférence affirme un certain nombre de principes et de données propices à un dénouement favorable des négociations :

- volonté des premiers ministres de protéger les programmes sociaux;
- volonté des gouvernements de travailler ensemble, dans le respect de leurs compétences constitutionnelles, pour assurer des services sociaux solides et durables;
- appui unanime au consensus provincial/territorial sur la position en vue des négociations avec le fédéral;
- reconnaissance du caractère incomplet mais prometteur des propositions fédérales;
- existence de convergences que traduit un progrès dans la négociation.

Les points essentiels du communiqué concernent précisément les revendications fondamentales du Québec en matière constitutionnelle:

> Les premiers ministres ont [....] toutefois souligné qu'il sera indispensable de trouver une formule de collaboration en ce qui concerne les dépenses fédérales dans les domaines relevant de la compétence des provinces/territoires ainsi qu'une procédure impartiale de règlements des différends afin d'instaurer un partenariat équilibré et juste [...].
>
> Les premiers ministres ont pris note que les propositions fédérales comportent des dispositions sur le droit de retrait. Ils ont aussi insisté sur la dimension fondamentale du consensus provincial/territorial sur la position en vue des négociations quant à la capacité d'une province ou d'un territoire de se retirer de tout nouveau programme social ou programme modifié pancanadien dans les secteurs de compétence provinciale/territoriale avec pleine compensation, entendu que la province ou le territoire offre un programme ou une initiative dans les mêmes champs d'activités prioritaires que les programmes pancanadiens [...].
>
> Les premiers ministres ont souligné que l'union sociale canadienne et les programmes auxquels les Canadiens tiennent le plus, surtout le régime de soins de santé, doivent reposer sur une série d'arrangements fiscaux renouvelés assurant un équilibre entre les revenus et les compétences des provinces/territoires à l'égard des programmes.
>
> En conclusion à leurs discussions, les premiers ministres ont confirmé la règle fondamentale pour les négociations voulant qu'aucun élément de l'entente-cadre ne soit accepté tant que l'accord dans son ensemble ne l'aura pas été.

Il y a ici quatre gains majeurs possibles pour les négociateurs québécois:

1- La mise au point d'une formule de collaboration intergouvernementale relative au pouvoir fédéral de dépenser: en clair, les premiers ministres recherchent une délimitation indispensable de ce pouvoir fédéral;
2 – La définition d'un droit de retrait provincial, avec pleine compensation, de tout programme social nouveau ou modifié à la condition que la province qui se retire offre un programme dans le même champ: c'est mieux que l'Accord du lac Meech qui s'appliquait uniquement aux nouveaux programmes;
3 – La négociation d'arrangements fiscaux qui doivent assurer l'équilibre entre les revenus fiscaux des provinces et leurs compétences législatives: c'est ici sans doute l'élément clé le plus prometteur et le plus susceptible d'harmoniser et de civiliser les relations entre le fédéral et les provinces;
4 – Le caractère fondamental pour les négociations de la règle voulant que l'entente-cadre soit un ensemble intégré et indissociable: donc, c'est un *package-deal* et les provinces n'accepteront aucun élément de l'entente sans un accord satisfaisant sur l'ensemble.

En souscrivant à la position commune des provinces ou, si l'on préfère, en adhérant au front commun des provinces tout en confirmant la règle fondamentale pour les négociations du tout ou rien, le premier ministre Bouchard faisait beaucoup plus que d'exprimer sa satisfaction de constater que les nouveaux paramètres de la négociation de l'union sociale concordaient avec les lignes directrices de la position québécoise; il donnait son acceptation de principe de participer aux négociations et d'en accepter la règle fondamentale, sous réserve bien entendu des attributions du Conseil des ministres de confirmer cette démarche et surtout d'autoriser la participation future de ministre(s) ou du premier ministre. D'ailleurs, même le gouvernement fédéral a compris que le premier ministre du Québec s'est joint aux discussions le 7 août (Allocution de Stéphane Dion, ministre des Affaires intergouvernementales canadiennes, prononcée le 11 décembre 1998 devant le Women's Canadian Club de Toronto).

Les déclarations gouvernementales subséquentes (avant, pendant et après la campagne électorale) qui indiquent que le Québec participera aux négociations fédérales/provinciales/territoriales sur l'union sociale ne comportaient sur ce point aucune nouveauté et s'inscrivaient dans la foulée de la décision de principe prise par le premier ministre Bouchard le 7 août de participer aux négociations.

J'ajouterais que tous les premiers ministres des autres provinces ont dû lire le communiqué de Saskatoon comme renfermant l'engagement de principe du Québec de participer aux discussions sur l'union sociale.

On notera enfin que le communiqué énonce des positions et une règle fondamentale pour les négociations. Il laisse évidemment de la marge de manœuvre pour la négociation, étant compris entre les premiers ministres qu'on ne laissera pas tomber d'élément du projet d'entente-cadre tant que l'entente n'aura pas été acceptée dans son ensemble.

Bref, le communiqué de Saskatoon s'avérait des plus prometteurs pour le Québec.

La position commune des provinces du 29 janvier 1999; la meilleure position pour le Québec

Je ne procéderai pas à l'exposé de la génèse de la position commune des provinces du 29 janvier 1999 sauf à mentionner quelques données factuelles:

- les négociations se sont poursuivies en septembre et octobre pour être interrompues durant la campagne électorale québécoise;
- durant cette campagne électorale, le premier ministre québécois a confirmé la participation québécoise aux négociations sur l'union sociale;
- après la campagne électorale, les négociations ont repris en décembre 1998 et le Québec a participé activement, chacune des présences ministérielles recevant au préalable l'aval du Conseil des ministres qui approuvait la position mise de l'avant par les négociateurs québécois.

Le Québec se devait alors, en vue des négociations avec le fédéral, de développer et de préciser avec les autres provinces une position commune: ce qui a été remarquablement bien fait si l'on considère le résultat des travaux du front commun: *Securing Canada's Social Union into the 21st Century, Draft Paper for Discussion Purposes only* daté du 29 janvier 1999, que j'appellerai ci-après position commune de Victoria. Document remarquablement bien fait, ai-je dit, mais document dont la position de négociation qu'il renferme s'avèrera fragile quelques jours après sa mise au point. Bref, la position commune des provinces ne tiendra pas longtemps la route. Cela suggère que nos partenaires provinciaux n'avaient pas un attachement indéfectible à la position commune et y avaient souscrit un peu du bout des lèvres sans la conviction profonde qui, par ailleurs, pouvait animer la délégation québécoise.

Voici les principales caractéristiques de cette position commune:

a) elle veut refléter les valeurs canadiennes;
b) elle veut assurer la permanence, la stabilité, le financement des programmes sociaux et l'imputabilité des gouvernements à leur égard;
c) elle recherche l'adéquation des ressources fiscales et financières des provinces à leurs obligations constitutionnelles;
d) elle affirme la responsabilité première des provinces pour la conception des politiques sociales et la mise en œuvre des programmes sociaux, quoique le chapitre 5 affirmera plus loin l'importance du rôle fédéral dans l'union sociale;
e) elle poursuit des objectifs de clarification des rôles et responsabilités des deux ordres de gouvernement, et de réduction des dédoublements;
f) elle insiste sur la nécessité d'arrangements financiers adéquats, stables et prévisibles;
et
g) préconise de travailler ensemble, en partenariat (*working together in partnership*).

C'est le chapitre 5 (*Working together in partnership*) qui touche l'objet de la présente étude que je regarderai de plus près, maintenant. Ce chapitre propose d'une part des initiatives de collaboration et, d'autre part, des approches de collaboration.

Initiatives ou moyens de collaboration (collaborative initiatives)

Les gouvernements provinciaux énoncent d'abord le postulat selon lequel, dans les secteurs de responsabilité partagée et même dans les cas de gestes d'un gouvernement dans ses propres champs de compétence qui ont un effet majeur sur un autre ordre de gouvernement, des meilleurs moyens de gérer les intérêts communs doivent être déployés. À cet égard, les provinces proposent une série de moyens ou d'initiatives en vue d'appuyer ou de compléter les approches au pouvoir fédéral. Il n'est pas inutile de rappeler les moyens proposés que l'on retrouvera en partie dans l'accord du 4 février (et que le fédéral ignorera à l'occasion du budget fédéral).

- **Avis préalable et partage de l'information**
  Obligation pour chaque ordre de gouvernement de donner un avis écrit de tout changement proposé d'un programme ou d'une politique sociale lorsque l'action gouvernementale envisagée affecte de façon significative l'autre gouvernement. L'avis doit être accompagné de détails suffisants pour permettre d'évaluer le changement.
- **Consultation obligatoire**
  Obligation pour le gouvernement qui propose le changement d'entreprendre des consultations intergouvernementales significatives pour éviter les chevauchements ou les actions non productives.
- **Établissement conjoint de priorités englobantes** *(overarching)*
- **Mesure de résultats et imputabilité**
  Entente à l'effet de mesurer les résultats des grandes politiques sociales et de faire rapport à la population.

Il ne me paraît pas nécessaire d'en dire davantage sur ces moyens susceptibles d'appuyer les approches au pouvoir de dépenser. L'important consiste à voir de près les approches préconisées par la position commune de Victoria.

Les approches de collaboration au pouvoir de dépenser dans les programmes sociaux pancanadiens

Les provinces s'engagent d'une part à collaborer pour établir des consensus lorsque des dépenses fédérales pour des programmes pancanadiens s'effectuent dans des domaines de compétence provinciale. Elles croient que la notion de flexibilité dans l'élaboration et la mise en œuvre des programmes constitue une composante essentielle des programmes sociaux. La capacité pour les provinces de s'attaquer à des aspects prioritaires des programmes pancanadiens leur apparaît essentielle au fonctionnement efficace de l'union sociale. La règle du consentement est nécessaire pour la poursuite des modes de collaboration décrits à l'étape I.

Étape I – La collaboration

- Établissement conjoint des priorités à l'égard des dépenses fédérales, en espèces ou sous forme d'impôts, pour les programmes pancanadiens nouveaux ou modifiés, dans des domaines de compétence provinciale.

- Entente conjointe sur les objectifs et les principes des programmes pancanadiens nouveaux ou modifiés comprenant:
  - flexibilité des programmes qui respectent les priorités provinciales
  - définition claire des rôles et responsabilités des deux ordres de gouvernement
  - engagement à réduire et à éviter les chevauchements et la duplication.
- Engagement à développer des indicateurs de performance pour les programmes pancanadiens, nouveaux ou modifiés, à les évaluer et à faire rapport public, conformément aux rôles et responsabilités de chaque gouvernement.
- Consentement à incorporer dans les ententes des mesures en vue d'assurer le caractère adéquat et la certitude du financement.

Étape II – Flexibilité

Lorsque l'approche de la collaboration prévue à l'étape I (étape privilégiée) ne permet pas d'arriver à une entente, le dispositif suivant, celui de la flexibilité, sera invoqué. On remarquera que l'étape flexibilité est en réalité moins flexible que la première, elle est plus encadrante du pouvoir de dépenser et protectrice des droits provinciaux que la première étape, qui reste imprécise, consensuelle et délibérative. Exposons les deux principes fondamentaux de cette deuxième étape qui propose aux provinces la protection et la marge de manœuvre que le Québec a toujours recherchées:

> Tout programme pancanadien, nouveau ou modifié, dans des domaines de compétence provinciale, nécessite le consentement d'une majorité de provinces. Les territoires seront appelés à donner leur consentement.
>
> Le gouvernement fédéral versera une pleine compensation financière à tout gouvernement provincial ou territorial qui choisit de ne pas participer à tout programme pancanadien, nouveau ou modifié, pour autant qu'il mette en œuvre un programme ou une initiative qui réponde aux domaines de priorités du programme pancanadien, nouveau ou modifié.

Ce qui précède concerne, on le voit, les programmes pancanadiens issus du pouvoir fédéral de dépenser, lequel ne s'exprime pas que par des programmes pancanadiens. Le Québec qui a toujours considéré nécessaire d'assujettir toutes les dépenses fédérales dans des domaines de compétence provinciale au consentement préalable de la province ou des provinces concernées va trouver avec ce qui suit une réponse positive, la position commune de Victoria prévoyant:

> Les dépenses fédérales dans des domaines de compétence provinciale qui s'effectuent dans une province ou un territoire doivent recevoir le consentement de la province ou du territoire concerné.

Commentaires

- La position commune de Victoria répondait aux demandes constantes du Québec.
- Elle s'appliquait à toute initiative ou à toute mesure fédérale dans nos champs de compétence.
- Le consentement des provinces était requis pour modifier un programme existant ou pour lancer un nouveau programme.
- À défaut d'entente, la position commune reconnaissait un droit de retrait compensé pour la province non participante dans le programme si celle-ci avait un programme répondant au domaine de priorités du programme fédéral.
- Pour la première fois au Canada, les autres provinces reconnaissaient et acceptaient l'argumentation et la position québécoises.
- En réalité, elle intégrait la meilleure position québécoise qui était, selon moi, celle de M. Robert Bourassa présentée lors d'une conférence constitutionnelle à Ottawa les 21 août 1992. La proposition du premier ministre Bourassa a fait alors l'objet d'une large couverture médiatique et j'y réfère en citant les extraits les plus importants:

> «Essentiellement, le Québec ne recherche pas de transferts massifs de compétence: il recherche le respect de la Constitution de 1867.
>
> Il est difficile de parler du partage des pouvoirs sans d'abord protéger les pouvoirs provinciaux contre les intrusions du gouvernement fédéral par le biais de son pouvoir de dépenser. Il serait inutile d'obtenir de nouveaux pouvoirs si les provinces n'obtenaient pas aussi la maîtrise d'œuvre de toutes les interventions dans leurs champs de compétence exclusive [...]. Dans tous les champs de compétence des provinces, le Québec demande:

1) que le fédéral ne puisse utiliser son pouvoir de dépenser qu'après entente avec les provinces qui le désirent;
2) que soient renégociées, dans une période à déterminer, les modalités actuelles de l'exercice du pouvoir de dépenser, sur

demande d'une province et dans les secteurs qu'elle pourra identifier;

3) que soit accordé à toute province, à défaut d'entente formelle dans l'un ou l'autre cas, un retrait complet du fédéral, accompagné d'une compensation appropriée et permanente, lorsqu'elle s'engagera à mettre en œuvre une mesure compatible avec des objectifs nationaux librement consentis qui seraient définis par les conférences des premiers ministres.»

La position commune de Victoria supporte bien la comparaison avec la proposition de M. Bourassa qui fut rejetée du revers de la main par le gouvernement fédéral et les provinces, même si sur certains aspects les deux documents comportent des différences (plus apparentes que réelles):

- Les programmes fédéraux existants étaient clairement visés par la proposition Bourassa, mais la position commune de Victoria permettait de les atteindre au moment de leur modification;
- La proposition Bourassa aurait obligé de renégocier, à la demande d'une province, les modalités des programmes existants; cette renégociation aurait pu conduire à l'acceptation d'une règle de consentement 7 provinces représentant au moins 50 % de la population canadienne, voire à la limite à l'acceptation de la règle du consentement d'une majorité de provinces inscrite dans la position commune;
- Une règle de consentement concernant les programmes existants aurait été sans doute rendue applicable aux nouveaux programmes;
- La proposition Bourassa subordonnait le retrait à la mise en œuvre par la province d'une mesure compatible avec des objectifs nationaux librement consentis et définis par la conférence des premiers ministres; la position commune, elle, assujettit le retrait à une condition moins contraignante, savoir la mise en œuvre d'un programme ou une initiative qui réponde aux domaines de priorités du programme pancanadien nouveau ou modifié.

En somme, sous la réserve de l'expression «consentement d'une majorité de provinces» qui appelaient des précisions, la position commune vaut la position autonomiste de M. Bourassa de 1992 (on pourra comparer la proposition de M. Bourassa de 1992 aux propositions des premiers ministres Pierre-Marc Johnson et Daniel

Johnson formulées en 1985 et en 1993: voir l'étude du Secrétariat aux affaires intergouvernementales canadiennes); la proposition Bourassa demeure un excellent terme de référence.

Pour terminer ce chapitre, j'observe que la proposition de M. Bourassa et la position commune de Victoria auraient amélioré, sur ce point, l'Accord du lac Meech de 1987 qui ne visait que les nouveaux programmes pancanadiens cofinancés (l'Accord soumettait le retrait à une condition qui m'apparaît peut-être plus exigeante que la position commune de Victoria, savoir que «la province applique un programme ou une mesure compatible avec les objectifs nationaux»).

L'entente du 4 février 1999: aux antipodes du consensus de Saskatoon (août 1998) et de la position commune (janvier 1999), et inacceptable

Il faut souligner que le Chapitre V *Le pouvoir fédéral de dépenser – Améliorer les programmes sociaux des Canadiens* fait partie de l'entente du 4 février 1999 qui a pour titre *Un cadre visant à améliorer l'union sociale pour les Canadiens*. Le Québec n'a pas signé cette entente administrative, conclue au niveau du pouvoir exécutif des gouvernements signataires. Je remarque que le cadre en question n'est pas très contraignant, puisque la branche législative des gouvernements signataires peut le mettre de côté librement, le Parlement fédéral et les législations provinciales n'étant pas liés par des contrats ou ententes intergouvernementaux. Toutefois, les gouvernements entretiennent des attentes raisonnables et légitimes que les conventions ou ententes intervenues entre exécutifs soient respectées.

Cela dit, j'observe que l'entente du 4 février repose sur quelques principes directeurs que les gouvernements s'engagent à adopter et cela dans le respect de leurs compétences et pouvoirs constitutionnels respectifs. Deux des principes énoncés dans les engagements des premiers ministres sont pertinents à l'étude entreprise.

- Assurer à tous les Canadiens, peu importe où ils vivent ou se déplacent au Canada, l'accès à des programmes et services sociaux essentiels qui soient de qualité sensiblement comparable.
- Faire en sorte que les programmes sociaux bénéficient d'un financement suffisant, abordable, stable et durable.

Principes à première vue incontestables, leur mise en application dans l'entente signifiera le dogme de l'uniformisation des programmes sociaux et la consécration du pouvoir de dépenser.

En passant, je note que l'entente du 4 février exprime ou représente la position fédérale. J'essaie d'expliquer plus loin pourquoi on a largué la position commune de Victoria. J'examinerai maintenant les différentes sections du chapitre V.

Les transferts sociaux aux provinces et aux territoires: hommage au pouvoir fédéral de dépenser

Le premier paragraphe du chapitre fait l'apologie du pouvoir fédéral de dépenser en des termes qui suggèrent l'absence de toute problématique. D'une part, on y affirme que l'utilisation du pouvoir fédéral de dépenser, conformément à la Constitution, a été essentielle au développement de l'union sociale canadienne; de fait, on aurait pu dire que l'union sociale pouvait se développer autrement sans recourir à un pouvoir fédéral qui modifie la Constitution du pays. D'autre part, il est vrai, comme le dit le document, que le pouvoir de dépenser a été souvent utilisé pour ériger le système qu'on y décrit (transférer des fonds aux gouvernements provinciaux et appuyer la livraison de programmes et de services sociaux par les provinces) afin de favoriser la poursuite d'objectifs pancanadiens (fédéraux); mais, selon moi, la poursuite d'objectifs fédéraux en matières provinciales ne milite pas nécessairement en faveur d'un tel système érigé grâce au pouvoir de dépenser.

En clair, le premier paragraphe du chapitre était irrecevable (un *non starter*) et banalisait tous les excès des pouvoirs de dépenser et toutes ses intrusions dans les champs provinciaux.

Le deuxième paragraphe du chapitre V participe du même esprit et poursuit l'ode aux programmes cofinancés ou conjoints dans les domaines provinciaux: ils sont décrits comme des transferts sociaux conditionnels qui ont permis aux gouvernements de lancer des programmes sociaux nouveaux et innovateurs, comme l'assurance-maladie, et de veiller à ce que ces programmes soient offerts à tous les Canadiens. Ce type de langage louange à la fois le rôle fédéral et le caractère universel des programmes que la présence fédérale autorise.

Le reste du paragraphe poursuit la normalisation ou la reconnaissance du pouvoir de dépenser («lorsque le gouvernement fédéral a recours à ce type de transferts, qu'il s'agisse de programmer à frais partagés ou de financement fédéral» et souhaite une manière de procéder par le fédéral qui soit «coopérative et respectueuse des gouvernements provinciaux... et de leurs priorités».

De fait, ce texte et ce qui va suivre consacrent la parfaite légitimité du pouvoir de dépenser et des façons de procéder qui donnent carte blanche au fédéral pour faire ce qu'il veut et ravager les champs provinciaux. Le premier ministre fédéral ne manquera d'ailleurs de souligner dans un communiqué émis le 4 février 1999 le gain fédéral en parlant «d'une nouvelle approche vis-à-vis du pouvoir de dépenser qui en consacre le rôle essentiel dans le cadre de l'union sociale canadienne».

Prévisibilité du financement: une consultation et des préavis (sans signification)

Sous la rubrique prévisibilité du financement, on trouve deux engagements ou obligations impartis au gouvernement: obligation de consulter avant de renouveler ou de modifier les programmes sociaux existants et obligation d'inclure des dispositions de préavis dans les nouveaux transferts sociaux aux provinces.

Consultation

Le texte énonce que le gouvernement fédéral consultera les gouvernements provinciaux et territoriaux au moins un an avant de renouveler ou de modifier de manière importante le financement des transferts sociaux existants aux provinces et territoires, sauf entente contraire.

L'obligation de consulter

1- commence à s'appliquer à compter du 4 février 1999;
2- s'attache à tout projet de renouvellement ou de modification importante de transferts sociaux existants aux provinces;
3- s'applique à tout type de transferts sociaux existants, qu'il s'agisse de programmes à frais partagés (santé, éducation, aide sociale) ou de programmes entièrement de financement fédéral (exemple: programme fédéral concernant le réseau des centres de recherche universitaire);
4- s'impose «sauf entente contraire».

Préavis

Le gouvernement fédéral devra inclure des dispositions de préavis dans les nouveaux transferts sociaux aux provinces donc, le gouvernement fédéral s'engage à faire mettre dans les lois et programmes qui prévoient de nouveaux transferts sociaux (programmes à frais partagés ou de financement fédéral) des dispositions de préavis concernant tout projet de renouvellement ou de modification.

Commentaires

L'obligation de consultation dont il s'agit ici relève davantage du domaine politique que juridique. Formulée en termes imprécis, elle ne prévoit ni le mode ni l'étendue de la consultation; il s'agit de consulter au moins un an avant. Mais à partir du 4 février 1999, pour tout projet de renouvellement ou de modification importante du financement des transferts sociaux existants, il y a, à tout le moins, une obligation politique pour le gouvernement fédéral de ne pas procéder au renouvellement ou à la modification des transferts sans consulter au préalable les provinces sur son projet. Consulter comprend certainement ici l'information suffisante aux provinces sur le projet fédéral et la réaction des provinces dans l'année qui suit. Durant la période de consultation, le moratoire devrait s'imposer. Or, il n'a pas été respecté par le gouvernement fédéral lors de son budget par l'annonce d'une réforme des critères de répartition du transfert social canadien.

Le problème que posent de semblables engagements se situe sur le plan des sanctions de leur inobservance. J'ai déjà indiqué que l'entente relève de l'ordre administratif et que le Parlement (y compris les législatures) possède à son égard une autorité prépondérante: les lois, y compris les lois budgétaires, prévalent sur l'entente, au plan juridique (*Renvoi relatif au régime d'assistance publique du Canada*, (C.B.), [1991] 2 R.C.S. 525). En droit constitutionnel, on pourrait prétendre que l'entente du 4 février renferme sur ce point (l'engagement de consulter) une convention constitutionnelle et que les gestes qui y contreviennent sont inconstitutionnels au sens de la décision de la Cour suprême dans le *Renvoi: Résolution pour modifier la Constitution*, [1981] 1 R.C.S. 753, mais l'une des conditions d'existence d'une prétendue convention constitutionnelle (le respect des précédents) m'apparaît plutôt difficile à établir.

Nouvelles initiatives pancanadiennes soutenues par des transferts aux provinces/territoires: une protection illusoire pour les provinces

Le régime de la collaboration limitée dans la définition des politiques fédérales

Il faut faire ressortir que le titre *nouvelles initiatives fédérales* englobe toutes les initiatives pour la santé, l'éducation postsecondaire, l'aide sociale et les services sociaux, financées au moyen de transferts aux provinces, qu'il s'agisse de programmes à frais partagés ou de mesures entièrement financées par le gouvernement fédéral. À l'égard de ces initiatives qui, est-il nécessaire de le rappeler, se situent dans des domaines provinciaux, le gouvernement du Canada s'engage à

- travailler en collaboration avec tous les gouvernements provinciaux et territoriaux pour déterminer les priorités et les objectifs pancanadiens, et
- ne pas créer de telles initiatives pancanadiennes sans le consentement de la majorité des provinces.

En clair, cela veut dire que le fédéral peut lancer tout programme à frais partagés ou toute mesure de financement fédéral, dans des sphères de compétence provinciale, avec l'accord de seulement six provinces, sans égard à la population de celles-ci. Il peut pareillement fixer les priorités et les objectifs pancanadiens de tout nouveau programme cofinancé ou de toute mesure financée par Ottawa, impliquant un transfert d'argent aux provinces. Le texte n'est pas très limpide quant à l'obligation de convenir des priorités et des objectifs selon la règle de la majorité (la règle de la majorité apparaissant au niveau de la création de l'initiative), mais je crois que la règle du consentement de la majorité, qui apparaît à la fin du libellé des deux engagements, gouverne également la définition des priorités et des objectifs des programmes ou initiatives visés. C'est du moins la lecture que fait l'auteur du document (le gouvernement fédéral) qui reconnaît aussi que le nouveau régime recoupe la plus grande proportion, et de loin, des dépenses provinciales et territoriales, y compris ce que les gouvernements provinciaux et territoriaux considèrent leur principale priorité? les soins de santé. «*La coopération dans l'exercice du pouvoir de dépenser en matière de transferts intergouvernementaux – Le modèle de la course au sommet*», par les ministres S. Dion et A. McLellan, 5 février 1999).

Plusieurs commentateurs ont critiqué cette notion de consentement de la majorité des provinces et ont justement dénoncé le déficit démocratique qu'elle implique: le fédéral pourrait convaincre six petites provinces représentant 15 % de la population canadienne de lancer un nouveau programme, fixer ses conditions et objectifs, et les imposer à une majorité de la population qui, éventuellement, n'en voudrait pas. Au plan des principes, la critique paraît fondée, mais dans les faits le gouvernement fédéral hésiterait à se lancer dans un projet boudé ou rejeté par les grosses provinces. Toutefois, on aurait évité bien des critiques si l'entente avait jumelé l'exigence de la majorité de la population du Canada à celle du consentement de la majorité des provinces.

Je ne pense pas qu'il faille ériger cette lacune en *cassus belli*. Le gouvernement du Québec avait lui-même en 1976 proposé que tout exercice du pouvoir de dépenser soit assujetti à l'approbation d'une majorité de provinces (Réunion interprovinciale des ministres des affaires intergouvernementales et des procureurs généraux, Edmonton, août 1976). Vingt ans après, le gouvernement fédéral s'engageait, à l'occasion du discours du trône, à ne plus utiliser son pouvoir de dépenser pour créer de nouveaux programmes dans des domaines de compétence exclusive sans le consentement de la majorité des provinces. L'idée n'était donc pas entièrement nouvelle quand les premiers ministres provinciaux la reçoivent dans leur position commune de Victoria.

La difficulté ne se situe pas sur le plan de l'insuffisance de la règle du consentement; elle provient du cadre général de l'entente qui accueille à bras ouverts le fédéral dans les sphères de compétence provinciale, lui donne une grande liberté d'action et d'initiative avec l'instrument d'intervention le plus antifédéraliste qui soit, emprisonne les provinces dans leurs propres affaires domestiques et ne leur permet pas de se sortir du carcan fédéral qui résultera de la mise en œuvre de ce modèle. Dans les faits, faut-il le redire, les provinces vont devoir participer aux discussions sur les priorités et les objectifs, et vont normalement accepter l'argent fédéral, les programmes et leurs normes. Les dissidentes très rares, on le verra, n'auront guère d'autre choix que de suivre puisque leur droit de faire bande à part ou de se retirer est illusoire. Bref, le régime proposé s'apparente davantage à un régime autoritaire et centralisateur qu'un régime de flexibilité propre au fédéralisme.

Pour conclure, j'admets que mes propos pourraient relever de la théorie politique seulement, parce que, dans la réalité des opérations gouvernementales, j'ai de la difficulté à entrevoir, pour l'instant, des initiatives fédérales nouvelles financées au moyen de transferts aux provinces.

D'ailleurs, le fédéral n'a pas besoin de se plier à la mécanique des exigences du consentement de la majorité des provinces applicable aux programmes à frais partagés. Il peut facilement passer outre à ses propres engagements en procédant autrement et unilatéralement comme le démontrent éloquemment les dossiers de la prestation nationale pour enfants, des bourses du millénaire, de la Fondation canadienne pour l'innovation et du financement de la recherche et de nos centres de recherche.

L'autonomie de principe des gouvernements provinciaux de déterminer le type et la combinaison des programmes adaptés à leurs besoins

On lira avec beaucoup de surprise l'énoncé de l'autonomie de principe des provinces de déterminer le type et la combinaison de programmes qui conviennent le mieux:

> Chaque gouvernement provincial et territorial déterminera le type et la combinaison de programmes qui conviennent le mieux à ses besoins et à sa situation, *afin d'atteindre les objectifs convenus* (nous appuyons).

Il s'agit là d'une simple pétition de principe puisque la faculté reconnue aux provinces de concevoir le type et la combinaison de programmes qui conviennent le mieux à leurs besoins et à leur situation doit s'exercer pour atteindre les objectifs convenus; comme les objectifs risquent d'être des objectifs fédéraux endossés par une simple majorité de provinces, le texte signifie que la faculté ou la marge de manœuvre des provinces est tout à fait illusoire puisqu'il leur faut avant tout atteindre les objectifs convenus. Et je préciserai plus loin que l'atteinte des objectifs convenus constitue une impérieuse nécessité parce que l'engagement à atteindre les objectifs pancanadiens constitue la condition *sine qua non* de la réception du financement fédéral.

Le droit constitutionnel canadien pourra difficilement parler, désormais, d'autonomie provinciale dans les champs réservés par la Constitution aux provinces. Si une province voulait d'aventure opter pour un programme convenant à ses besoins et à sa situation, mais qui n'atteint pas les objectifs convenus (entre le fédéral et six provinces), elle serait tellement pénalisée que sa seule option résiderait dans l'adhésion fidèle à la poursuite des objectifs pancanadiens ainsi définis.

Le droit de retrait? ou plutôt un droit de contraindre

De toutes les demandes québécoises des 50 dernières années, j'estime que le retrait compensé des programmes fédéraux issus du pouvoir de dépenser est l'une des plus importantes et constantes, parce que non seulement cette demande relève d'une démarche autonomiste propre au fédéralisme, mais aussi exprime la spécificité du Québec. Or, l'entente du 4 février 99 fait mal surtout à ce chapitre: l'entente ignore et rejette nos demandes constantes, et confirme que le fédéralisme canadien est incapable de se renouveler pour accommoder les besoins d'espace d'un Québec spécifique. Je m'explique.

Faculté pour une province de réinvestir les fonds fédéraux non requis: ses conditions d'exercice

Selon le libellé, un gouvernement provincial qui, en raison de sa programmation existante, n'aurait pas besoin d'utiliser l'ensemble du transfert pour atteindre les objectifs convenus, pourrait réinvestir les fonds non requis dans le même domaine ou dans un domaine «prioritaire connexe».

La faculté ou la possibilité pour une province de réinvestir une partie de l'ensemble du transfert fédéral (i.e. les sommes que le fédéral devrait normalement dépenser dans la province et transférer à celle-ci) est soumise à plusieurs conditions préalables:

a) la province doit avoir sa propre programmation (programmes, mesures, initiatives, politiques, etc.);

b) cette programmation lui permet d'atteindre les objectifs pancanadiens convenus;

c) la partie non requise du transfert fédéral pour atteindre les objectifs doit être réinvestie (non dépensée) dans le même domaine *prioritaire* ou dans un domaine «prioritaire connexe».

Le texte implante un régime d'encadrement de dépenses de fonds publics par les provinces, qui ne se rapproche guère d'un système de retrait qui, lui, permet la flexiblité et la spécificité. Si, pour fins de discussions seulement, on veut appeler cette «faculté de réinvestir» un droit de retrait, on doit admettre que le droit de retrait n'existe pas si une province n'a pas de programme; et, dans ce cas, la province doit en créer un et atteindre les objectifs convenus avant de pouvoir réinvestir (peu probablement) une partie non requise du transfert dans le même domaine prioritaire. Par contre, si la province est déjà dans la course aux objectifs «convenus», il y a fort à parier que ceux-ci vont se situer à la hauteur des objectifs de la province, de sorte que la faculté de réinvestir n'est qu'un leurre ou une utopie. Dans tous les cas, les provinces se doivent de faire pareil, avant d'accéder à la faculté de réinvestir dans le même domaine. Prétendre que l'entente a reconnu aux provinces la capacité et la liberté de mettre en œuvre des programmes sociaux adaptés à leurs besoins provient d'une lecture pour le moins inattentive de l'entente.

On ne saurait évidemment accepter une telle mécanique de contraintes dans les relations fédérales-provinciales, une mécanique qui conduit au contrôle et à la vérification par le gouvernement fédéral des activités qui relèvent du ressort des provinces. Les provinces seront appelées à rendre des comptes: ont-elles une programmation adéquate pour atteindre les objectifs pancanadiens? ont-elles dans un dossier particulier atteint suffisamment les objectifs nationaux? de quelle partie du transfert fédéral peuvent-elles disposer pour réinvestir dans le même domaine prioritaire ou domaine prioritaire connexe? le domaine prioritaire connexe éventuellement retenu par la province est-il permis?

C'est tellement contraignant, encadrant et étouffant qu'il n'y aura pas, dans cet esprit, beaucoup de place pour la flexibilité et la spécificité: l'uniformisation des politiques sociales propre à un régime unitaire devient l'un des fondements de l'organisation politique canadienne.

Le texte s'avère beaucoup plus encadrant et contraignant que l'Accord du lac Meech qui prévoyait un véritable droit de retrait et n'imposait qu'une exigence de compatibilité de la mesure provinciale avec les objectifs nationaux. Il va plus loin dans la contrainte que le Discours du trône de février 1996 dans lequel le fédéral s'engageait à donner un droit de retrait aux provinces, à condition qu'elles adoptent un programme équivalent. On a pu s'inspirer ici du Rapport Beaudoin-Dobbie de 1992 (Rapport du Comité mixte spécial du Sénat et de la Chambre des communes sur le renouvellement du Canada), pour imaginer un semblable système qui ressemble au régime de liberté surveillée que comportent les ordonnances de probation du droit criminel.

Les autres conditions d'obtention des transferts fédéraux

À la fin de sa rubrique concernant les nouvelles initiatives soutenues par des transferts aux provinces, le texte de l'entente fixe deux conditions supplémentaires aux provinces pour qu'elles reçoivent du financement des provinces:

- leur gouvernement doit atteindre ou s'engager à atteindre les objectifs pancanadiens convenus;
- leur gouvernement doit convenir de respecter un cadre d'imputabilité.

Le cadre d'imputabilité n'a pas encore vu le jour, mais ce qu'on peut entrevoir suggère encore le caractère contraignant et rigide du modèle (voir le document des ministres Dion et McLellan du 5 février 1999, mentionné plus haut). Dans l'entente du 4 février, les signataires se sont engagés à s'entendre sur un cadre d'imputabilité relatif à ces nouvelles initiatives et nouveaux investissements sociaux. Les provinces seront donc associées à l'élaboration du mécanisme de reddition de compte des dépenses provenant des transferts fédéraux et devront, bien entendu, respecter ce mécanisme pour recevoir une part du financement disponible. C'est un pas de plus vers leur asservissement aux nouvelles lois issues d'un partenariat avec le fédéral dans leurs sphères de compétence exclusive.

Le texte de la première condition parle, on l'aura noté, d'une obligation d'atteindre les objectifs nationaux ou pancanadiens convenus ou d'un engagement de la province de les atteindre. Encore ici, ce nouveau mécanisme institutionnel ou contractuel ne va pas de pair avec le principe fondamental de l'autonomie des provinces. Non seulement le fédéral s'immisce-t-il en territoires provinciaux avec ses programmes, mais le nouveau code de conduite exigera des provinces de s'engager à respecter les objectifs nationaux avant de recevoir du financement des provinces.

Ces nouvelles approches ou ces nouvelles façons de faire tiennent d'une conception indésirable du fédéralisme canadien. Je précise toutefois que l'expérimentation de ces approches ou de ces nouvelles façons de faire pourrait n'être qu'hypothétique ou virtuelle, le fédéral utilisant peu maintenant les nouvelles initiatives financées au moyen de transferts aux provinces et préférant la technique des dépenses fédérales directes.

Les dépenses fédérales directes: la voie royale pour envahir les champs provinciaux

Je n'entretiens aucun doute que l'entente du 4 février se range dans la catégorie des grandes victoires de la machine intergouvernementale fédérale. Pour le Québec, qui se devait de ne point apposer sa signature, j'hésite à parler d'échec, parce que cela supposerait dans une certaine mesure que nos premiers ministres actuels ou passés, ainsi que l'administration publique, auraient été défaillants sur les plans de l'analyse, du montage des dossiers, du soutien opérationnel et des négociations intergouvernementales, ce qui n'est pas le cas. Les implications des développements survenus au début de février ne se mesurent d'ailleurs pas à l'aune des concepts insuffisants et réducteurs de gains ou de pertes. Je reviendrai ultérieurement sur les implications de l'entente. Pour l'heure, avant l'énoncé des considérations stratégiques et plus politiques, il faut compléter l'analyse de la rubrique «dépenses fédérales directes».

Sans ce titre, le document procède d'abord à avaliser le pouvoir de dépenser sous forme de dépenses directes avec une définition banalisante et légitimante:

> Une autre façon d'utiliser le pouvoir fédéral de dépenser consiste à effectuer des transferts aux personnes et aux organisations pour promouvoir l'égalité des chances, la mobilité et les autres objectifs pancanadiens.

Cet autre volet est ici présenté comme normal et se justifie parce qu'il vise à promouvoir l'égalité des chances, la mobilité et les autres objectifs fédéraux; le texte ne parle pas d'objectifs pancanadiens convenus mais d'objectifs pancanadiens, ce qui signifie les objectifs fédéraux définis unilatéralement par le gouvernement fédéral. On sait que cet autre volet du pouvoir de dépenser devient de plus en plus l'instrument privilégié par le fédéral pour intervenir dans les domaines de la santé, l'éducation postsecondaire, l'aide sociale et les services sociaux, comme le démontrent bien certaines initiatives fédérales relatives notamment à la prestation canadienne pour enfants, à la Fondation canadienne pour l'innovation, au fonds d'adaptation des services de santé, au financement de la recherche et des centres de recherche et à la Fondation canadienne des bourses du millénaire.

Or, la règle de comportement que fixe l'entente au gouvernement fédéral lorsque celui-ci lancera de nouvelles initiatives pancanadiennes par des transferts directs aux personnes et organisations dans les domaines ci-dessus mentionnés me semble être d'une extrême simplicité, pour ne pas dire d'une très grande légèreté:

- le gouvernement fédéral «s'engage avant de les mettre en œuvre, à donner un préavis de trois mois et à offrir de consulter»;
- les gouvernements qui participent à ces consultations auront l'occasion de repérer les possibilités de dédoublement et de

proposer d'autres approches favorisant une mise en œuvre souple et efficace.

Ce système n'a rien de contraignant et ne balise aucunement ce volet du pouvoir de dépenser:

a) le fédéral n'a aucune obligation légale de donner avis et de consulter, puisque les lois budgétaires qui fondent les initiatives de dépenses échappent à l'emprise de l'engagement politique assumé par le fédéral;
b) l'obligation de donner un préavis d'au moins trois mois est sans signification puisque ne précisant ni le destinataire de l'avis ni le contenu ou la forme de l'avis; un préavis général de trois mois publié dans la *Gazette officielle du Canada* pourrait suffire;
c) l'engagement d'«offrir de consulter» est à ce point imprécis qu'il ne comporte aucune signification. Le gouvernement ne s'engage pas à consulter les gouvernements; il s'engage à offrir de consulter. Ainsi, une offre de consultation faite à quelques gouvernements triés sur le volet, ou à quelques personnes ou organismes de service ou de complaisance pourra amplement suffire: cela devient de la consultation simulée;
d) l'occasion donnée aux personnes ou organismes de repérer les possibilités de dédoublement et de proposer d'autres approches ne signifie non plus grand-chose d'autant que la consultation pourra se faire privément et que les avis exprimés n'obligeront pas le fédéral;
e) ce prétendu encadrement du pouvoir de dépenser est, ici, à des années-lumière de ce que le Québec a toujours demandé (consentement préalable et retrait), et de ce que les provinces étaient convenues en janvier 1999; le retrait compensé a été lessivé ou javellisé;
f) ce mode très informel d'opérer va faciliter les programmes sociaux fédéraux qui vont assurer la visibilité fédérale mais vont continuer de bousculer les priorités et les politiques provinciales;
g) les provinces n'ont pas besoin d'adhérer aux objectifs ou à quelque cadre d'imputabilité: cela ne s'applique pas ici.

Les implications de l'entente: dépérissement des compétences provinciales et renforcement de l'uniformisation fédérale

Le texte de l'entente du 4 février est manifestement marqué du sceau fédéral et ne supporte aucune comparaison ni avec le communiqué final de Saskatoon (août 1998) ni avec la position commune de Victoria (janvier 1999). Vu dans la perspective des positions québécoises, le chapitre V de l'entente veut dire recul et situation pire que le *statu quo*. Il contient à vrai dire un encadrement du pouvoir de dépenser tellement souple que le fédéral n'y trouvera aucune limitation ou presque. Pour la première fois dans l'histoire des relations intergouvernementales, les provinces, à l'exception du Québec, confirment et reconnaissent la légitimité du pouvoir de dépenser et donnent à Ottawa un sauf-conduit pour intervenir dans toutes les sphères de compétence exclusive des provinces.

Le texte ne se compare pas non plus avec l'Accord du lac Meech qui osait parler d'un véritable droit de retrait compensé et qui avait bien pris soin d'ajouter une clause de sauvegarde pour éviter toute reconnaissance du pouvoir de dépenser et tout élargissement des pouvoirs fédéraux. L'Accord du lac Meech ne donnait pas carte blanche à Ottawa pour s'ingérer en matières provinciales au moyen de programmes sociaux financés par les transferts aux personnes et organisations. Il ne donnait pas non plus la possibilité pour le fédéral, au chapitre des programmes sociaux financés par des transferts aux provinces, de s'entendre avec six petites provinces contribuant légèrement au financement, sur de nouveaux programmes, priorités et objectifs, et d'imposer tout cela aux autres provinces.

L'entente du 4 février donne tous les leviers ou instruments pour centraliser, et réduire notre spécificité québécoise. Le fédéral est couronné gouvernement supérieur et les provinces deviendront ses antennes ou ses franchisés. Il va pratiquer une prétendue cogestion avec les provinces, mais le modèle retenu ressemble à celui du gouvernement unique. Il va pouvoir nous imposer ses priorités et ses programmes dans tous les secteurs et à tous les organismes: hôpitaux, centres sociaux, services de santé, collèges, centres de recherche, universités, commissions scolaires, bibliothèques, etc. Rien n'échappe à sa capacité d'intervention.

Le pire dans ce modèle se trouve dans l'incapacité des provinces de faire autrement et de se protéger; elles devront participer, adhérer et se soumettre. Celles-ci n'ont aucun droit de veto et aucun véritable droit de se soustraire d'un programme avec compensation. Elles auraient dû à tout le moins se voir reconnaître un pouvoir prépondérant ou premier de définir et de gérer des programmes sociaux adoptés à leur population et à leur réalité. Ce n'est pas du tout le cas.

Le dogme de l'uniformisation prévaudra et les concepts de la flexibilité, d'adaptation et de spécificité devront céder le pas aux normes et objectifs pancanadiens. Les provinces regretteront le peu de marge de manœuvre qu'elles viennent de se donner; elles viennent en effet de se ficeler et de s'emprisonner dans le carcan des normes, priorités, conditions et objectifs pancanadiens auxquels s'ajoutera un cadre d'imputabilité et de reddition de comptes.

Pour le Québec, l'entente sonne le glas du Canada asymétrique et de tout ce qui pourra ressembler à un régime de traitement particulier ou spécifique. Je dirais même que pour nous ce document marque la fin des ententes de retrait ou d'*opting out* des années 1960 et des ententes particulières comme en matière d'immigration ou de main-d'œuvre (1991 et 1997). Je ne vois pas comment les principes fondamentaux ou la philosophie sous-jacente du document pourrait permettre la répétition de ces précédents. Il me semble aussi évident que l'entente du 4 février 1999 enterre nos revendications au chapitre du pouvoir de dépenser: l'entente est fermée pour trois ans, et elle s'applique. On pourra la renégocier dans trois ans mais il sera alors trop tard pour reconquérir le terrain perdu et faire prévaloir nos positions traditionnelles. Elle risque donc d'être permanente.

La constitution fédérale du Canada sort ébranlée de ces manœuvres intergouvernementales et vient d'opérer un net glissement vers la centralisation. Le domaine de la politique sociale que nous avons toujours considéré comme partie de nos attributions exclusives change de classification et rentre dans la catégorie des responsabilités conjointes ou partagées, avec une nette prépondérance fédérale. Les pouvoirs de l'Assemblée nationale sont donc affectés et réduits: l'entente sur l'union sociale est dans une large mesure, en matière de politique sociale, ce qu'a été la Charte canadienne par rapport aux pouvoirs de l'Assemblée nationale (avec la réserve que les tribunaux n'assureront pas l'exécution de l'entente). Bref, l'Assemblée nationale pourra plus difficilement prétendre que le Québec est maître dans ses propres affaires domestiques. Le fédéralisme «prédateur» dont parlait M. Robert Bourassa se voit ainsi attribuer un certificat de bonne santé.

Le fédéralisme canadien a perdu une occasion de se renouveler autrement que par la centralisation. Il a ignoré un consensus rare et inédit de toutes les provinces qui aurait pu, en étant agréé par Ottawa, envoyer un message d'espoir aux fédéralistes québécois autonomistes qui recherchent la cohabitation, les mises en commun et le respect de la spécificité québécoise. Le climat d'affrontement ne peut donc que perdurer entre le Québec et le gouvernement du Canada. Certains commentateurs pourraient dire que c'est à cause de l'étiquette séparatiste du premier ministre du Québec qu'une entente conforme à la position commune n'a pu être obtenue, mais une telle prétention perd beaucoup de validité quand on songe que le premier ministre Bourassa avait connu un échec plus cuisant avec une proposition qui coïncidait avec la position commune de Victoria.

Une conclusion incontournable se dégage et s'impose: notre premier ministre ne pouvait et ne devait signer pareille affaire. En ne signant pas, il ne reconnaissait rien et ne posait aucun précédent dommageable, et ne risquait pas, non plus, d'encourir des pertes financières pour le Québec. En revanche, en signant, notre premier ministre agréait des orientations foncièrement inacceptables et non recevables, et évidemment impossibles à bonifier. Il ne saurait être question de souscrire à une présence permanente et structurante du fédéral dans nos propres domaines, et de renoncer à notre identité. M. Bouchard n'a pas signé parce que nos valeurs et conceptions sur lesquelles reposent nos revendications restent modernes et conformes à nos intérêts fondamentaux et continuent d'inspirer la construction du Québec moderne. La mondialisation ne peut impliquer la répudiation d'une démarche d'affirmation nationale et l'acceptation de politiques uniformes peu favorables à la protection et à la promotion de la spécificité québécoise.

Les stratégies d'action

J'aborderai brièvement, en fin d'étude, les stratégies d'action. Je dis brièvement parce que mon mandat ne prévoyait pas que j'eusse à aborder cet aspect et aussi parce que j'aimerais avoir le bénéfice d'une plus grande réflexion, voire de certaines discussions, avant de vous livrer des commentaires plus élaborés. Selon moi, il ne faudrait pas que les développements survenus en février 1999 (l'entente du 4 février et le budget fédéral qui ne la respecte pas au chapitre du financement des transferts sociaux) restent sans réponse. Le Québec doit envisager un ensemble de moyens juridiques et politiques pour protéger ses compétences, accéder à l'autonomie fiscale (adéquation des ressources fiscales aux responsabilités) et s'assurer que le fédéral respecte ses propres engagements ainsi que la Constitution.

Avant d'entamer cette discussion d'ordre stratégique, il n'est pas inutile d'essayer d'expliquer ce qui s'est passé entre le 29 janvier et le 4 février 1999, quoique l'exercice m'apparaisse difficile puisque l'information reste très incomplète. J'ai l'impression que tout était décidé à l'avance lors de la rencontre du 4 février et que le volte-face des provinces était alors complet. La réunion des premiers ministres s'apparentait à un simple exercice de figuration. Pour la troisième fois en 19 ans, les provinces n'honoraient pas leur signature (1981, 1990 et 1999) et disaient non au Québec. La science juridique ne peut expliquer ce phénomène strictement politique. Celui-ci tient généralement à des manœuvres intergouvernementales où la pressuration, les menaces voilées, les promesses d'argent et les intérêts mêmes des acteurs entrent en jeu. Des considérations budgétaires à court terme (l'argent fédéral disponible en santé étant la contrepartie de l'acceptation du document fédéral) ont manifestement prévalu sur quelque volonté ou velléité d'harmoniser les relations avec le Québec et d'accepter nos revendications; en d'autres termes, les provinces ont manqué de force pour s'objecter au fédéralisme dominateur proposé par Ottawa. En quelques heures, elles ont délaissé leur propre position pour se ranger derrière celle d'Ottawa, sans négociation, et en sachant que tous les partis politiques étaient contre au Québec.

On observe donc une approche du fédéralisme canadien qui diverge radicalement de l'approche québécoise. Nos partenaires provinciaux acceptent un gouvernement fédéral fort qui parle pour eux et qui élabore des politiques sociales uniformes. Le choix du gouvernement unitaire comme modèle ne les rebute pas outre mesure. C'est avec ces considérations d'ordre contextuel que j'esquisserai quelques propos relevant de l'ordre stratégique.

L'arme juridique ne me semble pas la meilleure arme pour ramener les pratiques connues ou convenues du pouvoir fédéral de dépenser à des proportions plus respectueuses de la Constitution de 1867. Les débordements qu'on lui connaît et l'entente du 4 février qui en favorise le déploiement ne sont pas des sujets susceptibles de révision judiciaire significative. De fait, l'attitude des tribunaux à l'égard des modalités d'exercice du pouvoir de dépenser est décevante. La Cour suprême a déjà déclaré, en réponse à une province qui prétendait que le principe essentiel du fédéralisme exige que le Parlement ne devrait pas s'immiscer par son pouvoir de dépenser dans des domaines de compétence provinciale:

> On a dit que, pour protéger l'autonomie des provinces, la Cour devrait surveiller l'exercice par le gouvernement fédéral de son pouvoir de dépenser. La surveillance du pouvoir de dépenser ne constitue cependant pas un sujet distinct de contrôle judiciaire. Si une loi n'est ni inconstitutionnelle ni contraire à la Charte canadienne des droits et

> libertés, les tribunaux n'ont nullement compétence pour surveiller l'exercice du pouvoir législatif.
>
> (*Renvoi relatif au régime d'assistance publique du Canada*, [1991] 2 R.C.S. 525)

Le pouvoir fédéral de dépenser bénéficie d'une large reconnaissance par les tribunaux qui valident les lois fédérales qui fixent des objectifs nationaux ou qui imposent aux provinces des conditions de dépenses de sommes fédérales. La décision *YMCA Jewish Community Center of Winnipeg Inc.* c. *Brown*, [1989] 1 R.C.S. 1532 et *Finlay* c. *Canada (ministre des finances)*, [1993] 1 R.C.S. 1080 appuient l'utilisation du pouvoir fédéral, la Cour suprême trouvant bien acceptable dans l'arrêt *Finlay* une loi fédérale autorisant l'engagement de dépenser qui est destinée à encourager les provinces à mettre sur pied des programmes conformes à des objectifs nationaux. Dans l'affaire *Eldridge* c. *C.B. (Procureur général)*, [1997] 3 R.C.S. 624, la plus haute juridiction du pays a concédé que le domaine des programmes de santé relève de la compétence exclusive des provinces mais que:

> Cela n'a pas empêché le législateur fédéral de jouer un rôle important dans la fourniture de soins médicaux gratuits à tous dans les diverses régions du pays. Pour ce faire, il a utilisé son pouvoir inhérent de dépenser pour fixer des normes nationales à l'égard des programmes provinciaux d'assurance-maladie (par. 25).

Je vous donne quelques références supplémentaires pour illustrer le point de vue judiciaire concernant le pouvoir fédéral:

- *Friends of the Island Inc.* c. *Canada (Minister of Public Works)*, [1993] F.C.J. 78.

  The spending power is an agreement to give another party funds to do something that the federal government could not do (par. 228).

- *Bande indienne de Shubenacadie* c. *Canada (Commission des droits de la personne)*, [1998] 2 F.C. 198.

  Par. 47: Le pouvoir fédéral de dépenser figure parmi les compétences législatives du Parlement, même lorsqu'il est exercé dans des matières de compétence provinciale, et il n'équivaut pas à une réglementation.

  La Cour cite le professeur Hogg:

  Par. 48: «Le Renvoi relatif au régime d'assistance publique du Canada» est une confirmation assez nette à la fois du pouvoir du Parlement fédéral d'autoriser le versement de subventions aux provinces en vue de leur utilisation dans des champs de compétence provinciale, et du pouvoir du gouvernement fédéral d'imposer des conditions aux provinces bénéficiaires.

- *Brown* c. *B.C. (Attorney General)*, [1997] B.C.J. N° 1832 (C.S.C.B.)

  The Canada Health Act is an exercise of the federal spending power. While it structures the arrangements of federal funding of provincial health plans, it cannot regulate the province's health powers. Although both statute have to do with the provision of health care benefits, the specific matters dealt with by the two statutes are quite different (par. 51).

- *Associated Respiratory Services Inc.* c. *B.C. (Purchasing Commission)*, (1992) 70 B.C.L.R. (2d) 57 (C.S.C.B.).

  Health is a matter within the legislative jurisdiction of the provinces but should not be confused with the spending power [...].

  Professor E.A. Driedger has published an informative article titled the Spending Power, (1991) 7 Queen's Law Journal *124. In reaching the same conclusion as Professor Hogg, he makes the point that the power to spend should not be confused with the exclusive power to make laws enumerated by ss. 91 et 92 of the British North America Act. Professor's Driedger's thesis is that the exercise of the spending is not a constitutional or legislative issue. It is a political issue [...] With respect, I agree with Professors Hogg and Driedger's observations and conclusions* (p. 67).

Ces quelques aperçus de jurisprudence suggèrent la portée ou la force restreinte de l'argumentation juridique devant ces «enjeux politiques», pour employer l'expression de l'ancien sous-ministre fédéral de la justice, M. Driedger. Les chances de succès devant les tribunaux pour contester le pouvoir fédéral de dépenser et ses modalités convenues en février 1999 sont ténues, et cette observation prend en compte l'idéologie dominante des juges qui seraient appelés à statuer. Je n'ignore pas que le fédéral n'a pas respecté, à l'occasion de son dernier budget, les engagements politiques assumés par lui dans l'entente. Sur ce point, j'ai déjà noté le caractère politique de ces engagements; par ailleurs, il est toujours hasardeux pour une partie de vouloir exciper des droits ou avantages conférés par une entente ou une convention, non signée mais contestée par elle. Pour l'heure, l'entente s'applique.

Mes commentaires sur les stratégies d'action ne sont que sommaires et je ne saurais les poursuivre sans avoir le bénéfice d'une réflexion soutenue par des éléments d'information complémentaires dont je ne dispose pas.

Prévention et règlement des différends

Guy Tremblay

L'objet de l'étude

La présente étude s'attache au chapitre 6 de l'entente sur l'union sociale conclue à Ottawa le 4 février 1999. Il s'agit du chapitre qui traite de la prévention et du règlement des différends. Les éléments de ce chapitre seront comparés aux dispositions pertinentes qu'avait mises de l'avant le front commun des provinces le 6 août 1998, puis le 29 janvier 1999. Un exercice comparatif semblable sera fait ensuite par rapport à la position traditionnelle du Québec en cette matière. L'étude, ultimement, veut faire ressortir les contraintes nouvelles, s'il en est, qui s'imposent au gouvernement du Québec.

Dans un premier temps, il importe de faire l'exégèse du chapitre 6. À cette fin, les versions anglaises et françaises seront utilisées. Cette étape est cruciale et délicate parce que le texte est tortueux. Nous porterons une attention particulière au contexte dans lequel s'inscrit ce chapitre. L'ensemble de l'entente puis la problématique constitutionnelle qui l'englobe seront pris en compte.

Dans un second temps, il nous faudra faire une analyse semblable des termes de la comparaison. Cette deuxième partie restera tout de même axée sur les caractéristiques du chapitre 6 qui auront été dégagées. Le mode de règlement des différends promu dans les travaux préparatoires et dans les positions traditionnelles ne sera pas étudié pour lui-même, mais seulement en tant qu'il se démarque ou non du résultat final. Les distances, positives ou négatives, seront mesurées. Et leur impact, du point de vue du Québec, sera évalué.

Les caractéristiques du mécanisme de prévention et de règlement des différends dans l'entente sur l'union sociale

L'entente sur l'union sociale du 4 février 1999 comporte sept chapitres, le septième s'avérant de nature transitoire. Toute l'entente en fait débouche sur le chapitre 6. Pour les fins de l'analyse de celui-ci, nous passerons du spécifique au général.

Le chapitre 6 comme tel

Le texte du chapitre 6 de l'entente sur l'union sociale ne révèle pas l'existence d'un système unique, fermé sur lui-même. Il traite de façon velléitaire d'un mode de prévention et de règlement des différends qu'il souhaite voir adopter. Il dit, aux premier et troisième alinéas, que les mécanismes «devraient» posséder certaines qualités et que les ministres sectoriels «devraient» utiliser comme «guide» le processus décrit. En d'autres termes, le chapitre 6 n'exclut pas qu'on puisse valablement procéder selon des modalités autres que celles qu'il établit. On peut penser, malgré tout, que les adaptations qui pourraient se manifester respecteront l'économie du chapitre. Or, celui-ci instaure un mécanisme non contraignant, axé sur la coopération intergouvernementale, la mise en œuvre sectorielle et la transparence.

Le caractère non contraignant du mécanisme

Le chapitre 6 de l'entente sur l'union sociale a beau porter sur les différends, il cherche à éviter qu'un gouvernement partie à un litige se fasse imposer une solution. Sa principale méthode consiste à mettre l'accent sur les phases préliminaire et initiale du processus de règlement des différends.

Au stade préliminaire, la prévention empêche la naissance des conflits. L'importance qu'on lui accorde dans le chapitre 6 est manifeste. La prévention trône dans le titre; elle fait l'objet d'une des trois rubriques du troisième alinéa, l'alinéa principal du chapitre, consacré à la description du processus; elle est mentionnée systématiquement par ailleurs; et elle est placée au cœur du rôle du Conseil ministériel en fin de chapitre.

Pour sa part, le processus même de règlement des différends mise sur le stade initial qu'est la négociation. En fait, si la négociation échoue, le différend ne pourra être résolu. Le chapitre 6 ne prévoit pas d'étape ultérieure en cas d'impasse. Le processus qu'il décrit ne peut pas aboutir à une décision tranchant le litige.

Certes, une étape postérieure à la négociation apparaît dans le processus décrit. Il s'agit de la possibilité pour un gouvernement d'«exiger une révision d'une décision ou mesure un an après son entrée en vigueur ou quand un changement de situation le justifie». Cette mention est coiffée de la rubrique «Clauses de réexamen» – et un problème d'interprétation se pose: exiger est unilatéral, tandis qu'une clause implique un accord. Le mot provisions dans la version anglaise ne dissipe pas toute ambiguïté. La rubrique réfère-t-elle au fait que ce passage constitue des clauses (ou *provisions*) de l'entente sur l'union sociale elle-même ou réfère-t-elle plutôt au fait que les exigences de réexamen deviennent les clauses (ou *provisions*) d'une entente (ou d'un texte) quelconque? En tout état de cause, le droit au réexamen confirme le caractère non contraignant du processus de règlement des différends de l'entente sur l'union sociale. D'une part, en effet, si une partie peut exiger qu'une révision se fasse dans le futur, c'est qu'elle n'est pas satisfaite du résultat auquel a conduit le processus. D'autre part, si un gouvernement peut exiger une révision d'une décision ou mesure, il ne peut exiger qu'on la change de quelque façon; la rubrique, en parlant de réexamen, et le contexte laissent voir que l'autre partie reste entièrement libre.

Finalement, il convient de se demander si le processus décrit par le chapitre 6 peut au moins aboutir à un avis impartial qui pourrait s'imposer par son autorité morale. Le quatrième alinéa du chapitre 6 prévoit que chaque gouvernement en cause dans un litige pourra consulter et demander conseil à des tiers à tous les stades du processus. Les avis de tiers commandités de la sorte n'ont pas vocation à l'impartialité et ils pourront être neutralisés par des avis requis par la partie adverse. L'intervention des tiers apparaît aussi dans la portion du texte qui décrit le processus à la phase cruciale de la négociation. À cette étape, les opérations sont menées conjointement ou séparément par les parties au différend, mais «les gouvernements intéressés peuvent demander l'aide d'un tiers pour établir les faits, pour obtenir des services de médiateur, ou pour obtenir conseil». Le texte ajoute qu'à la demande d'une partie, «les rapports de médiation et ceux visant à établir les faits seront rendus publics».

Comme le rapport visant à établir les faits sera l'œuvre conjointe des parties au différend et que celles-ci auront la possibilité de le commenter avant qu'il ne soit finalisé, il est peu probable qu'il constitue par lui-même une prise de position en faveur d'une partie. Pourrait-il en être autrement des rapports de médiation? En théorie tout au moins, le rôle d'un médiateur est plus large que celui d'un conciliateur. C'est que le médiateur peut faire des propositions de règlement aux parties. Il reste tout de même difficile d'imaginer qu'un rapport de médiation puisse faire état des propositions du médiateur de telle manière que ces propositions constituent *de facto* la prise de position d'un sage, moralement contraignante. En effet, la confidentialité est au cœur des obligations d'un médiateur: Nabil N. Antaki,

Le règlement amiable des litiges, Cowansville, Éditions Yvon Blais, 1998, p. 263 et suiv. Et la partie qui a le plus à perdre de la publication d'un rapport de médiation maladroit pourra l'empêcher: l'entente sur l'union sociale n'oblige pas un gouvernement à se prêter à la médiation; et il pourra toujours n'accepter de s'y prêter qu'à la condition que le médiateur n'ait pas le mandat de faire des propositions ou d'en faire état dans son rapport.

La nécessaire coopération

Le processus établi par le chapitre 6 est conçu de telle façon que pour fonctionner, les parties doivent marcher de concert. Si une des parties au litige refuse de collaborer, un blocage survient qu'on ne peut contourner.

Le chapitre 6 s'ouvre sur l'idée que les gouvernements conviennent de coopérer pour prévenir et régler les litiges entre eux. Cette idée générale est mise en œuvre dans le processus spécifiquement décrit au troisième alinéa. Au stade de la prévention, on voit que les gouvernements conviennent de travailler ensemble au moyen, notamment, de l'échange d'information, de la planification conjointe, de la coopération et de la consultation préalable.

Le stade crucial des négociations n'est pas en reste. D'abord, la négociation comporte par nature un élément de collaboration dans la recherche d'une solution au litige. Ensuite, les initiatives particulières du processus de négociation qui sont décrites sont conjointes: c'est le cas des enquêtes pour établir les faits et du rapport écrit en résultant.

Par ailleurs, parmi les objectifs généraux formulés dès le premier alinéa, on trouve la volonté de régler les différends à l'amiable. De fait, le mode particulièrement retenu est la médiation, comme nous l'avons vu. Or, le recours à la médiation n'est pas obligatoire. Il faudra donc que chaque partie l'accepte dans chaque dossier. Au surplus, une médiation ne peut se poursuivre que tant que chaque partie continue de s'y prêter. Dès lors que dans un dossier cesserait cette collaboration obligée, on ne trouverait pas dans le chapitre 6 de mécanisme permettant de venir à la rescousse.

Lorsque, malgré les efforts et la bonne foi, les parties à un différend ne peuvent s'entendre, il faut que quelque chose d'autre que le consentement mutuel prenne la relève. En principe, la médiation ne permet pas de tel déblocage. C'est que, comme la conciliation, la médiation ne génère pas de décision. L'entente sur l'union sociale n'a pas voulu recourir à l'arbitrage, qui permet à un tiers acceptable aux parties de rendre une décision. En disant *in a non-adversarial way* (traduit par à l'amiable), la version anglaise est claire à cet égard.

À mon point de vue, l'objectif d'éviter de porter atteinte à l'imputabilité démocratique des élus, qu'on trouve au début du chapitre 6, ne suffit pas à justifier ce choix. On aurait pu prévoir un processus arbitral qui débouche sur une sentence non exécutoire. Même un mécanisme permettant à un tiers impartial d'émettre son avis aurait pu remédier à un manque de collaboration des parties. Les avis des tiers dont fait état le même objectif formulé par le chapitre 6 ne satisfont pas à ce critère: les précisions apportées dans la description du processus font voir qu'il s'agit de conseils requis par l'une ou l'autre des parties au différend. D'ailleurs, la version anglaise de l'entente utilise *advice* partout.

La seule possibilité qui subsiste est celle que nous avons évoquée de voir les propositions dans le rapport du médiateur tenir lieu d'opinion impartiale éclairée. Il reste que l'obligation de confidentialité et l'entente en vue de la médiation devraient empêcher qu'un tel résultat survienne. L'objet de la médiation, d'ailleurs, est d'amener les parties elles-mêmes à trouver unc solution à leur problème, plutôt que de leur en présenter une.

La mise en œuvre sectorielle

Comme son sous-titre l'indique, l'entente sur l'union sociale est survenue entre le gouvernement du Canada et les gouvernements provinciaux et territoriaux. Ces instances centrales auraient pu créer un mécanisme unique de prévention et de règlement des différends, dans lequel elles auraient joué le rôle de premier plan. Mais le chapitre 6 a plutôt suggéré un canevas de base qu'il appartient aux ministres sectoriels de mettre en œuvre.

Sur le plan terminologique, le chapitre en question n'est pas très cohérent. Il passe des gouvernements aux secteurs – et vice versa – très facilement. Par exemple, le troisième alinéa confie la responsabilité du processus aux ministres sectoriels, prévoit des négociations sectorielles fondées sur des enquêtes conjointes pour établir les faits, prévoit ensuite que le rapport visant à établir les faits sera présenté aux gouvernements, qui pourront le commenter, et prescrit immédiatement après que les gouvernements peuvent demander l'aide d'un tiers pour établir les faits! Il n'y a toutefois pas lieu de spéculer sur ces va-et-vient, en raison de la solidarité ministérielle qui se trouve au cœur du parlementarisme britannique et qui prévaut au fédéral comme dans toutes les provinces signataires. Ce qu'un gouvernement veut, ses ministres sectoriels le voudront. Et ce que feront les ministres sectoriels aura été autorisé d'une manière quelconque par leur gouvernement.

Par delà la terminologie, donc, la structure et le fil conducteur du chapitre 6 indiquent clairement, à notre avis, que c'est au niveau des secteurs que doit se faire la mise en œuvre du processus de règlement des différends. Cette contribution des ministres sectoriels semble devoir jouer sur deux plans.

Premièrement, il reviendrait à chaque secteur d'établir (par voie de coopération intergouvernementale) le processus particulier de règlement des différends qui doit le régir. Autrement dit, l'entente sur l'union sociale permet qu'il se crée, par exemple, trois mécanismes distincts pour la santé, l'éducation postsecondaire et l'aide sociale et les services sociaux. Cela résulte, d'abord, du troisième des objectifs placés en exergue du chapitre 6, voulant que les secteurs mettent en place des mécanismes adaptés à leurs besoins. Et cela résulte, aussi, de la phrase introductive du troisième alinéa, qui accrédite l'idée que les secteurs peuvent adapter le processus décrit dans l'entente.

Deuxièmement, c'est au niveau des secteurs que le mécanisme de règlement des différends connaîtra son application cas par cas. En effet, lorsque le chapitre 6 aborde des étapes concernant un cas particulier, il les inscrit dans le mandat des ministres sectoriels, et plus particulièrement sous la rubrique cruciale des négociations sectorielles. L'ensemble du troisième alinéa du chapitre 6 et la seconde rubrique de cet alinéa reflètent ce *pattern*. Ainsi, le chapitre ne traite de l'établissement des faits et de médiation, c'est-à-dire de différends particuliers, qu'à l'intérieur des négociations sectorielles. Nous ne croyons pas que la formulation du quatrième alinéa, qui parle de chaque gouvernement en cause dans un litige, puisse affecter l'approche sectorielle qui se dégage par ailleurs.

La transparence comme incitatif politique

Rien dans le chapitre 6 de l'entente sur l'union sociale ne peut forcer une partie à mettre de l'eau dans son vin si elle ne désire pas le faire. Cela ne signifie pas que le mécanisme est dépourvu d'efficacité. C'est sur la pression politique qu'ont misé les gouvernements pour donner un peu de dents au mode par lequel les conflits trouveront leur règlement.

La pièce maîtresse à cet égard clôt la rubrique portant sur les négociations sectorielles et dit: «à la demande d'une des parties en cause, les rapports de médiation et ceux visant à établir les faits seront rendus publics». Cet élément détonne parce qu'il rompt la philosophie de collaboration qui transpire par ailleurs. Il s'agit en fait du seul endroit dans le chapitre où une partie peut imposer sa volonté à l'autre lors du processus même de règlement des litiges. (Le réexamen, comme nous l'avons vu, survient en réalité *a posteriori*). Le fait de rendre publics les rapports implique qu'on laissera la population juger des positions respectives. La partie au différend qui aurait fait preuve d'intransigeance ou de mauvaise foi serait désavantagée aux yeux de l'opinion. Elle pourrait devoir réviser son attitude à plus ou moins court terme. Mais la possibilité d'exiger la divulgation des rapports peut aussi avoir des effets par anticipation: les parties voudront adopter des positions défendables dans la population, ce qui accroîtra les chances de règlement amiable.

L'exigence possible d'une divulgation a beau détonner sur le plan technique, elle s'inscrit tout de même harmonieusement dans la philosophie véhiculée par le chapitre 6. Celui-ci, en effet, préconise des mécanismes transparents, qui préservent l'imputabilité démocratique des élus. Et il prévoit que «les gouvernements rendront compte publiquement chaque année de la nature des différends intergouvernementaux et de la façon dont ils ont été résolus».

Le chapitre 6 mis en perspective

Le chapitre 6 se présente de prime abord comme devant s'appliquer à l'entente sur l'union sociale dans son ensemble. Nous croyons de fait qu'il la régit au complet et qu'il est même destiné à la déborder. Ainsi, le second alinéa du chapitre décrète:

> La prévention et le règlement des différends s'appliqueront aux engagements contractés à propos de la mobilité, et des transferts intergouvernementaux, à l'interprétation des principes de la Loi canadienne sur la santé, et, le cas échéant, aux engagements découlant des nouvelles initiatives conjointes.

Toutefois, la deuxième phrase du chapitre utilise des termes mystérieux qu'on ne trouve pas ailleurs dans l'entente. «En ce qui a trait aux dispositions législatives existantes»... (*Respecting existing legislative provisions...*), y lit-on. Or, il s'agit là d'une récupération malhabile du dernier point du deuxième alinéa du chapitre 8 du projet du 29 janvier 1999, où on disait que les mécanismes de prévention et de règlement des différends devraient «respecter les dispositions législatives existantes» (notre traduction). Dans l'entente sur l'union sociale, les mots «En ce qui a trait aux» devraient donc être remplacés par «Dans le respect des».

Comme le chapitre 6 régit l'entente dans son ensemble (et même plus), il convient d'examiner si le contexte où il se trouve corrobore les caractéristiques que nous avons relevées.

Le contexte de l'entente sur l'union sociale

L'entente du 4 février 1999 peut être examinée sur un plan statique et sur un plan dynamique. Dans un premier temps, à partir de ce qu'elle dit explicitement, nous chercherons à voir dans quelle mesure elle permet de cerner la portée du mécanisme de règlement des litiges. Nous confronterons ensuite les caractéristiques de ce mécanisme aux intérêts des gouvernements en cause.

Le renforcement des caractéristiques de base

L'entente sur l'union sociale met l'accent sur la coopération, mais il faut voir dans quelle mesure elle préserve le droit d'agir unilatéralement. Cette problématique se rapporte aux deux premières caractéristiques du chapitre 6 que nous avons dégagées. En effet, comme le mécanisme de règlement des différends n'est pas contraignant, on peut s'attendre à ce que les dispositions substantives ne le soient pas non plus.

L'approche coopérative est au cœur même de toute l'entente sur l'union sociale. Dès le préambule, les gouvernements disent vouloir travailler ensemble et à la toute fin du texte, ils disent qu'ils entreprendront conjointement d'autres travaux. Le chapitre 4 s'intitule «Travailler en partenariat pour les Canadiens» et il consacre sa première rubrique à la planification concertée et à la coopération. Dans les chapitres 3 et 5, on trouve aussi l'engagement de travailler de concert ou de s'entendre à propos d'indicateurs comparables, de priorités et objectifs pancanadiens et de cadre d'imputabilité. Le chapitre 5 précise que le gouvernement fédéral se doit de procéder d'une manière coopérative lorsqu'il a recours aux transferts sociaux conditionnels.

C'est dans cette trame qu'il faut voir si subsistent les possibilités d'action unilatérale. Le chapitre 4 (sur le travail en partenariat) présente une seconde rubrique axée sur les préavis et la consultation, pour les cas où les initiatives d'un gouvernement peuvent avoir une incidence importante sur d'autres gouvernements. De même, le chapitre 5 portant sur le pouvoir fédéral de dépenser prescrit la consultation et des préavis. Dans le cas des dépenses fédérales directes, aucune autre exigence n'est établie. Il n'y rien là qui permette d'infléchir la volonté d'un gouvernement.

Par contre, au chapitre 5, le consentement de la majorité des provinces est requis pour que soient prises de nouvelles initiatives pancanadiennes soutenues par des transferts aux provinces. Cette exigence est bien faible: les six provinces les moins populeuses représentent 15 % de la population – et leur accord suffirait. Il reste que l'engagement à cet égard dans l'entente sur l'union sociale est ferme. Est également ferme, mais conditionnelle, l'obligation de verser à chaque province sa part du financement disponible.

Par ailleurs, c'est en dehors du chapitre sur le règlement des différends qu'on trouve l'énumération des secteurs visés par l'entente. Ceux qui sont mentionnés deux fois dans le chapitre 5 se retrouvent aussi dans le chapitre 2 portant sur la mobilité. Mais dans ce chapitre-ci, on vise aussi la formation professionnelle. Il reste que le mécanisme de prévention s'applique tout autant à la mobilité, comme le précise le deuxième alinéa du chapitre 6.

Enfin, l'entente sur l'union sociale confirme la volonté de miser sur la transparence et l'apport de l'opinion publique. Tout le chapitre 3 est directement consacré à ce thème. Et une consultation de la population est prévue au chapitre 7.

Somme toute, les caractéristiques du processus de règlement des différends que nous avons relevées sont confirmées, voire raffermies, par les autres chapitres de l'entente. Il reste à voir comment elles sont susceptibles de se manifester dans la réalité concrète.

La dynamique des intérêts en cause

Les différends qui seront assujettis au processus du chapitre 6 ne mettront pas nécessairement en cause le fédéral contre l'ensemble des provinces ni même le fédéral seul contre une province seule. Cela est vrai, à notre avis, pour chacun des deux pôles de contestation que sont le chapitre 2 portant sur la mobilité et le chapitre 5 portant sur le pouvoir fédéral de dépenser. Après avoir discuté de ces perspectives, nous aborderons le cas du Québec, qui n'a pas adhéré à l'entente.

La mobilité des Canadiens partout au pays peut être entravée autant par des politiques fédérales que par des politiques provinciales. Cependant, étant donné que l'entente sur l'union sociale porte sur des matières qui relèvent en principe de la compétence des provinces, les restrictions à la mobilité auxquelles elle s'attaque seront presque nécessairement imposées par une ou des provinces – et non par le fédéral. D'ailleurs, ce sont surtout les barrières fondées sur la résidence (sous-entendu dans une province, imposées par une province) qui sont visées. En d'autres termes, le gouvernement attaqué ou défendeur dans le cadre du chapitre 2 sera toujours un gouvernement provincial.

Si le gouvernement fédéral n'était pas partie aux engagements sur la mobilité, seule une ou des provinces pourraient enclencher le mécanisme de règlement des différends. Or, ce ne sont pas toujours les provinces qui sont le plus susceptibles de se plaindre dans le cas du principal problème soulevé par le chapitre 2: le fait qu'une province impose une période de résidence (par opposition à une condition simple de résidence) peut ne pas déranger les autres provinces, dans la mesure où les citoyens exclus ne sont plus leurs résidents. Le gouvernement fédéral étant partie aux engagements sur la mobilité, les recours intentés dans ce domaine seront plus fréquents. Ottawa est le promoteur naturel des valeurs pancanadiennes. (C'est Jean Chrétien qui a ajouté la mobilité aux points à discuter dans sa réponse du 25 janvier 1999 aux premiers ministres provinciaux). On peut croire qu'en cette matière le gouvernement fédéral se sentira toujours concerné, indépendamment du fait qu'une province se soit plainte ou non. Si toutes les provinces imposent une même condition de résidence, le différend qui pourrait survenir les opposerait au gouvernement fédéral. Mais le différend typique concernera la province qui seule impose une condition ou qui impose une condition plus sévère: cette province pourra faire face aux autres provinces, en plus du gouvernement fédéral.

On peut faire une analyse semblable à propos de l'autre problème explicitement soulevé par le chapitre 2, la reconnaissance mutuelle des qualifications professionnelles. Nous examinerons plus loin l'impact de l'Accord sur le commerce intérieur.

Dans le cas du chapitre 5 de l'entente sur l'union sociale, à l'inverse du chapitre 2, c'est le gouvernement fédéral qui sera défendeur lors d'un différend. Au pire, il fera face à l'ensemble des provinces. Plus vraisemblablement, une seule ou quelques provinces seront insatisfaites. Et les autres provinces pourront vouloir soutenir la position d'Ottawa.

En somme, les attaques sous le chapitre 2 devraient être plus formidables que les attaques sous le chapitre 5. Le fort sera plus difficile à tenir sous le chapitre 2 que sous le chapitre 5.

Quel est l'impact, dans ce contexte, de la procédure de règlement des différends? Si le litige porte sur la mobilité, la province attaquée pourra jouir du fait qu'on ne peut la contraindre, mais une pression réelle s'exercera sur elle en raison de l'engagement qu'elle a pris de coopérer et de la nécessité de ménager l'opinion publique. Si le litige porte sur le pouvoir de dépenser, Ottawa pourra jouir du fait qu'on ne peut le contraindre, mais une certaine pression politique s'exercera sur lui.

La situation du Québec à cet égard, est particulière, parce qu'il n'a pas adhéré à l'entente sur l'union sociale. Techniquement, on ne peut enclencher contre lui le mécanisme de règlement d'un différend provoqué par une mesure touchant à la mobilité. Et il ne peut se prévaloir du mécanisme pour attaquer l'exercice du pouvoir fédéral de dépenser. Toutefois, ces empêchements sont peut-être plus apparents que réels. En effet, l'entente sur l'union sociale n'a pas aboli le droit de chercher à régler des différends en dehors de son cadre. Comme demandeur ou comme défendeur virtuel, le Québec pourrait donc proposer dans un cas donné de soumettre le différend à un processus de même nature – et ses vis-à-vis pourraient l'accepter, d'autant qu'ils préconisent eux-mêmes la coopération intergouvernementale.

C'est sur un autre plan, à mon point de vue, que la situation du Québec est vraiment particulière. En effet, celui-ci a souvent une vision du fédéralisme qui se démarque de celle du reste du Canada. Indépendamment de la question de savoir si l'entente s'applique formellement à lui, le Québec est plus susceptible de faire face, dans ses attaques comme dans ses défenses, à un adversaire composite, rassemblant l'ordre de gouvernement central et quelques-unes, sinon l'ensemble des autres provinces.

Le contexte juridique et constitutionnel

L'existence même du chapitre 6 de l'entente sur l'union sociale et certaines de ses caractéristiques s'expliquent par le fait que l'entente n'a pas force de loi.

Pour donner un exemple clair, l'Accord du lac Meech, après avoir régi dans une certaine mesure le pouvoir fédéral de dépenser, n'avait pas besoin d'établir un mode de règlement des différends. Si l'Accord avait été entériné, ses dispositions auraient fait partie de la Constitution et auraient été appliquées par les cours de justice. De la même façon, si une loi fédérale imposait des limites au pouvoir de dépenser, les tribunaux pourraient obliger le gouvernement fédéral à les respecter – et on n'aurait pas besoin d'un mécanisme spécial de règlement des différends. C'est parce que les termes de l'entente sur l'union sociale ne font pas partie de la Constitution, ni d'une loi fédérale, ni même d'un règlement fédéral, qu'ils gagnent à être appuyés d'un tel mécanisme. Sur le fait qu'une entente fédérale-provinciale ne génère pas de droit strict, voir *Re Lofstrom*, (1972) 22 D.L.R. (3d) 120 (C.A. Sask.); l'*Avis sur la Loi anti-inflation*, [1976] 2 R.C.S. 373, aux p. 432-435; *Manitoba Government Employees Association c. Gouvernement du Manitoba*, [1978] 1 R.C.S. 1123; et *Marina L'Escale Inc. c. Commission municipale du Québec*, [1996] R.J.Q. 644 (C.S.), en appel.

Par ailleurs, le chapitre 6 aurait pu établir un processus avec effet contraignant à titre d'engagement politique, mais le processus n'aurait pas pu avoir d'effet contraignant en droit. D'une part, en effet, les clauses de l'entente n'ont pas de valeur contractuelle, parce qu'un gouvernement ne peut pas entraver le libre exercice des fonctions étatiques. Voir *Rederiaktiebolaget Amphitrite c. La reine*, [1921] 3 K.B. 500; *Birkdale District Electric Supply Co. c. Corporation of Southport*, [1926] A.C. 355, à la p. 364; *Pawis c. La reine*, [1980] 2 C.F. 18; et *Laurentide Motels c. Beauport*, [1989] 1 R.C.S. 705. D'autre part, un gouvernement pourrait toujours décider, avec l'appui de son parlement, de changer ou contredire ce à quoi il s'est engagé dans l'entente: *Renvoi relatif au Régime d'assistance publique du Canada (C.-B.)*, [1991] 2 R.C.S. 525. L'entente reconnaît cette réalité lorsqu'elle dit, sous la deuxième rubrique du chapitre 4, que les engagements sont pris d'une «façon qui respecte les principes de notre système de gouvernement parlementaire et le processus d'élaboration du budget».

Dans cette perspective, la nature coopérative du mécanisme prévu au chapitre 6 procède d'un certain réalisme: une confrontation véritable dans ce domaine ne pourrait être réduite par le droit.

Si l'entente ne parvient pas à se situer au niveau du droit strict, on peut penser qu'elle touche à ses frontières en tant que convention constitutionnelle. Une convention constitutionnelle est justement une entente politique. Les tribunaux n'appliquent pas de telles conventions, mais ils peuvent en tenir compte dans l'interprétation des lois; et ils ont accepté à l'occasion du rapatriement de déclarer si telle ou telle convention existait: *Renvoi: résolution pour modifier la Constitution*, [1981] 1 R.C.S. 753, *Re: opposition à une résolution pour modifier la Constitution*, [1982] 2 R.C.S. 793.

En pratique, cela signifie que si une partie à l'entente sur l'union sociale ne la respecte pas, une autre partie pourra demander aux tribunaux de constater qu'il y a violation. Si les tribunaux parvenaient à une telle constatation, la partie attaquée subirait une pression quasi juridique pour modifier son comportement, comme on a pu le constater à l'occasion du rapatriement. Évidemment, le Québec, pour sa part, ne peut prétendre être impliqué dans une convention constitutionnelle, puisqu'il n'a pas accepté l'entente.

Les différences par rapport aux positions antérieures

Les positions antérieures qui seront examinées ici, par rapport à l'entente sur l'union sociale, sont d'abord celles qui l'ont précédée immédiatement. Il s'agit en fait des travaux préparatoires de l'entente, du point de vue des provinces. Ensuite, nous considérerons les positions traditionnelles du Québec, reculant donc plus loin dans le temps. D'une certaine manière, nous continuerons de passer du particulier au général. Mais il convient de rappeler que notre perspective se limite au processus de prévention et de règlement des différends.

Le front commun des provinces

Le projet d'encadrer le pouvoir fédéral de dépasser en matière sociale prit forme en 1997 à la conférence des premiers ministres provinciaux à St.-Andrews. Le Québec n'a pas participé aux négociations fédérales-provinciales qui suivirent, parce qu'il exigeait la reconnaissance préalable d'un droit de retrait inconditionnel avec compensation. Mais une position commune des provinces intéressa vite le Québec, qui se joignit au consensus lors de la conférence annuelle des premiers ministres provinciaux à Saskatoon en août 1998. C'est le texte de ce consensus que nous examinerons d'abord. Nous discuterons ensuite de la version du front commun provincial qui a précédé immédiatement la conclusion de l'entente sur l'union sociale.

Le consensus de Saskatoon du 6 août 1998

Le consensus des dix provinces réalisé à la conférence de Saskatoon tient sur deux pages et dix paragraphes. Ce texte n'a pas la forme préjuridique de l'entente sur l'union sociale. Il laisse voir qu'un autre document le complète et que le tout ne constitue qu'une position de négociation. Nous allons examiner ce texte en suivant le même cheminement que pour l'entente sur l'union sociale.

Deux passages du consensus de Saskatoon traitent du mécanisme de règlement des différends, les sixième et huitième paragraphes.

En cherchant à voir si on envisageait à l'époque un mécanisme qui serait non contraignant, on réalise d'abord que le consensus fait référence à «une procédure impartiale de règlement des différends afin d'instaurer un partenariat équilibré et juste». Comme le mot impartiale qualifie la procédure, il n'implique pas nécessairement qu'on envisageait l'intervention d'un tiers impartial. On a pu simplement vouloir que la procédure dont on conviendrait ne favorise pas une partie plus que l'autre. Le huitième paragraphe laisse cette hypothèse viable, en parlant simplement de mécanismes destinés à régler équitablement les conflits lorsqu'ils surviennent. À ces deux endroits, la version anglaise utilise une terminologie qui, elle non plus, n'implique pas nécessairement un tiers impartial: *fair dispute resolution process; both prevent disputes, and resolve them fairly when they arise.*

Si toutefois on examine certains des travaux antérieurs au front commun des provinces, on constate que le processus équitable qu'on a à l'esprit comprend un mécanisme comme celui qui se trouve dans l'Accord sur le commerce intérieur. Or ce mécanisme, dont nous parlerons plus loin, permet l'intervention contraignante d'un groupe spécial indépendant et impartial. Voir Thomas J. Courchene, «Convention sur les systèmes économiques et sociaux du Canada», document de travail préparé pour le ministère des Affaires intergouvernementales, gouvernement de l'Ontario, août 1996, p. 38; et Patrick J. Monahan, *To the Extent Possible: A Comment on Dispute Settlement in the Agreement on Internal Trade*, dans Michael Trebilcock et Daniel Schwanen (éd.), *Getting There: An Assessment of the Agreement on Internal Trade*, Toronto, Institut C.D. Howe, 1995, p. 211-218.

La seconde caractéristique que nous avons relevée dans l'entente sur l'union sociale se retrouve dans le consensus de Saskatoon. Celui-ci, en effet, envisage «de nouveaux mécanismes pour résoudre et *prévenir* les différends», «de nouveaux mécanismes de *coopération* destinés à *empêcher* les conflits de surgir ou afin de les régler équitablement lorsqu'ils surviennent» (nous appuyons).

Par contre, rien dans le consensus de Saskatoon, nous a-t-il semblé, ne se rapporte à la mise en œuvre sectorielle ou à la transparence. Le deuxième paragraphe indique seulement qu'on vise les domaines de la santé, de l'éducation et des services sociaux.

En ce qui concerne, maintenant, le contexte dans lequel s'insèrent les mentions relatives au règlement des différends, deux points ressortent. Premièrement, le consensus de Saskatoon est clairement axé sur la recherche d'un partenariat et sur la volonté de travailler ensemble. En second lieu, cette volonté s'inscrit dans une dynamique quelque peu différente de celle qui résulte de l'entente sur l'union sociale. En effet, tout le texte de Saskatoon adopte une perspective binaire, celle des rapports entre les deux ordres de gouvernement. Cela ressort non seulement des deux premiers paragraphes du consensus, mais aussi de la suite du texte qui renvoie systématiquement aux positions du fédéral. Le jeu des intérêts qui résulte de l'entente sur l'union sociale, comme nous l'avons vu, n'est pas aussi simple.

La proposition de Victoria du 29 janvier 1999

Contrairement au consensus de Saskatoon, la proposition de Victoria se présente sous une forme comparable à celle de l'entente sur l'union sociale. La proposition de Victoria n'existe que dans la langue anglaise et comporte huit chapitres, le dernier étant consacré au mécanisme de règlement des litiges. C'est celui-ci d'abord que nous allons examiner, avant de le placer dans son contexte.

Le chapitre 8 comme tel

Le chapitre 8 de la proposition de Victoria comporte une étape cruciale que l'entente ne retiendra pas et qui aurait donné au processus le caractère contraignant que nous avons évoqué à propos de l'autorité morale. Il s'agit de l'étape qu'on ajoute si la médiation ne permet pas de résoudre le conflit. Cette étape ajoutée consiste à demander à une personne ou à trois personnes de préparer un rapport contenant des recommandations de règlement. Les gouvernements parties au litige doivent alors tenir de nouvelles négociations sur la base du rapport. La proposition de Victoria misait manifestement sur le poids considérable qu'aurait un avis impartial. Elle précise que les deux parties au litige choisissent conjointement l'auteur du rapport; dans le cas où trois personnes doivent préparer le rapport, chaque gouvernement en choisit une et ces deux personnes choisissent de concert le président du groupe. Et en cas d'impasse dans les négociations postérieures à la production du rapport, celui-ci est rendu public.

Concomitamment, le processus de Victoria est moins dépendant de la coopération des parties au différend. Certes, le chapitre 8 s'engage résolument sur la voie de la collaboration. Il met lui-même l'accent sur la prévention des conflits. Il recourt à la négociation comme mécanisme primordial de solution des litiges. Tout en préservant le principe du règlement à l'amiable (*non-adversarial*), il prévoit toutefois l'impasse et comment la dénouer.

D'abord, le recours à la médiation est obligatoire et non facultatif. Le chapitre 8 dit que le mécanisme qu'il établit *will consist of the following three steps,* la troisième étape débutant par la médiation: *governments will seek the assistance of a mediator...* Ensuite, si la médiation ne réussit pas, l'étape ajoutée consiste non pas à produire un rapport factuel conjoint, mais bien un rapport de tiers impartial, avec recommandations. Et le passage à cette étape ajoutée est lui aussi obligatoire.

Par ailleurs, dans la proposition de Victoria, il n'existe pas vraiment de mise en œuvre sectorielle du processus de règlement des différends. Contrairement à l'entente, les secteurs ne sont pas mentionnés au début du chapitre 8 parmi les objectifs généraux ni en introduction à la description des étapes. Les ministres sectoriels ne sont impliqués que dans l'une des trois options de la deuxième étape, au stade de la première négociation. Plus généralement, le chapitre 8 semble incompatible avec la création de mécanismes différents d'un secteur à l'autre.

Enfin, le processus de Victoria mise fortement sur la transparence et la pression politique qu'elle est susceptible de générer. D'abord, l'un des objectifs généraux en début de chapitre prévoit le recours à des tiers *while ensuring democratic accountability by elected officials.* Ensuite, la troisième étape débouche en cas d'échec sur le fait de rendre public le rapport de tiers impartial – et le texte ajoute: *the governments are to be advised by the report and will have to publicly justify their respective positions.* Enfin, immédiatement après ce passage, on trouve un développement intitulé *Reporting to Canadians* dans lequel on mentionne d'emblée que la transparence *will help to ensure the mechanism is effective.*

Le chapitre 8 dans son contexte

Sur le plan statique, dans un premier temps, nous allons relever les principaux éléments qui, dans la proposition de Victoria, peuvent aider à saisir la portée véritable du chapitre 8.

En ce qui concerne le caractère (relativement) contraignant du mécanisme de règlement des litiges, ce qui frappe le plus dans le texte de Victoria, c'est l'objection apportée par Terre-Neuve à ce qu'on dépasse le stade de la médiation dans le cas des litiges portant sur la *Loi canadienne sur la santé.* Voir la note en bas des pages 2 et 12. Pour qu'une telle objection vaille la peine d'être consignée deux fois, il faut qu'elle se rapporte à une étape ajoutée, comme nous l'avons appelée, qui a des dents.

Pour ce qui est de la nature (jusqu'à un certain point) coopérative du mécanisme, elle est confirmée d'innombrables façons dans la proposition de Victoria. Celle-ci, en effet, est axée sur le partenariat et sur l'idée de travailler ensemble. Son chapitre 5, l'un des plus élaborés, s'intitule *Working Together in Partnership*: il est entièrement consacré à la collaboration intergouvernementale.

Par ailleurs, on trouve dans la proposition de Victoria une amorce d'approche sectorielle dans le chapitre 6, à propos de la clarification des responsabilités entre les deux ordres de gouvernement. Les secteurs visés sont les mêmes que dans l'entente sur l'union sociale. Mais Victoria mentionne en plus l'assurance-chômage à son premier chapitre. Le chapitre 8 ne semble toutefois pas s'appliquer à ce dernier secteur, ni d'ailleurs à l'Accord sur le commerce intérieur, pour lequel le chapitre 3 maintient le *current implementation process*. Par contre, le chapitre 4 de Victoria consacre un point à la péréquation et conclut que ses dispositions *could be subject to the dispute settlement mechanism*. Pour sa part, le chapitre 5 conclut que ses prescriptions *should be subject to the dispute settlement mechanism*. Le chapitre 8 lui-même, à la toute fin, est plus catégorique quant à son application, mais une note indique qu'il s'agit là d'une esquisse préliminaire.

Enfin, l'accent mis sur la transparence et l'imputabilité se manifeste à répétition dans la proposition de Victoria. Le chapitre 7 est en particulier consacré à ce thème.

Sur le plan dynamique des intérêts en jeu, la proposition de Victoria est largement conçue dans une perspective bilatérale. Elle parle souvent des ordres de gouvernement, elle impose plusieurs obligations au gouvernement fédéral directement et elle l'oppose aux provinces et territoires. Cette polarisation d'un ordre de gouvernement face à l'autre se répercute dans le processus de règlement des différends, où il semble inconcevable qu'un gouvernement provincial s'allie au gouvernement fédéral contre un autre gouvernement provincial. Ainsi, dans les étapes deux et trois du chapitre 8, on répète souvent que les négociations sont bilatérales et qu'elles impliquent les deux (*the two*) gouvernements parties au litige.

La conception davantage binaire de la proposition de Victoria se manifeste aussi dans l'insistance qu'elle place sur la clarification des rôles et responsabilités des deux ordres de gouvernement. Le chapitre 6 est même consacré à ce thème – et il renvoie à un tableau en annexe où il appert que l'implication coopérative des deux ordres de gouvernement ne vaut que pour ce qui ne relève pas exclusivement de l'un d'eux. Comme l'indique aussi le chapitre 7, en clarifiant le partage des rôles et responsabilités, on contribue à améliorer l'imputabilité des gouvernements.

Évaluation de l'écart entre la position de départ et le résultat final

Malgré le caractère laconique du consensus de Saskatoon, on peut dire qu'il a misé sur quatre points dans la négociation sur l'union sociale: le contrôle du pouvoir fédéral de dépenser en matière de santé, d'éducation et de services sociaux; la nature binaire du rapport de forces; la coopération fédérale-provinciale; et la procédure de règlement des différends. Dans une telle optique, le gouvernement fédéral se trouvait probablement trop ciblé à son goût. Il a réussi à se dépêtrer grâce à divers moyens.

D'abord, en ajoutant la mobilité dans la négociation, les provinces elles-mêmes devenaient ciblées. Ce nouveau front a une portée restreinte dans la proposition de Victoria et il n'y est pas assujetti à la procédure de règlement des litiges. Dans l'entente sur l'union sociale, le chapitre sur la mobilité prend de l'importance et devient assujetti au mécanisme de règlement des différends.

Ensuite, on a désamorcé la dialectique de confrontation entre les deux ordres de gouvernement en jouant sur plusieurs tableaux. Sur le plan terminologique et conceptuel, de Saskatoon à Victoria à Ottawa, on voit de plus en plus de clauses qui s'adressent aux gouvernements de manière indifférenciée et de moins en moins qui s'axent sur les deux ordres de gouvernement. De plus, le détournement des frictions vers les ministres sectoriels, amorcé dans la proposition de Victoria, devient une caractéristique centrale de l'entente finale. Au surplus, la coopération intergouvernementale est une valeur qu'on pousse à l'extrême: dans l'entente finale, même face à un litige persistant, on n'a pratiquement pas d'autre choix que de s'entendre sur chaque pas à faire.

Enfin, en ce qui concerne justement le mécanisme de règlement des différends, la proposition de Victoria s'est retrouvée édulcorée, voire dénaturée dans l'entente sur l'union sociale. On a éliminé le rapport de tiers impartial qui, avec ses recommandations, une fois rendu public, aurait constitué une espèce de jugement d'équité difficile à ignorer. Et on a remplacé l'approche du litige véritable, où on trouve face à face deux parties, par l'approche du dialogue entre intervenants de divers niveaux.

Les positions traditionnelles du Québec

Le Secrétariat aux Affaires intergouvernementales canadiennes a produit en novembre 1991 un document de travail intitulé *Les positions traditionnelles du Québec en matière constitutionnelle 1936-1990*. Il ressort de ce texte que la plupart des prises de position québécoises ont porté sur des sujets qui sont régis ou qui devaient être régis par la Constitution formelle. Comme nous l'avons mentionné à propos de Meech, la Constitution est par nature susceptible d'application par les tribunaux, de telle sorte qu'on n'a pas à prévoir de mécanisme de règlement des différends qui pourraient en résulter.

Par contre, le document sur les positions traditionnelles du Québec fait aussi état des interventions qui portent sur la pratique constitutionnelle, dont l'exercice du pouvoir fédéral de dépenser et la politique intergouvernementale. Il s'agit là du champ même de l'entente sur l'union sociale. Il appert, cependant, que jusqu'à 1990 le Québec n'a pas réclamé ni évoqué l'institution d'un mécanisme quelconque de règlement des différends en ce domaine.

Comme reflet des positions traditionnelles du Québec, il nous faut plutôt examiner les processus de règlement des différends qui se trouvent dans les accords intergouvernementaux qu'il a signés. Nous consacrerons par la suite un développement particulier à l'Accord sur le commerce intérieur, auquel l'entente sur l'union sociale fait référence.

Les accords intergouvernementaux signés par le Québec

Parmi les accords que nous avons examinés, les suivants comportent un mécanisme de résolution des différends: l'Entente entre l'Ontario et le Québec sur la main-d'œuvre dans l'industrie de la construction, signée en 1996; l'Accord de libéralisation des marchés publics du Québec et du Nouveau-Brunswick, refondu en 1994; et l'Accord de libéralisation des marchés publics du Québec et de l'Ontario, signé en 1994, amendé en 1996 et 1997.

Or, les mécanismes en question sont totalement différents de celui qu'on trouve dans l'entente sur l'union sociale. Il faut dire que les accords mentionnés ci-dessus portent sur des objets beaucoup plus précis et comportent des dimensions techniques poussées.

Une première différence, c'est que les différends soulevés dans le cadre de ces accords mettent en cause des tiers intéressés, qui portent plainte. Il s'agit normalement de travailleurs ou de fournisseurs. Les dossiers litigieux sont donc ouverts et fermés ou réglés en fonction de la particularisation d'un problème. Les différends évoqués dans l'entente sur l'union sociale sont plus diffus et n'impliquent pas d'autres parties que les gouvernements.

Une seconde différence tient au fait que les accords susmentionnés permettent de parvenir à une décision à propos du litige. Les plaintes sont traitées par un comité de coordination composé de membres désignés par les gouvernements et c'est ce comité qui peut rendre une décision, s'entendre ou faire rapport aux ministres responsables.

Troisièmement, les accords sur les marchés publics permettent aussi de constituer un comité d'experts dont le rapport pourra conclure à la nécessité d'un accommodement en faveur du fournisseur lésé. Il s'agit là manifestement d'une intervention tout à fait impartiale dans le différend.

Certes, les mécanismes ainsi établis ne sont pas strictement contraignants. Un gouvernement pourrait toujours refuser de donner suite à une décision ou à un rapport final. Mais il s'exposerait à des mesures de rétorsion. Et le fait qu'il soit possible de ne pas s'y plier ne change pas la nature d'une décision ou d'une conclusion.

Les caractéristiques que nous avons relevées dans le processus de l'entente sur l'union sociale sont tellement différentes qu'il serait oiseux de mener la comparaison plus loin dans les détails. En particulier, le mécanisme de l'union sociale est politique au départ et il mise sur l'imputabilité. Aussi, comme on le sait, il évite systématiquement qu'un comité quelconque puisse se substituer aux gouvernements en cause et rendre quelque avis ou recommandation que ce soit sur la façon de disposer du litige.

L'intérêt particulier de l'Accord sur le commerce intérieur

L'Accord sur le commerce intérieur auquel toutes les provinces ont adhéré en 1994 revêt pour notre étude un intérêt particulier parce que, d'une part, le gouvernement fédéral y est aussi partie et, d'autre part, l'entente sur l'union sociale y fait référence. Cette référence, qu'on trouve à la fin du chapitre 2 de l'entente sur l'union sociale, vise primordialement (sinon exclusivement) le chapitre 7 de l'Accord sur le commerce intérieur, intitulé «Mobilité de la main-d'œuvre».

Comme le chapitre 6 de l'entente sur l'union sociale précise que son mécanisme de règlement des différends s'applique aux engagements concernant la mobilité et que l'Accord sur le commerce extérieur comporte son propre mécanisme, on peut dire que les dispositions de son chapitre 7 sont assujetties à deux mécanismes. En fait, on peut même en compter trois, puisque le chapitre 17 de l'Accord prévoit lui-même deux procédures: l'une pour le règlement des différends entre gouvernements et l'autre pour le règlement des différends entre une personne et un gouvernement.

La procédure qui dans l'Accord porte sur les litiges entre une personne et un gouvernement est analogue à celles dont nous venons de parler sous la rubrique précédente et les conclusions auxquelles nous sommes parvenus s'y appliquent parfaitement.

Par contre, la procédure dans l'Accord qui concerne les différends entre gouvernements s'adresse au même type de litiges que ceux qui peuvent survenir dans le cadre de l'entente sur l'union sociale. Pour l'essentiel, une fois épuisées les modalités préalables, l'article 1704 de l'Accord permet qu'à la demande d'une partie un groupe spécial soit constitué, avec le mandat d'examiner si l'Accord a été violé. Le groupe spécial est indépendant et impartial. On s'attend à ce que les conclusions de son rapport soient mises en œuvre; à défaut, des mesures de publicité et de rétorsion peuvent être prises.

Cette procédure a été utilisée une fois et on a pu constater l'impact considérable qu'elle peut avoir. Un groupe spécial a produit le 12 juin 1998 son rapport concernant un différend entre l'Alberta et le Canada, dans lequel il concluait que la Loi fédérale sur les additifs à base de manganèse violait les dispositions de l'Accord. Le rapport a eu des répercussions sur le commerce international: Ottawa a levé l'interdiction d'importation du MMT et a versé à la société américaine Ethyl Corporation, qui avait enclenché la procédure de règlement des litiges de l'ALENA, une compensation de 13 millions.

Le mécanisme de règlement des différends de l'Accord sur le commerce intérieur est fort élaboré et débouche, au niveau du groupe spécial, sur un système contradictoire, un système où des adversaires cherchent à convaincre un tiers indépendant et impartial du bien-fondé de leur position. Inutile de dire que ce processus s'oppose carrément à celui qui fut placé dans l'entente sur l'union sociale et dont nous avons dégagé les caractéristiques.

Conclusion

Le Québec n'a pas adhéré à l'entente sur l'union sociale et on peut se demander si sa marge de manœuvre dans la fédération canadienne peut en être affectée. Du point de vue qui nous a concerné particulièrement, il est difficile de voir ce que le Québec peut avoir perdu ou ce qu'il aurait pu gagner. Le processus de règlement des différends dans l'entente dépend tellement de la collaboration intergouvernementale que ce n'est pas sur lui qu'il importe de miser. Ce sont plutôt les conditions politiques sous-jacentes, en vertu desquelles le Québec et ses vis-à-vis cherchent à coopérer dans des cas donnés, qui resteront déterminantes.

Si le mécanisme de règlement des différends est trop faible pour influer sur les perspectives stratégiques du Québec, qu'en est-il des dispositions de fond auxquelles il se rattache? À mon point de vue, l'entente sur l'union sociale tend à accroître la centralisation des pouvoirs au Canada. Pratiquement toutes les matières qu'elle vise relèvent de la compétence provinciale exclusive. Le gouvernement fédéral voit ses interventions en ces domaines légitimées par l'entente. En particulier, les deux premiers paragraphes du chapitre 5 sont un hymne au pouvoir fédéral de dépenser dans des domaines provinciaux. Le fédéralisme coopératif qu'instaure l'entente et son mécanisme de règlement des différends consiste à permettre au fédéral de venir coopérer dans les secteurs provinciaux. Les secteurs fédéraux, pour leur part, restent une chasse gardée jalousement par la doctrine dominante, par une jurisprudence ferme et par les politiques législatives, gouvernementales et administratives d'Ottawa.

Certes, sur divers points, comme on l'a fait remarquer, l'entente sur l'union sociale va plus loin que Meech. Le problème, c'est que le point essentiel, celui qui nous a retenu dans la présente étude, était garanti par Meech et qu'il ne l'est aucunement par l'entente: la possibilité d'imposer le respect des engagements qui ont été pris. Il n'existe dans l'entente de février 1999 aucun moyen d'amener le gouvernement fédéral à s'y plier: il peut donner aux clauses sa propre interprétation, sans risque d'être contredit par une instance impartiale dûment mandatée; et il peut en faire l'application qu'il veut, y compris au stade de la prévention et du règlement des litiges.

L'entente sur l'union sociale canadienne vue par un fédéraliste québécois

Claude Ryan

L'entente sur l'union sociale canadienne conclue à Ottawa le 4 février 1999 entre le premier ministre du Canada et les premiers ministres de tous les gouvernements provinciaux et territoriaux, sauf celui du Québec, a donné lieu une fois de plus à un vif affrontement entre le gouvernement québécois, que dirige Lucien Bouchard, et le gouvernement fédéral, dirigé par un autre Québécois, Jean Chrétien.

Chaque fois que surgit un débat de cette nature, il importe de se rappeler que, même si chacun possède un mandat légitime pour parler et agir au nom du Québec, le premier ministre du Québec et le Premier ministre du Canada sont loin d'exprimer toute la réalité politique québécoise. Entre le courant souverainiste que représente le Parti québécois et le courant fédéraliste dur qu'incarne Jean Chrétien, il existe au Québec divers courants intermédiaires. Parmi ceux-ci, le plus important est sans doute celui qui préconise l'épanouissement du Québec à l'intérieur d'un fédéralisme canadien renouvelé. Sur la scène politique québécoise, ce courant s'exprime par l'intermédiaire du Parti libéral du Québec. Mais il trouve également des résonances significatives dans des milieux plus larges. Par certains côtés, il rejoint en effet de nombreux électeurs qui logent à l'enseigne de l'un ou l'autre des partis fédéraux. Par d'autres côtés, il a aussi des affinités avec ceux qu'on appelle les souverainistes mous.

Le courant du fédéralisme renouvelé a connu des hauts et des bas. À quatre reprises, en 1970, 1973, 1985 et 1989, il fut porté au pouvoir sous la direction de Robert Bourassa. À quatre reprises aussi, en 1976, 1981, 1994 et 1998, il fut défait par le Parti québécois.

Nonobstant les échecs qu'il a subis aux deux dernières élections provinciales, le courant du fédéralisme renouvelé demeure une force de premier plan au Québec. De nombreux sondages ont établi qu'il demeure d'année en année, le choix préféré d'une bonne majorité de la population québécoise. Ayant été identifié à ce courant politique d'abord à titre de journaliste entre 1962 et 1978, puis à titre d'acteur politique entre 1978 et 1994, et y adhérant toujours, je voudrais, à partir de cette perspective, expliquer comment j'ai réagi à l'entente du 4 février et tenter d'indiquer à quelles conditions pourrait être réparée la nouvelle brèche ouverte ce jour-là.

Une rupture déplorable

Avant d'analyser la teneur de l'entente, je veux exprimer ma déception concernant les circonstances qui semblent avoir entouré sa signature. N'ayant en aucune manière été partie aux échanges qui précédèrent l'entente, je ne suis pas en mesure de porter un jugement définitif à ce sujet. Un jugement ferme est d'autant plus difficile à porter qu'au cours des mois qui précédèrent la rencontre d'Ottawa, la population fut très peu informée de la teneur des discussions. Suivant la version de Lucien Bouchard et de son ministre des Affaires intergouvernementales canadiennes, Joseph Facal, il appert cependant qu'après s'être d'abord tenu à l'écart des pourparlers, le gouvernement du Québec décida en août 1998 de faire cause commune avec les chefs de gouvernement des autres provinces et territoires après que certains éléments jugés essentiels eurent été agréés de part et d'autre. Parmi ces éléments, figurait entre autres l'engagement des gouvernements provinciaux et territoriaux à défendre le droit de retrait d'une province à l'endroit de *tout programme pancanadien, nouveau ou modifié, dans un domaine de compétence provinciale*[1]. Les premiers ministres des provinces et territoires étaient également convenus qu'en cas d'exercice du droit de retrait, une province aurait droit à *une pleine compensation financière, sous réserve qu'elle mette en œuvre un programme ou une initiative qui répond aux domaines de priorité du programme pancanadien nouveau ou modifié.*

Cet engagement pouvait se prêter à diverses interprétations, comme il en va de maints compromis politiques. Il impliquait néanmoins des concessions importantes de part et d'autre. C'était notamment la première fois, à ma connaissance, qu'un gouvernement péquiste se déclarait disposé à accepter en principe que l'exercice du droit de retrait devrait être accompagné d'un engagement de la

1. «*L'évolution de la pensée des provinces* – Extraits de l'entente interprovinciale du 28 janvier 1999», *Le Devoir*, 13 février 1999.

province concernée à mettre en œuvre un programme ou une initiative dans les mêmes domaines de priorité que le programme pancanadien. Jusqu'au 28 janvier 1999, le texte auquel avait souscrit le Québec définissait une position commune à tous les gouvernements provinciaux et territoriaux. Or, ce texte que tous avaient approuvé le 28 janvier fut abandonné, une semaine plus tard, en faveur d'un autre texte qui faisait mieux l'affaire de certains, mais qui fut jugé inacceptable par le Québec. Ainsi, le Québec, après s'être engagé à des conditions précises dans une démarche commune avec les autres provinces et territoires, fut lâché par ses partenaires au moment crucial de la décision.

Cette version des événements est celle du gouvernement du Québec. Quant à l'essentiel, elle n'a pas été contredite. Si elle est juste, ce serait la troisième fois au cours des trente dernières années qu'après s'être engagé dans une démarche commune avec les autres provinces et territoires, le Québec aurait été lâché en cours de route par ses partenaires. Un premier abandon eut lieu en 1980 autour du rapatriement de la Constitution. Après avoir signé en avril 1981 une entente avec René Lévesque, les premiers ministres de sept autres provinces se ralliaient en novembre de la même année à une entente fort différente dont le Québec fut exclu. Un second abandon eut lieu autour de l'Accord du lac Meech. En 1990, trois ans après que tous les premiers ministres eurent signé une entente, deux premiers ministres provinciaux se déliaient de leur engagement et entraînaient l'écroulement de toute la démarche. Le plus récent abandon est sans doute moins grave vu que l'Entente du 4 février n'a qu'une portée administrative et pourra être révisée d'ici trois ans. Il est néanmoins de nature à accroître la méfiance des Québécois à l'endroit du respect de la parole donnée et des règles du *fair play* chez les chefs politiques des autres provinces.

Certains tentent de minimiser la portée de l'abandon dénoncé par Lucien Bouchard en laissant entendre que, de toute manière, son parti n'aurait jamais consenti à ce qu'il signe une entente pancanadienne sur l'union sociale. Ceux qui raisonnent ainsi feignent d'ignorer que le chef du Parti libéral du Québec, Jean Charest, a déclaré qu'il aurait lui aussi refusé de signer l'entente du 4 février, la jugeant porteuse de lacunes et d'imprécisions susceptibles *de porter ombrage* a priori *aux compétences de l'Assemblée nationale* et de *mettre en péril éventuellement certains intérêts spécifiques au Québec*[1].

---

1. Charest, Jean, *«L'union sociale canadienne – L'occasion de progresser ensemble»*. *Le Devoir*, 13 février 1999.

Les principes et les objectifs

Au niveau des *principes et des objectifs généraux*, l'entente énonce une série d'éléments autour desquels il serait facile d'être d'accord, moyennant une entrée en matière plus rigoureuse et une présentation plus nette et mieux ordonnée de chaque objectif. Le préambule de ce chapitre fournissait une excellente occasion de préciser en quoi consiste l'union canadienne. L'occasion était également tout indiquée de rappeler que l'un des éléments originaux de la fédération canadienne réside dans le caractère unique du Québec et de souligner que ce caractère doit être pris en compte avec une attention particulière dans les dossiers traitant d'éducation, de santé et de services sociaux. Il eut été non moins indiqué que soient rappelées les grandes lignes du partage des compétences entre le Parlement fédéral et les assemblées législatives des provinces et territoires en matière d'éducation, de santé et de services sociaux, quitte à signaler au passage certains désaccords. Malheureusement, ni cette partie de l'entente ni aucun chapitre ne contiennent le moindre développement à ce sujet.

Une plus grande rigueur eut de même été de mise dans l'énoncé des objectifs généraux énoncés dans le premier chapitre de l'entente. À titre d'exemple, on conviendra sans difficulté que tous les Canadiens doivent être égaux devant la loi. De là à affirmer, comme le fait l'entente, que tous les Canadiens sont égaux, purement et simplement, il y a cependant une marge que franchissent trop facilement les signataires du document. On doit de même souhaiter que tous les Canadiens participent de plus en plus activement à la vie économique et sociale du pays, mais est-ce bien le rôle des gouvernements *de favoriser la pleine et entière participation des Canadiens à la vie économique et sociale du pays*[1]? Les gouvernements doivent éviter de porter obstacle à cette participation et viser à éliminer par des mesures législatives appropriées et par une gestion exemplaire des affaires de l'État les situations qui rendent impossible ou difficile la participation des citoyens. Mais l'initiative de cette participation doit relever au premier chef des citoyens eux-mêmes et de la société civile plutôt que des gouvernements.

La mobilité

Au chapitre de la *mobilité*, les objectifs définis dans l'entente sont louables en soi. Tout citoyen doit jouir, au sein d'un pays fédéral,

1. Un accord visant à améliorer l'union sociale pour les Canadiens – L'entente entre le gouvernement du Canada et les gouvernements provinciaux et territoriaux, le 4 février 1999.

d'une pleine liberté de déplacement et d'implantation. Dans la mesure où les normes d'admissibilité à des programmes ou services portent obstacle à cette mobilité, il est hautement souhaitable que ces barrières soient éliminées. Il faut cependant éviter de multiplier à cet égard les engagements englobants donnant naissance à des contraintes exigeantes avant même que n'aient été clairement identifiés les problèmes réels et que n'aient été établis des échéanciers réalistes en vue d'y porter remède. L'entente prévoit, à titre d'exemple, que les gouvernements devront *d'ici trois ans* éliminer *toutes les politiques ou pratiques fondées sur des critères de résidence qui restreignent l'accès à l'éducation postsecondaire, à la formation professionnelle, à la santé, aux services sociaux et à l'aide sociale à moins qu'on puisse faire la preuve que ces politiques ou pratiques sont raisonnables et respectent les principes de l'entente*[1]. Elle exige de même *le respect intégral d'ici trois ans* des dispositions de *l'Accord sur le commerce intérieur (intervenu en 1994 entre le gouvernement fédéral et les gouvernements des provinces et territoires) qui portent sur la reconnaissance mutuelle des normes de qualification pour l'exercice des métiers et professions. Les objectifs poursuivis sont louables. Étant donné le grand nombre de programmes qui existent en ces matières et les différences importantes qui existent à cet égard entre le Québec et les autres provinces, il est cependant douteux qu'ils puissent être atteints d'ici de trois ans. Je doute également qu'en des matières aussi directement reliées à son caractère distinct, le Québec soit disposé à aliéner au profit d'une autorité externe sa compétence constitutionnelle en matière d'éducation, de santé et de services sociaux. Il me paraît plus réaliste de chercher à promouvoir une plus grande mobilité par des procédures mettant l'accent sur l'identification rigoureuse des problèmes, l'échange d'informations et la réciprocité dans l'action concrète.*

Il restera en outre à établir un accord entre les gouvernements sur ce qui constitue un obstacle à la mobilité. Cela pourrait être plus difficile qu'il n'y paraît à première vue. Pour ne prendre qu'un exemple, on peut estimer honnêtement que l'imposition de frais de scolarité plus élevés aux étudiants d'autres provinces qui veulent poursuivre des études postsecondaires dans des établissements québécois est un obstacle à la mobilité pour ces étudiants. Mais on peut penser tout aussi honnêtement que, vu le niveau relativement peu élevé des droits de scolarité au Québec, les avantages découlant de ce régime devraient être réservés aux étudiants québécois et qu'il ne serait pas inéquitable d'exiger des étudiants en provenance d'autres provinces des droits de scolarité alignés plutôt sur la moyenne

1. Voir, l'accord.

canadienne. Je n'approuve pas le choix qu'a fait le gouvernement québécois d'imposer des frais de scolarité plus élevés aux étudiants de niveau postsecondaire en provenance d'autres provinces, car les effets négatifs de cette mesure sur l'image du Québec à l'extérieur de ses frontières dépassent nettement les économies forcément limitées que peut en retirer le trésor public québécois. Mais il doit y avoir place pour d'honnêtes différences dans des cas de cette nature. S'il fallait que chaque cas doive être soumis, comme le laisse entrevoir l'entente, au tamisage d'un aréopage pancanadien, la souveraineté des provinces dans leurs champs de compétence risquerait d'être sérieusement diminuée.

L'imputabilité

En matière *d'imputabilité*, l'entente engage chaque gouvernement à suivre de près l'application de ses politiques et programmes, à en mesurer le rendement, à publier régulièrement des rapports à ce sujet, à rendre publics les critères d'admissibilité aux programmes sociaux dont il a la responsabilité. Elle engage en outre chaque gouvernement à partager avec les autres gouvernements les informations ainsi colligées et à travailler avec eux à la mise en œuvre *d'indicateurs comparables permettant de mesurer les progrès accomplis en regard des objectifs convenus*[1].Il en va de ces engagements comme de plusieurs autres engagements contenus dans l'entente. Ils pourront être interprétés comme devant entraîner une collaboration accrue entre les gouvernements, dans le plein respect de la compétence propre de chacun et avec le minimum de déploiement bureaucratique. Si cette interprétation devait prévaloir, l'entente pourrait donner de bons résultats. Dans le cadre d'une entente à laquelle il serait partie, le Québec, pour un, pourrait aller assez loin dans la voie de la collaboration. Il l'a d'ailleurs déjà démontré en acceptant dès le début des années 1990 de jouer un rôle actif dans la mise au point d'indicateurs interprovinciaux de performance en matière d'enseignement primaire et secondaire et en souscrivant en 1994 à un protocole pancanadien *assurant la reconnaissance mutuelle des crédits au niveau de l'éducation postsecondaire*[2]. Il faudra se méfier par contre d'une autre interprétation que ne manqueront pas de promouvoir les apôtres de la planification à haute échelle comme il s'en trouve non seulement à Ottawa, mais aussi dans certaines capitales provinciales. Ces derniers voudront

1. Voir l'accord.
2. Facal, Joseph, *«Facal sonne le réveil des souverainistes». Le Devoir*, 13 février 1999.

profiter des moindres ouvertures qu'ils pourront trouver dans le texte de l'entente pour proposer la création de mécanismes compliqués et coûteux de cueillette et d'interprétation de données sur lesquels, tôt ou tard, la bureaucratie fédérale cherchera à exercer un contrôle de plus en plus pointu. Si cette interprétation devait s'imposer, l'action des provinces serait vouée à se déployer de plus en plus à l'intérieur de contraintes normatives et administratives qui consumeraient une part sans cesse croissante de leurs énergies et sur lesquelles elles auraient de moins en moins de prise.

Dans le chapitre consacré à l'imputabilité, les gouvernements s'engagent également à mettre en place des mécanismes consultatifs devant favoriser la participation des citoyens à l'élaboration des politiques sociales et d'examiner les résultats obtenus à cet égard. Ce langage est attrayant au premier regard. À bien y penser, il est cependant porteur de sérieuses ambiguïtés. La participation des citoyens à l'élaboration des politiques doit se faire, en démocratie libérale, par diverses voies n'ayant rien à voir avec la bienveillance des gouvernements, notamment par l'action des associations bénévoles et des groupes de pression, par le travail des partis politiques et, de manière plus générale, par les débats qu'alimentent continuellement la presse écrite, la radio et la télévision. On se demande ce que viendront faire au juste, dans ce contexte déjà passablement porteur de participation, les mécanismes consultatifs que s'engagent à instituer les gouvernements. On se demande surtout en quoi pareil engagement devrait figurer dans une entente intergouvernementale sur l'union sociale. Un gouvernement peut éprouver le besoin de s'entourer, pour gouverner, de structures consultatives plus ou moins élaborées. Un autre gouvernement peut préférer des méthodes faisant davantage appel à la responsabilité des élus ou à la démocratie directe. On voit mal en quoi un engagement à pratiquer un style de gestion publique plutôt qu'un autre devrait figurer dans une entente intergouvernementale sur l'union sociale.

Le partenariat intergouvernemental

Le chapitre sur *le partenariat intergouvernemental* souffre des mêmes vices que les précédents. Il est à la fois trop vague et trop ambitieux. Un projet sérieux de partenariat doit reposer sur une nette reconnaissance des responsabilités et attributions de chaque partenaire et sur une identification précise des objets sur lesquels les partenaires veulent agir ensemble. Non seulement l'entente est-elle fort discrète à ce sujet, mais elle est rédigée dans une langue le plus souvent floue qui peut donner lieu à maintes interprétations et dont on pourra se servir facilement pour justifier toute intervention future du gouvernement fédéral dans le champ des politiques sociales.

L'idée de partenariat, telle qu'énoncée dans l'entente, semble écarter au départ toute remise en question de l'ordre existant en matière de partage des responsabilités. On semble tenir pour acquis que chaque partenaire restera implanté là où il est déjà installé. Le partenariat s'exercera en conséquence autour des initiatives futures des gouvernements. Réduits à leur plus simple expression, les engagements que définit cette partie de l'entente sont généralement anodins. Ils requièrent par exemple que les gouvernements se donnent un préavis avant la mise en œuvre de tout changement majeur à une politique ou un programme. En l'absence de plus amples précisions, cet engagement ne signifie pas grand-chose. Si on prétendait par contre le rendre plus contraignant, il risquerait vite d'être jugé incompatible avec les obligations des gouvernements envers leur population et leur parlement respectifs. Le gouvernement fédéral s'engage pour sa part à faire en sorte que toute entente conclue avec une province ou un territoire soit également offerte aux autres provinces et territoires tout en tenant compte de la situation particulière de chacun. Cette disposition traduit un souci d'équité fort louable. Vu l'orthodoxie rigide qui risque de présider à son application dans les milieux fédéraux, elle pourra en contrepartie être invoquée pour rendre plus difficiles, voire impossibles, des aménagements particuliers dont le Québec, comme cela s'est vu très souvent, pourra être la seule province à éprouver le besoin.

Le pouvoir de dépenser

Venons-en au chapitre le plus litigieux de l'entente, soit à celui qui traite du pouvoir fédéral de dépenser. Je ne suis pas enclin à remettre ce pouvoir en cause au niveau des principes, et ce, pour deux raisons. D'abord, le pouvoir de dépenser m'apparaît comme un attribut difficilement contestable de la souveraineté. En second lieu, il s'est avéré historiquement que l'existence d'un tel pouvoir peut être nécessaire, et à tout le moins très utile, dans des situations de grandes difficultés économiques et sociales et aussi pour l'avancement d'une meilleure égalité des chances à l'avantage de tous les Canadiens. Je mentionnerai à titre d'exemple la grande dépression des années 1930. Cette crise fit ressortir l'impuissance tragique dans laquelle se trouvèrent les gouvernements devant la misère qui enveloppa alors tout le monde industrialisé. Dans la foulée de rapports d'enquête qui réclamaient d'eux des mesures plus efficaces contre les coûts découlant des risques majeurs de l'existence (chômage, charges familiales, scolarité déficiente, maladie, accidents, vieillissement, mortalité), un grand nombre de gouvernements, dont celui du Canada, s'engagèrent pendant le deuxième conflit mondial à mieux protéger leur population contre la pauvreté quand la paix serait revenue. De là naquit ce que l'on est convenu d'appeler l'État-providence. Au Canada, le gouvernement fédéral se fit d'abord attribuer par voie de modification constitutionnelle la compétence en matière d'assurance-chômage. Avec l'appui d'une vaste majorité de la population, il procéda ensuite à la mise à jour des pensions de vieillesse, à l'instauration des allocations familiales, de l'assurance-hospitalisation, de l'assurance-maladie et d'un régime public de retraite, ainsi qu'à la modernisation de l'aide de dernier recours. Le leadership exercé par le gouvernement fédéral au cours du dernier demi-siècle a permis de doter le Canada d'un système de sécurité sociale élaboré. Cela eut été impossible si le gouvernement fédéral n'avait pas disposé du pouvoir de dépenser.

À ce tableau, il faut toutefois ajouter – ce sur quoi l'entente est muette – les difficultés créées par l'exercice du pouvoir de dépenser. Dans la foulée du resserrement récent de l'économie, le régime canadien de sécurité sociale devait s'avérer fort coûteux. La manière dont il fut implanté donna aussi lieu à de nombreux litiges entre le gouvernement fédéral et les provinces, en particulier le Québec. Celles-ci se virent imposer par Ottawa maintes priorités qui n'eussent pas toujours été les leurs, mais auxquelles elles durent accepter généralement de se conformer afin d'avoir accès aux subventions d'appoint qu'offrait parallèlement le gouvernement fédéral. Les difficultés économiques des années 1990 ont contraint le gouvernement fédéral à réduire ses engagements à l'égard des programmes sociaux dont il assure le financement (assurance-chômage, pensions de vieillesse) et à diminuer de manière importante les subventions accordées aux provinces en relation avec leurs propres programmes financés en partie à l'aide de transferts fédéraux. Il était inévitable, dans ce contexte, que les provinces veuillent réviser non pas le pouvoir de dépenser en tant que tel, mais les règles qui doivent présider à son utilisation par le gouvernement fédéral.

Le Québec fut longtemps seul à réclamer un encadrement plus rigoureux du pouvoir de dépenser. Conscient que l'opinion anglo-canadienne a toujours favorisé un fort leadership du gouvernement fédéral en matière de politiques sociales, il s'employa surtout, de 1960 à nos jours, à réclamer un droit de retrait, avec compensation financière, à l'endroit des programmes fédéraux. Les autres provinces et territoires s'étant ralliés récemment à cette revendication, les provinces et territoires semblaient devoir présenter un front uni sur cette question à la réunion fédérale-provinciale du 4 février 1999. Mais comme nous l'avons vu plus tôt, les discussions du 4 février se soldèrent par l'adoption d'un texte autre que celui dont étaient convenus les provinces et territoires à peine une semaine auparavant. Ainsi que l'illustre le texte de l'entente, les conclusions des débats furent nettement favorables aux thèses fédérales. Plusieurs éléments de l'entente justifient cette affirmation.

Les transferts aux provinces

1) En ce qui touche *les transferts aux provinces*, le gouvernement fédéral s'engage à n'instituer de nouveaux programmes en matière de santé, d'éducation et de services sociaux qu'après avoir obtenu au préalable l'accord de la majorité des provinces, soit d'au moins six provinces. Comme cette majorité peut être formée de provinces représentant ensemble à peine 15 % de la population et que les provinces moins nombreuses sont davantage enclines à désirer l'intervention du gouvernement fédéral, cette majorité sera relativement facile à obtenir. Les objectifs d'un nouveau programme ainsi établi avec l'accord d'un nombre de provinces représentant une faible minorité de la population pourront ensuite imposer à toutes les provinces comme condition de leur accès aux subventions reliées au programme. En pratique, ce nouveau régime ressemblera passablement à ce qui s'est passé jusqu'à maintenant.
2) Le gouvernement fédéral s'engage également dans l'entente à donner un préavis aux provinces avant de mettre en œuvre *tout changement majeur à une politique ou à un programme social qui aura tout probablement une incidence majeure sur un autre gouvernement*[1]. Cet engagement paraît prometteur. On a cependant pu voir, lors du budget de Paul Martin de 1999, qu'il n'est guère contraignant pour le gouvernement fédéral. Un changement majeur affectant particulièrement le financement de l'aide de dernier recours fut annoncé dans le calcul des paiements aux provinces au titre du Transfert canadien en matière de santé et de programmes sociaux (TCSPS). Même si la volonté du gouvernement

1. Voir, l'accord.

fédéral de réaménager ces paiements de transfert sur une base per capita était déjà connue depuis longtemps et avait commencé à s'appliquer depuis 1996 dans le cas des programmes de santé et d'enseignement postsecondaire, le changement relatif à l'aide de dernier recours, de beaucoup plus contestable, fut imposé selon Québec sans préavis et sans tenir compte de l'opinion exprimée deux semaines plus tôt par les provinces[1].

3) La participation d'une province à un programme pancanadien a toujours été soumise à certaines conditions visant à garantir que l'argent obtenu serait utilisé pour les fins du programme. Mais alors qu'une plus grande souplesse était souhaitée à cet égard, l'entente du 4 février laisse entrevoir un régime plus astreignant. Le cadre d'imputabilité auquel devront se soumettre les provinces participantes devra, il est vrai, être arrêté conjointement par le gouvernement fédéral et les provinces. Le gouvernement fédéral disposera cependant d'un levier puissant pour resserrer les contraintes quand il le jugera nécessaire.

4) Dans le cas des programmes comportant des transferts aux provinces, l'entente ouvre la porte à l'exercice d'un droit de retrait. Si on compare le texte de l'entente à celui qu'avaient approuvé les provinces et territoires le 28 janvier, on constate cependant que la portée du droit de retrait est plus restreinte dans l'entente. Le droit de retrait ne sera plus possible, selon l'Entente, que dans les cas où une province aurait déjà, dans sa programmation existante, un programme équivalent au nouveau programme. Ainsi que l'a signalé Joseph Facal, *dans la mesure où le Québec n'aurait pas de programme existant, il n'existe aucun véritable droit de retrait*[2].

Les transferts aux individus et aux organismes

Le droit de retrait reconnu dans le texte approuvé par les provinces le 28 janvier était formulé de manière à pouvoir s'exercer non seulement à l'égard des programmes fédéraux impliquant des transferts aux provinces, mais aussi à l'égard des programmes fédéraux impliquant des transferts en faveur des individus et des organismes. Vivement contrarié par la création des Bourses du millénaire, le gouvernement du Québec avait fait de cette disposition une condition nécessaire de son adhésion au consensus interprovincial. Or,

1. Landry, Bernard, «*Les besoins sont à Québec, l'argent est à Ottawa*». *La Presse*, 25 février 1999.
2. Facal, Joseph, «*Pourquoi le Québec dit Non à l'union sociale*», *La Presse*, 18 février 1999.

cette interprétation n'est plus permise suivant l'entente du 4 février. Celle-ci engage le gouvernement fédéral à donner aux provinces et territoires un préavis de trois mois avant de lancer *de nouvelles initiatives pancanadiennes financées par des transferts directs aux personnes et aux organisations pour les services de santé, d'éducation postsecondaire, l'aide sociale et les services sociaux*[1]. Le gouvernement fédéral s'engage aussi en pareil cas à offrir de consulter. Mais là s'arrête sa bienveillance. Hormis ces engagements peu contraignants, le gouvernement fédéral s'estimera autorisé en vertu de l'entente à multiplier à son gré les initiatives comme les Bourses du millénaire, les prestations fiscales pour des classes particulières de citoyens ou les subventions à des organismes œuvrant dans des champs de compétence nettement provinciale. Par le biais des crédits d'impôt et des prestations dites fiscales, en particulier, le gouvernement fédéral sera habilité, s'il le désire, à occuper une partie de plus en plus large du champ des politiques sociales.

Jean Chrétien, Stéphane Dion et David Cameron ont soutenu que, concernant le pouvoir fédéral de dépenser, l'entente du 4 février est plus favorable aux provinces que ne l'était l'Accord du lac Meech. Cette affirmation ne résiste pas à un examen attentif des deux textes. Dans l'Accord du lac Meech, les dispositions traitant du pouvoir de dépenser étaient entourées de nombreuses autres dispositions faisant droit à des demandes du Québec, notamment d'une disposition constitutionnelle reconnaissant explicitement le caractère distinct de la société québécoise. On ne trouve rien de tel dans l'entente du 4 février. On a même omis de faire écho au paragraphe de la Déclaration de Calgary reconnaissant le caractère unique du Québec. En second lieu, les dispositions traitant du pouvoir de dépenser étaient de nature constitutionnelle dans l'Accord du lac Meech, tandis que l'entente du 4 février n'a qu'une valeur administrative, et ce, pour une période de trois ans. En troisième lieu, l'engagement d'une province à appliquer, en cas de retrait d'un programme pancanadien, *un programme ou une mesure compatible avec les objectifs nationaux*[2] était formulé dans Meech en des termes délibérément généraux qui laissaient une place raisonnable à une interprétation compatible avec la reconnaissance du caractère distinct du Québec. L'entente du 4 février n'a pas la même souplesse. David Cameron

1. Voir l'accord.
2. Hogg, Peter W., *Meech Lake Constitutional Accord Annotated, Ed. Carswell, Toronto-Calgary-Vancouver, 1988. Voir page 76.*

affirme enfin[1] que l'entente du 4 février va beaucoup plus loin que Meech en ce qu'elle traite non seulement des transferts aux provinces, mais aussi des transferts aux individus et aux organisations. Mais nous avons vu plus haut que les passages consacrés aux transferts en faveur des personnes et des organisations servent surtout à confirmer et à renforcer les pouvoirs et responsabilités que s'attribue à cet égard le gouvernement fédéral.

Le règlement des litiges

En matière de politiques sociales, surtout au niveau de la mise en œuvre des programmes, il est inévitable que surgissent des litiges entre le gouvernement fédéral et une ou plusieurs provinces, voire entre deux ou plusieurs provinces. Le litige entre l'Alberta et le gouvernement fédéral touchant l'interprétation de certaines dispositions de l'assurance-maladie en est l'exemple le plus connu. L'entente recommande justement que les gouvernements coopèrent entre eux afin d'éviter ces litiges et de les régler à l'amiable quand ils surgissent. Nonobstant ces bonnes intentions, il fallait néanmoins prévoir un mode de traitement des litiges en cas d'échec des négociations directes entre les gouvernements concernés.

Un premier choix devait consister à décider si des litiges de cette nature devaient être soumis à un arbitrage exécutoire, judiciaire ou autre. Les gouvernements ont décidé avec raison d'éviter la voie de l'arbitrage exécutoire des litiges par une tierce partie. Dans l'application de programmes sociaux, une seule décision arbitrale est susceptible d'entraîner des conséquences très coûteuses pour le trésor public. En ces temps de vaches maigres, les gouvernements doivent éviter le plus possible de confier à des tiers qui n'ont de comptes à rendre à personne la responsabilité de décisions pouvant entraîner des déboursés élevés. En disant Non à l'arbitrage exécutoire, les premiers ministres ont fait un choix réaliste dans le contexte d'aujourd'hui.

En contrepartie, l'entente du 4 février contient diverses dispositions visant à faciliter le traitement souple et efficace des litiges reliés à la mobilité, aux transferts intergouvernementaux et à l'interprétation des principes de la *Loi canadienne sur la santé*. Ces dispositions sont essentiellement fondées sur une règle de parité suivant laquelle les diverses parties à un litige doivent être représentées à chaque

1. Cameron, David, «*The Social Union is not a backward step for Quebec*», *The Globe and Mail*, 12 février 1999.

étape d'une procédure de règlement et doivent conserver en dernier ressort la responsabilité de leurs décisions. Cette règle de parité est susceptible d'engendrer des lourdeurs et des coûts accrus dans le traitement des litiges. Elle offre cependant des garanties nécessaires d'équilibre et d'équité dans l'examen des litiges.

Conclusion

Claude Castonguay a vu dans l'entente du 4 février *un déblocage majeur*[1]. Parmi les fédéralistes québécois modérés qui suivent ces questions de près, il est le seul, à ma connaissance, qui ait porté un jugement aussi favorable. André Burelle, pour sa part, a porté un jugement sévère sur le caractère centralisateur de l'entente[2]. Le jugement de Burelle est trop tributaire d'une interprétation étroitement juridique de la Constitution de 1867. Il ne tient pas assez compte des changements majeurs survenus dans la vie économique et sociale du pays au cours du dernier siècle. Dans ses grandes lignes, la réaction de Burelle m'apparaît néanmoins plus représentative de l'avis des fédéralistes québécois modérés. L'entente du 4 février sera retenue par ceux-ci au mieux comme une démarche pertinente dont l'objectif a toutefois été sérieusement compromis par l'exclusion du Québec, et au pire comme un texte filandreux et mou ouvrant la porte à une domination fédérale accrue dans le champ des politiques sociales.

Vue avec un certain recul, l'expérience que nous venons de vivre avec l'entente du 4 février a reproduit une nouvelle fois un modèle de négociation avortée dont les dernières décennies ont maintes fois démontré la fragilité. D'un côté, les *nation-builders* du Canada anglais logeant les uns à Ottawa, les autres dans les capitales provinciales, s'évertuent sincèrement à mettre en œuvre des schèmes pancanadiens d'harmonisation, voire d'intégration, des politiques qui leur paraissent nécessaires. Même lorsque leurs projets semblent aller au-delà de la lettre de la Constitution, ils ne manquent pas de justifications respectables pour les promouvoir. Conscients de la situation particulière du Québec, ils tentent au début de l'associer à leur démarche. Mais faute d'avoir déployé l'effort requis pour comprendre la vraie nature des défis que présente la spécificité québécoise, ils finissent plus souvent qu'autrement par se lasser de discuter et par laisser tomber en cours de route le partenaire jugé trop gênant. Ils se réveillent en fin de compte avec des ententes qui

1. Castonguay, Claude, « *Union sociale: un déclocage majeur* ». *La Presse*, 10 février 1999.
2. Burelle, André, «*Mise en tutelle des provinces*». *Le Devoir*, 15 février 1999.

ne sont pas vraiment nationales parce que le Québec en est exclu. Conscient pour sa part que toute participation à une démarche pancanadienne, tout en étant souvent nécessaire, peut entraîner le renoncement à des valeurs qui lui sont propres, et instruit par des expériences souvent pénibles, le Québec aborde avec prudence et circonspection les démarches de cette nature. Il accepte volontiers d'échanger de la correspondance, de participer à des rencontres d'information. Mais s'il doit être question d'adhérer à des projets d'intégration pouvant entraîner une dilution de ses compétences, le gouvernement du Québec, quel que soit le parti qui le dirige, veille à protéger ses arrières au maximum. Aussi pose-t-il, avant toute adhésion, des conditions que les autres gouvernements ont souvent du mal à accepter. On navigue ainsi d'une tentative à l'autre. L'exercice se termine trop souvent par un avortement qui contribue à exacerber l'opinion tant au Québec que dans le reste du pays.

Au lendemain de l'échec des négociations sur l'union sociale, comment envisager l'avenir? J'exclus au départ deux approches extrêmes, à savoir la séparation du Québec et l'enfermement dans une stratégie qui s'obstine à vouloir renforcer l'unité du pays en faisant abstraction du caractère distinct du Québec.

En septembre 1964, peu de temps après ma nomination à titre de directeur du Devoir, je prenais clairement position en faveur de l'hypothèse canadienne. Tout en reconnaissant que l'entente est plus difficile quand plusieurs cultures sont appelées à cohabiter sur un même territoire, je soulignais que notre situation particulière nous offrait la chance d'édifier au Canada un type de société politique particulièrement propice, par sa diversité même, à la culture des libertés fondamentales et au développement du Québec suivant son génie propre[1]. J'ajoutais cependant que, pour être viable, le choix en faveur du lien canadien devrait être accompagné de changements importants à la constitution du pays et au mode de fonctionnement de nos institutions politiques. Trente-cinq ans plus tard, même si les changements souhaités par le Québec sont lents à venir, je crois toujours que le maintien du lien fédéral canadien est l'option la plus valable pour le Québec et le reste du Canada. C'est pourquoi, tout en respectant ceux qui préconisent l'indépendance du Québec, je demeure opposé à leur option.

1. Ryan, Claude, voir *Le Devoir* 18 et 19 septembre 1964.

Si la plupart des changements souhaités par les fédéralistes modérés du Québec ont été refusés jusqu'à maintenant, ce ne fut pas faute d'efforts sincères de compréhension de part et d'autre. Nombreuses, en particulier, sont les voix anglophones qui, au cours des dernières décennies, ont fait montre à cet égard d'une grande ouverture, autant dans les milieux politiques que dans les milieux universitaires et les milieux d'affaires. Si plusieurs tentatives ont échoué, ce fut principalement en raison de l'opposition persistante à laquelle elles se sont heurtées auprès des promoteurs d'une conception rigide de l'unité canadienne, lesquels s'obstinent, au nom d'une vision abstraite et doctrinaire de l'égalité des personnes et des provinces, à laisser percer toute forme d'asymétrie dans notre système fédéral. Cette conception fut à l'origine de l'échec de l'Accord du lac Meech. Elle a également prévalu dans les discussions qui ont abouti à l'entente du 4 février. Les mêmes causes engendrant habituellement les mêmes effets, aucun progrès sérieux ne pourra être accompli avec le Québec tant que l'on persistera à s'inspirer de cette conception.

Une fois écartées la voie du séparatisme et celle du fédéralisme rigide, trois autres avenues peuvent être explorées. L'une d'entre elles est celle que préconise le Parti réformiste, c'est-à-dire celle d'une décentralisation poussée qui procurerait au Québec ce qu'il recherche tout en mettant les mêmes avantages à la disposition des autres provinces. Il tombe pourtant sous le sens qu'il est peu réaliste d'envisager la même mesure de décentralisation pour les provinces atlantiques que pour le Québec. Les premières, ayant une dépendance plus grande envers le gouvernement fédéral, attendent de lui un rôle plus substantiel. Il en va de même des minorités de langue officielle. En vertu du programme réformiste, la principale responsabilité à cet égard serait dévolue aux provinces. À la lumière de l'histoire passée, cette perspective n'est pas rassurante pour les minorités de langue officielle. Celles-ci ont appris à compter sur l'appui du gouvernement fédéral pour défendre leurs droits et se doter de structures d'action appropriées.

Une autre avenue est celle que préconise un ancien conseiller de Pierre Elliott Trudeau, André Burelle, lequel s'est dissocié à maintes reprises de la conception de l'unité canadienne chère à son ancien patron. Suivant Burelle, il faudrait revenir à l'esprit, sinon à la lettre, de la Constitution de 1867 et fonder l'action des gouvernements sur une reconnaissance claire et un respect rigoureux des champs de compétence propres à chacun et sur une règle de codécision dans les affaires d'intérêt commun. À défaut d'une approche plus souple, il faudra peut-être s'en remettre à une approche comme celle-là. Cette approche présente cependant trois faiblesses. Tout d'abord, il n'est pas aussi facile qu'on est enclin à le penser de délimiter de manière parfaitement claire les champs de compétence qui doivent appartenir de manière étanche à chaque ordre de gouvernement. Cette délimitation est d'autant plus difficile dans le champ des politiques sociales que le souvenir de la grande dépression des années 1930 est toujours présent, que la réalité économique et sociale ne cesse d'évoluer à un rythme de plus en plus rapide, et que, depuis la Constitution de 1982, une responsabilité conjointe incombe explicitement aux deux ordres de gouvernement en matière d'égalisation des chances. Les tenants de cette approche attachent en outre une grande importance à la coopération interprovinciale comme moyen de traiter de problèmes d'intérêt commun pour les provinces. Vu les intérêts très différents des provinces et les règles de décision exigeantes auxquelles pareille coopération devrait obéir, il y a fort à parier qu'elle ne pourrait porter que sur des objets limités et serait toujours fragile. D'autre part, si la coopération interprovinciale devait être utilisée à fond, elle exigerait pour être efficace la création de nouvelles structures qui risqueraient de faire double emploi avec les services fédéraux. Une troisième difficulté tient à la règle de codécision dans les matières intéressant conjointement les deux ordres de gouvernement. S'il y a accord entre les parties, la codécision peut s'avérer excellente. Mais qu'arrive-t-il en l'absence d'accord? Le seul repli des parties sur leurs juridictions respectives ne saurait suffire pour faire face à des situations requérant des approches inédites comme il en surgit de plus en plus.

Une dernière approche a été mise de l'avant par les fédéralistes modérés du Québec, avec des résultats mitigés jusqu'à ce jour. Les tenants de cette approche préconisent l'adhésion renouvelée du Québec à la fédération canadienne moyennant une reconnaissance claire et efficace de la spécificité du Québec. Une première esquisse de cette approche fut proposée il y a vingt ans par la Commission Pepin-Robarts, laquelle recommanda que notre système fédéral soit assoupli pour faire place à certaines formes d'asymétrie. Les conclusions de la Conférence *Confédération 2000*, tenue à Ottawa au printemps de 1996 sous les auspices du Conseil national des chefs d'entreprises, allaient dans le même sens[1]. Un modèle plus récent de

1. Confederation 2000 – *Today and Tomorrow – An Agenda for Action – Ideas and recommendations of the Confederation 2000 Conference Participants*. Rapport publié sous les auspices du *Business Council on National Issues*. Ottawa, 1996.

fédéralisme asymétrique fut mis de l'avant par le Parti libéral du Québec dans le document *Reconnaissance et interdépendance*, publié en 1996[1]. Suivant cette conception, il n'y aurait pas lieu de se tordre interminablement les méninges pour trouver des formes d'accommodement adaptées au Québec si l'on voulait seulement renoncer à en faire *une province comme les autres*. Le défi, beaucoup plus stimulant pour la créativité qu'un exercice sans âme comme celui du 4 février, ne consisterait plus à trouver à tout prix une formule susceptible de convenir en même temps à tout le monde, mais plutôt à mettre au point des aménagements souples qui permettraient de poursuivre des objectifs nationaux tout en tenant compte de la situation différente du Québec sans pour autant lui conférer des avantages financiers indus qu'il ne recherche pas. Dans le cas du pouvoir de dépenser, cette approche devrait consister à admettre que le cas du Québec est nettement différent et à lui reconnaître le droit de retrait, sans condition, de tout programme pancanadien portant sur des objets de compétence provinciale. Ce retrait devrait être assorti d'une compensation financière pouvant être accordée soit sous la forme de transfert direct, soit sous la forme de transfert fiscal.

Comme les négociations sur l'union sociale ont achoppé sur le pouvoir de dépenser, il faudra tôt ou tard rouvrir les discussions autour de ce sujet. Je souhaite que les gouvernements entreprennent ces nouvelles discussions en s'inspirant de la dernière approche. Celle-ci m'apparaît la plus apte, sinon la seule apte, à produire des résultats satisfaisants pour tous les Canadiens, y compris ceux qui sont au Québec.

---

1. Parti libéral du Québec, *Reconnaissance et interdépendance*, Rapport du Comité sur l'évolution du fédéralisme canadien, décembre 1996.

ANNEXE I

Un cadre visant à améliorer l'union sociale pour les Canadiens

Entente entre le gouvernement du Canada et les gouvernements provinciaux et territoriaux le 4 février 1999

L'entente qui suit repose sur le respect mutuel et la volonté des gouvernements de travailler ensemble de plus près afin de répondre aux besoins des Canadiens.

Principes

L'union sociale doit traduire les valeurs fondamentales des Canadiens – égalité, respect de la diversité, équité, dignité de l'être humain, responsabilité individuelle, de même que notre solidarité et nos responsabilités les uns envers les autres.

Aussi, dans le respect de leurs compétences et pouvoirs constitutionnels respectifs, les gouvernements s'engagent à adopter les principes suivants:

Tous les Canadiens sont égaux

- Traiter tous les Canadiens avec justice et équité
- Promouvoir l'égalité des chances pour tous les Canadiens
- Respecter l'égalité, les droits et la dignité de tous les Canadiens et Canadiennes, ainsi que leurs différents besoins.

Répondre aux besoins des Canadiens

- Assurer à tous les Canadiens, peu importe où ils vivent ou se déplacent au Canada, l'accès à des programmes et services sociaux essentiels qui soient de qualité sensiblement comparable
- Offrir à ceux qui sont dans le besoin une aide appropriée

- Respecter les principes de l'assurance-maladie: intégralité, universalité, transférabilité, gestion publique et accessibilité
- Favoriser la pleine et active participation de tous les Canadiens à la vie sociale et économique du pays
- Travailler en partenariat avec les individus, les familles, les collectivités, les organismes bénévoles, les entreprises et les syndicats, et assurer aux Canadiens la possibilité de contribuer significativement au développement des politiques et programmes sociaux.

Maintenir les programmes et les services sociaux

- Faire en sorte que les programmes sociaux bénéficient d'un financement suffisant, abordable, stable et durable.

Peuples autochtones du Canada

- Pour plus de certitude, aucun élément de la présente entente ne porte atteinte à aucun des droits des peuples autochtones du Canada, qu'il s'agisse des droits ancestraux, des droits issus de traités ou de tout autre droit, y compris l'autonomie gouvernementale.

La mobilité partout au Canada

Tous les gouvernements estiment que la liberté de mouvement, qui permet aux Canadiens d'aller profiter de perspectives favorables n'importe où au Canada, est un élément essentiel de la citoyenneté canadienne.

Les gouvernements s'assureront que les nouvelles initiatives en matière de politique sociale ne créent aucun nouvel obstacle à la mobilité.

Les gouvernements élimineront, d'ici trois ans, toutes les politiques ou pratiques fondées sur des critères de résidence qui restreignent l'accès à l'éducation postsecondaire, à la formation professionnelle, à la santé, aux services sociaux et à l'aide sociale à moins qu'on puisse faire la preuve que ces politiques ou pratiques sont raisonnables et qu'elles respectent les principes de l'entente-cadre sur l'union sociale.

Par conséquent, les ministres sectoriels soumettront des rapports annuels au Conseil ministériel inventoriant les barrières à l'accessibilité fondées sur la résidence et proposant des plans d'action pour éliminer ces barrières.

Les gouvernements s'engagent également à assurer, d'ici le 1er juillet 2001, le respect intégral des dispositions en matière de mobilité de l'Accord sur le commerce intérieur par toutes les entités assujetties à ces dispositions, et notamment des conditions visant la reconnaissance mutuelle des qualifications professionnelles et l'élimination des conditions de résidence qui limitent l'accès aux perspectives d'emploi.

Informer les Canadiens – imputabilité publique et transparence

L'union sociale du Canada peut être renforcée par une transparence et une imputabilité accrues de chacun des gouvernements envers leurs commettants. Chaque gouvernement s'engage donc à:

Atteindre et mesurer les résultats

- Suivre de près ses programmes sociaux, en mesurer le rendement et publier des rapports réguliers pour informer ses commettants du rendement obtenu
- Partager des informations sur les pratiques exemplaires adoptées pour mesurer les résultats, et travailler de concert avec les autres gouvernements pour mettre au point, à terme, des indicateurs comparables permettant de mesurer les progrès accomplis en regard des objectifs convenus
- Reconnaître et expliquer publiquement les contributions et les rôles respectifs des gouvernements
- Utiliser les transferts intergouvernementaux aux fins prévues et faire bénéficier ses résidents de toute augmentation
- Recourir à des tierces parties, s'il y a lieu, pour aider à évaluer les progrès réalisés par rapport aux priorités sociales.

Faire participer les Canadiens

- S'assurer que des mécanismes sont en place pour permettre aux Canadiens de participer à l'élaboration des priorités sociales et d'examiner les résultats obtenus à cet égard.

Pratiques équitables et transparentes

- Rendre publics les critères d'admissibilité et les engagements de service afférents aux programmes sociaux
- Mettre en place des mécanismes appropriés permettant aux citoyens d'interjeter appel en cas de pratiques administratives

inéquitables, et de déposer des plaintes relatives à l'accès et au service

- Rendre compte publiquement des appels interjetés et des plaintes déposées tout en garantissant la confidentialité de ces démarches.

Travailler en partenariat pour les Canadiens

Planification concertée et coopération

Le Conseil ministériel a démontré les avantages de la planification concertée et de l'entraide qui permettent aux gouvernements d'échanger leurs connaissances et d'apprendre les uns des autres.

Les gouvernements conviennent donc

- d'effectuer une planification concertée afin d'échanger des renseignements sur les grandes tendances sociales, les problèmes et les priorités, et de travailler ensemble pour déterminer les priorités pouvant mener à une action concertée
- de coopérer à la mise en œuvre de priorités conjointes lorsque cela permet d'offrir des services plus efficaces et plus efficients aux Canadiens. Ceci pourrait inclure, s'il y a lieu, l'élaboration conjointe des objectifs et des principes, la clarification des rôles et des responsabilités, ainsi qu'une mise en œuvre souple des mesures afin de respecter la diversité des besoins et des situations, d'assurer une intervention complémentaire aux mesures existantes et d'éviter les dédoublements.

Préavis et consultation réciproques

Les mesures prises par un gouvernement ou un ordre de gouvernement ont souvent une incidence importante sur les autres gouvernements. D'une façon qui respecte les principes de notre système de gouvernement parlementaire et le processus d'élaboration du budget, les gouvernements conviennent ainsi de:

- Se donner un préavis avant la mise en œuvre de tout changement majeur à une politique ou à un programme social qui aura tout probablement une incidence importante sur un autre gouvernement
- Offrir de consulter avant de mettre en œuvre de nouvelles politiques et de nouveaux programmes sociaux qui risquent d'avoir une incidence importante sur d'autres gouvernements ou sur l'union sociale en général. Les gouvernements qui participent à ces consultations auront l'occasion de repérer les possibilités de

dédoublement et de proposer d'autres approches favorisant une mise en œuvre souple et efficace.

Traitement équitable

Pour toutes les initiatives sociales touchant l'ensemble du Canada, les ententes conclues avec une province ou un territoire seront proposées aux autres provinces et territoires en tenant compte de la situation particulière de chacun.

Autochtones

Les gouvernements collaboreront avec les peuples autochtones du Canada pour trouver des solutions pratiques à leurs besoins pressants.

Le pouvoir fédéral de dépenser – Améliorer les programmes sociaux des Canadiens

Les transferts sociaux aux provinces et aux territoires

L'utilisation du pouvoir fédéral de dépenser, conformément à la Constitution, a été essentielle au développement de l'union sociale canadienne. Le pouvoir de dépenser a souvent été utilisé par le gouvernement du Canada pour transférer des fonds aux gouvernements provinciaux et territoriaux. Ces transferts appuient la livraison des programmes et des services sociaux par les provinces et les territoires, afin de favoriser la mobilité et l'égalité des chances pour tous les Canadiens et la poursuite d'objectifs pancanadiens.

Les transferts sociaux conditionnels ont permis aux gouvernements de lancer des programmes sociaux nouveaux et innovateurs, comme l'assurance-maladie, et de veiller à ce que ces programmes soient offerts à tous les Canadiens. Lorsque le gouvernement fédéral a recours à ce type de transferts, qu'il s'agisse de programmes à frais partagés ou de financement fédéral, il se doit de procéder d'une manière coopérative, qui soit respectueuse des gouvernements provinciaux et territoriaux, et de leurs priorités.

Prévisibilité du financement

Le gouvernement fédéral consultera les gouvernements provinciaux et territoriaux au moins un an avant de renouveler ou de modifier de manière importante le financement des transferts sociaux existants aux provinces et territoires, sauf entente contraire, et il inclura des dispositions de préavis dans les nouveaux transferts sociaux aux gouvernements provinciaux et territoriaux.

Nouvelles initiatives pancanadiennes soutenues par des transferts aux provinces/territoires

En ce qui concerne les nouvelles initiatives pancanadiennes pour les soins de santé, l'éducation postsecondaire, l'aide sociale et les services sociaux, financées au moyen de transferts aux provinces/territoires, qu'il s'agisse de financement fédéral ou de programmes à frais partagés, le gouvernement du Canada s'engage à:

- travailler en collaboration avec tous les gouvernements provinciaux et territoriaux pour déterminer les priorités et les objectifs pancanadiens
- ne pas créer de telles initiatives pancanadiennes sans le consentement de la majorité des provinces.

Chaque gouvernement provincial et territorial déterminera le type et la combinaison de programmes qui conviennent le mieux à ses besoins et à sa situation, afin d'atteindre les objectifs convenus.

Un gouvernement provincial ou territorial qui, en raison de sa programmation existante, n'aurait pas besoin d'utiliser l'ensemble du transfert pour atteindre les objectifs convenus, pourrait réinvestir les fonds non requis dans le même domaine prioritaire ou dans un domaine prioritaire connexe.

Le gouvernement du Canada et les gouvernements provinciaux et territoriaux s'entendront sur un cadre d'imputabilité relatif à ces nouvelles initiatives et nouveaux investissements sociaux.

Tous les gouvernements provinciaux et territoriaux qui atteignent ou s'engagent à atteindre les objectifs pancanadiens convenus et conviennent de respecter le cadre d'imputabilité recevront leur part du financement disponible.

Dépenses fédérales directes

Une autre façon d'utiliser le pouvoir fédéral de dépenser consiste à effectuer des transferts aux personnes et aux organisations pour promouvoir l'égalité des chances, la mobilité et les autres objectifs pancanadiens.

Lorsque le gouvernement fédéral lance de nouvelles initiatives pancanadiennes financées par des transferts directs aux personnes et aux organisations pour les soins de santé, l'éducation postsecondaire, l'aide sociale et les services sociaux, il s'engage, avant de les mettre en œuvre, à donner un préavis d'au moins trois mois et à offrir de consulter. Les gouvernements qui participent à ces consultations auront l'occasion de repérer les possibilités de dédoublement et de proposer d'autres approches favorisant une mise en œuvre souple et efficace.

Prévention et règlement des différends

Les gouvernements conviennent de coopérer afin d'éviter et de régler les litiges entre eux. En ce qui a trait aux dispositions législatives existantes, les mécanismes pour prévenir et régler les différends devraient:

- être simples, rapides, efficients, efficaces et transparents
- laisser aux gouvernements la plus grande souplesse possible pour régler les différends à l'amiable
- faire en sorte que les secteurs mettent en place des mécanismes adaptés à leurs besoins
- permettre un recours approprié à des tiers pour obtenir une assistance technique et des avis sans porter atteinte à l'imputabilité démocratique des élus.

La prévention et le règlement des différends s'appliqueront aux engagements contractés à-propos de la mobilité, et des transferts intergouvernementaux, à l'interprétation des principes de la Loi canadienne sur la santé, et, le cas échéant, aux engagements découlant des nouvelles initiatives conjointes.

Les ministres sectoriels devraient utiliser comme guide, et d'une manière appropriée, le processus décrit ci-dessous:

Prévention des conflits

- les gouvernements conviennent de travailler ensemble et de prévenir les conflits grâce à l'échange d'information, à la planification conjointe, à la coopération, aux préavis, à la consultation préalable et à la souplesse dans la mise en œuvre.

Négociations sectorielles

- les négociations sectorielles visant à régler les différends seront fondées sur des enquêtes conjointes pour établir les faits
- un rapport écrit conjoint, visant à établir les faits, sera présenté aux gouvernements en cause; ceux-ci auront la possibilité de commenter le rapport avant qu'il ne soit finalisé
- les gouvernements intéressés peuvent demander l'aide d'un tiers pour établir les faits, pour obtenir des services de médiateur, ou pour obtenir conseil

- à la demande d'une des parties en cause, les rapports de médiation et ceux visant à établir les faits seront rendus publics.

Clauses de réexamen

- chaque gouvernement pourra aussi exiger une révision d'une décision ou mesure un an après son entrée en vigueur ou quand un changement de situation le justifie.

Chaque gouvernement en cause dans un litige pourra consulter et demander conseil à des tiers, notamment des personnes ou des groupes intéressés ou spécialisés, à tous les stades du processus.

Les gouvernements rendront compte publiquement chaque année de la nature des différends intergouvernementaux et de la façon dont ils ont été résolus.

Rôle du Conseil ministériel

Le Conseil ministériel aidera les ministres sectoriels en recueillant des informations sur des solutions efficaces pour mettre en œuvre l'entente-cadre et prévenir les différends. Il recevra également les rapports des divers gouvernements sur les progrès réalisés à l'égard des engagements en vertu de l'entente-cadre sur l'union sociale.

Examen de l'entente-cadre sur l'union sociale

Avant la fin de la troisième année de l'entente-cadre, les gouvernements entreprendront conjointement une évaluation complète de l'entente et de sa mise en œuvre et ils feront, s'il y a lieu, les ajustements nécessaires à l'entente-cadre. Cette évaluation comportera un volet consultatif important qui permettra à la population et à toutes les parties intéressées, y compris les spécialistes de la politique sociale, les entreprises et les organismes bénévoles, de se faire entendre et de faire valoir leur point de vue.

Bibliographie sélective portant sur l'union sociale canadienne

Assessing *ACCESS: Towards a New Social Union*, Proceedings of the Symposium on the Courchene Proposal (Kingston, Institute for Intergovernmental Relations, Queen's University, 1997).

BAKAN, Joel et David SCHNEIDERMAN. (eds.), *Social Justice and the Constitution: perspectives on a social union for Canada* (Ottawa: Carleton University Press, 1992).

BIGGS, Margaret. *Building Blocks for Canada's New Social Union*, Working Paper No F02. (Ottawa, Canadian Policy Research Networks, 1996).

BROWNE, Paul Leduc. (ed.), *Finding Our Collective Voice: Options For a New Social Union* (Ottawa: Canadian Centre for Policy Alternatives, décembre 1998).

CAMERON, Barbara. *Rethinking the Social Union: National Identities and Social Citizenship*. Ottawa: Canadian Centre for Policy Alternatives, décembre 1997.

COURCHENE, Thomas. «ACCESS: A Convention on the Canadian Economics and Social Systems» Working Paper prepared for the Ministry of Intergovernmental Affairs (Toronto: Government Printers, 1996).

Forum on the Social Union: Staking Out the Future of Federalism, Policy Options/Options Politiques, vol. 19, nº 9, novembre 1998.

KENNETT, Steven A. *Securing the Social Union: A commentary on the Decentralized Approach*, (Kingston, Institute of Intergovernmental Relations, 1998).

JOHNSTON, Larry. Behind The «Social Union», *Issue Gateway 3*, (Toronto: Ontario Legislative Library Legislative Research Service, 9 février 1999). http://www.ontla.on.ca/library/b29tx.htm

LAZAR, Harvey. «The Federal Role in a New Social Union: Ottawa at the Crossroads», in Canada: *The State of the Federation 1997, Non-Constitutional Renewal*, in Harvey Lazar. dir. (Kingston: Institute of Intergovernmental Relations, 1998), p. 105-136.

MAXWELL, Judith. «Governing Canada's Social Union», *Canadian Business Economics* 5 (1): 15-19.

O'HARA, Kathy (avec Sarah Cox). *Securing the Social Union* CPRN Study No. CPRN|02. (Ottawa, Canadian Policy Research Networks, juillet 1998).

ROBSON, William B.P. et Daniel SCHWANEN. *The Social Union: Too Flawed to Last*, Backgrounder (Toronto: C.D. Howe Institute, février 1999).

SCHWANEN, Daniel. *More Than the Sum of Our Parts: Improving the Mechanisms of Canada's Social Union*, Commentary 120 (Toronto: C.D. Howe Institute, janvier 1999).

SMITH, Jennifer. «The Québec Election and the Social Union», *The Dalhousie Review* vol. 78, n° 1: 59-70.

Documents gouvernementaux

Un cadre visant à améliorer l'union sociale pour les Canadiens. Entente entre le gouvernement du Canada et les gouvernements provinciaux et territoriaux, le 4 février 1999. http://socialunion.gc.ca/menu_f.html

DUFOUR, Christian. Rapport sur le projet d'union sociale en regard de la vision québécoise du fédéralisme canadien, Secrétariat aux affaires intergouvernemenales canadiennes, 31 juillet 1998. http://www.cex.gouv.qc.ca/saic/index-etudes.htm

DION, Stéphane et Anne MCLELLAN. «La coopération dans l'exercice du pouvoir de dépenser en matière de transferts intergouvernementaux. Le modèle de la course au sommet» Ottawa, le 5 février 1999. Http://www.pco-bcp.gc.ca/aia/docs/francais/press/release/ 19990205. htm#texte

Secrétariat aux affaires intergouvernementales canadiennes, Position historique du Québec sur le pouvoir fédéral de dépenser,

1944-1998 (Québec: ministère du Conseil exécutif, 1998). http://www.cex.gouv.qc.ca/saic/position.htm

Commentaires dans les journaux

BURELLE, André. «Mise en tutelle des provinces», *Le Devoir*, 15 février 1999, p. A7.

CAMERON, David. «The social-union pact is not a backward step for Quebec», *The Globe and Mail*, 12 février 1999, p. A17.

CASTONGUAY, Claude. «Union sociale: un déblocage majeur», *La Presse*, 10 février 1999, p. B3.

CASTONGUAY, Claude. «Québec a raté une belle occasion», *Le Droit*, 11 février, 1999.

CHAREST, Jean J. «L'union sociale canadienne: l'occasion de progresser tous ensemble», *Le Devoir*, 13 février 1999, p. A13.

RYAN, Claude. «L'union sociale annonce une domination fédérale accrue», *Le Devoir*, 12 juin 1999, p. A11.

Notes sur les auteurs

André Binette

André Binette est avocat au cabinet Joli-Cœur, Lacasse, Lemieux, Simard, St-Pierre, s.e.n.c., à Sillery. Parmi ses principales expériences professionnelles, André Binette a été conseiller en droit constitutionnel et international de l'*amicus curiae*, André Joli-Cœur, dans le Renvoi sur la sécession du Québec (Cour suprême du Canada) 1997-1998; conseiller en droit constitutionnel et international du Comité exécutif du gouvernement du Québec (au secrétariat aux Affaires intergouvernementales canadiennes) 1988-1990 et 1995-1996 et coordonnateur de la recherche en droit constitutionnel et international au secrétariat de la Commission d'étude sur les questions afférentes à l'accession du Québec à la souveraineté, 1991-1992. Il a aussi publié avec Ivan Bernier, *Les provinces canadiennes et le commerce international*, Sainte-Foy, Les Presses de l'Université Laval, 1988.

Jacques Frémont

Jacques Frémont est professeur titulaire à la Faculté de droit de l'Université de Montréal. Il est chercheur au Centre de recherche en droit public de l'Université de Montréal et a été directeur du Centre (1994-1999). Ses principaux champs de recherche sont le droit constitutionnel, le droit administratif, la formalisation du droit. Jacques Frémont a été professeur invité dans plusieurs universités dont l'Université de Genève et l'Université York où il était détenteur de la Chaire Bora Laskin en droit public (*Osgoode Hall Law School*). Parmi ses publications récentes, mentionnons la codirection des ouvrages *Le temps et le droit*, Cowansville, Éditions Yvon Blais, 1996 et *Les autoroutes de l'information: enjeux et défis* – Actes du colloque tenu dans le cadre des 8es entretiens Jacques Cartier, Rhônes-Alpes, 5 au 8 décembre 1995, Lyon, Éditions Les Chemins de la recherche, 1996, de même que «Supranationalité canadienne et sécession du Québec» dans *National Journal of Constitutional Law – Revue nationale de droit constitutionnel*, vol. 8, 1997, p. 161-204.

Alain-G. Gagnon

Alain-G. Gagnon est professeur titulaire au département de science politique de l'université McGill et directeur du Programme d'études sur le Québec. Il est aussi directeur de la revue *Politique et Sociétés* depuis 1995 et vice-président aux études et programmes de l'Association internationale des études québécoises. Il a dirigé ou publié plus de vingt-cinq ouvrages dans les domaines des fédérations plurinationales, des droits collectifs et individuels, des mouvements sociaux et des systèmes partisans et de la sociologie des intellectuels. Parmi ses plus récents livres, notons: *Ties that Bind: Parties and Voters in Canada* (Toronto, Oxford University Press, 1999), avec James Bickerton et Patrick Smith; *Canadian Politics*, 3e édition (Peterborough, Broadview Press, 1999), en codirection avec James Bickerton; *Quebec* (Oxford, ABC Clio, 1998); *Québec: État et société* (Montréal, Québec Amérique, 1994 – Prix Richard Arès 1995). Il codirige présentement un ouvrage collectif avec James Tully ayant pour titre *Struggles for Recognition*, Cambridge, Cambridge University Press (à paraître).

Alain Noël

Alain Noël est professeur agrégé au département de science politique de l'Université de Montréal. Ses champs de spécialisation sont la politique comparée (Amérique du Nord, Europe de l'Ouest), l'économie politique, la politique Canada-Québec et les politiques sociales. Alain Noël a été pendant l'année académique 1997-1998 *Visiting Scholar, School of Social Welfare*, et *John A. Sprout Postdoctoral Fellow in Canadian Studies University of California, Berkeley*. Il a publié de nombreux travaux sur des questions de politique canadienne, sur l'État-providence dans les pays de l'OCDE et sur les politiques d'assistance sociale. Il a codirigé (en collaboration avec Alain-G. Gagnon) *L'espace québécois*, Montréal, Québec Amérique, 1995 et récemment publié *«Le principe fédéral, la solidarité et le partenariat»* dans Roger Gibbins et Guy Laforest (dir.) *Sortir de l'impasse. Les voies de la réconciliation*, Montréal, Institut de recherche en politiques publiques, 1998.

Ghislain Otis

Ghislain Otis est professeur titulaire à la Faculté de droit de l'Université Laval et vice-doyen aux programmes des deuxième et troisième cycles et à la recherche. Ses champs de spécialisation sont le droit constitutionnel, les droits et libertés de la personne et le droit autochtone. Parmi ses publications, citons *Peuples autochtones et normes internationales: analyse et textes relatifs au régime de protection identitaire des peuples autochtones*, Cowansville, Éditions Yvon Blais, 1996 (en collaboration avec B. Melkevik); «Opposing Aboriginality to Modernity: The Doctrine of Aboriginal Rights in Canada» dans *British Journal of Canadian Studies*, vol. 12, nº 2, 1997, p. 182-194 et «L'identité autochtone dans les traités contemporains: de l'extinction à l'affirmation du titre ancestral» dans *Revue de droit de McGill/McGill Law Journal*, vol. 41, 1996, p. 543-570 (en collaboration avec André Émond).

Claude Ryan

M. Claude Ryan fut directeur du journal *Le Devoir* de 1963 à 1978. Il a été chef du Parti libéral du Québec de 1978 à 1982 et élu député libéral du comté d'Argenteuil à l'Assemblée nationale de 1979 à 1994. Il a participé à l'exercice du pouvoir en qualité de ministre pendant neuf ans, période durant laquelle il a occupé plusieurs fonctions ministérielles. Claude Ryan a notamment publié en 1995 *Regards sur le fédéralisme canadien* aux éditions du Boréal et plus récemment des articles concernant le Renvoi relatif à la sécession du Québec devant la Cour suprême du Canada et l'union sociale canadienne.

André G. Tremblay

André G. Tremblay est avocat au Barreau de Montréal et professeur titulaire à la Faculté de droit de l'Université de Montréal depuis 1970. Ses champs de recherche sont le droit constitutionnel et les droits de la personne de même que le fédéralisme. André G. Tremblay, en plus d'avoir été conseiller auprès de plusieurs gouvernements, a plaidé devant la Cour suprême du Canada et a été conseiller principal du gouvernement du Québec en matières constitutionnelles (1986-1993). Au chapitre de ses publications citons *Droit constitutionnel-Principes*, Université de Montréal, Éditions Thémis 1993 et *Droit constitutionnel canadien et québécois-Documents*, Université de Montréal, Éditions Thémis, 1999.

Guy Tremblay

Guy Tremblay est professeur titulaire à la Faculté de droit de l'Université Laval depuis 1984. Ses champs de spécialisation sont le droit constitutionnel et la méthodologie du droit. Il a notamment publié en collaboration avec Henri Brun l'ouvrage *Droit constitutionnel*, 2e édition, Cowansville, Les Éditions Yvon Blais inc., 1990. Il a aussi publié *Une grille d'analyse pour le droit du Québec*, 3e édition, Montréal, Wilson & Lafleur ltée, 1993, ainsi que «La constitutionnalité des infractions provinciales pures et simples» dans *Thémis*, vol. 27, 1993.